Le Lièvre
aux yeux d'ambre

libres Champs

**Une époque, un récit,
l'exactitude des sources racontées
à la manière d'un roman...**

Le Dernier Duel
par Eric JAGER
Flammarion, 2010

Les Disparus de Shangri-La
par Mitchell ZUCKOFF
Flammarion, 2012

Le Lièvre aux yeux d'ambre
par Edmund DE WAAL
Albin Michel, 2011

Quattrocento
par Stephen GREENBLATT
Flammarion, 2013

La Traque du mal
par Guy WALTERS
Flammarion, 2010

Waterloo
par Alessandro BARBERO
Flammarion, 2005

Edmund de Waal

Le Lièvre aux yeux d'ambre

*Traduit de l'anglais
par Marina Boraso*

libresChamps

Titre original : *The Hare with Amber Eyes*
© Edmund de Waal, 2010
Publiée par Chatto & Windus
(Random House, Londres) en 2010

Titre de la première édition française :
La Mémoire retrouvée,
publiée sous la direction de Vaiju Naravane

© Albin Michel, 2011, pour la traduction française
© Flammarion, 2015, pour la présente édition
en coll. « Champs »
ISBN : 978-2-0813-4724-3

À Ben, Matthew et Anna
À mon père

« Même quand on ne tient plus aux choses, il n'est pas absolument indifférent d'y avoir tenu, parce que c'était toujours pour des raisons qui échappaient aux autres [...] Eh bien ! maintenant que je suis un peu trop fatigué pour vivre avec les autres, ces anciens sentiments, si personnels à moi, que j'ai eus, me semblent, ce qui est la manie de tous les collectionneurs, très précieux. Je m'ouvre à moi-même mon cœur comme une espèce de vitrine, je regarde un à un tant d'amours que les autres n'auront pas connus. Et de cette collection à laquelle je suis maintenant plus attaché encore qu'aux autres, je me dis, un peu comme Mazarin pour ses livres, mais du reste sans angoisse aucune, que ce sera bien embêtant de quitter tout cela. »

Marcel PROUST,
Sodome et Gomorrhe, II

Avant-propos

En 1991, une fondation japonaise m'attribua une bourse pour deux années d'études. L'idée était d'offrir à sept jeunes Britanniques venus de divers horizons – ingénierie, journalisme, industrie ou travail de la céramique – un cursus de japonais dans une université anglaise, suivi d'un séjour d'un an à Tokyo. Nos compétences linguistiques nous permettraient d'inaugurer une nouvelle ère de communications avec le Japon. Premières recrues du programme, nous attirions sur nous de fortes attentes.

Je passais mes matinées dans un institut de langues du quartier de Shibuya, au sommet de la colline à l'écart du dédale de fast-foods et de boutiques de matériel électrique à prix réduit. Tokyo connaissait une expansion sans précédent depuis la guerre. Les banlieusards s'arrêtaient aux passages cloutés pour regarder les écrans affichant l'indice Nikkei grimpant de plus en plus haut. Afin d'éviter l'heure de pointe dans le métro, je partais de chez moi avec une heure d'avance pour rencontrer un universitaire plus âgé que moi, un archéologue avec qui je partageais en chemin des brioches à la cannelle et un café. Pour la première fois depuis que j'avais quitté l'école, je rentrais chez moi avec de vrais devoirs à faire. Cent cinquante kanji à mémoriser chaque semaine, une colonne d'un article de journal à déchiffrer, et plusieurs dizaines d'expressions idiomatiques à répéter quotidiennement. Je ne connaissais rien de plus redoutable. Les autres étudiants, plus jeunes que moi, plaisantaient en japonais avec les enseignants, sur des émissions télévisées ou le dernier scandale politique. Les locaux étaient ceints de grilles métalliques vertes, et je me revois leur lancer des coups de pied un beau matin, tout en me disant que j'avais vingt-huit ans et que je frappais dans la grille d'une école.

Les après-midi étaient libres. Deux fois par semaine, je fréquentais un atelier de céramique, où je côtoyais aussi bien des hommes d'affaires retraités venus fabriquer des bols à thé que des étudiants qui formulaient des thèses d'avant-garde à partir de l'argile brute. Quand on avait payé sa cotisation, on s'appropriait un tour ou un établi, et on pouvait travailler tranquillement dans son coin. Sans être bruyant, l'endroit bourdonnait du brouhaha chaleureux des conversations. J'en profitai pour m'initier à la porcelaine, façonnant délicatement les contours de mes pots et de mes théières tout juste retirés du tour.

Enfant, je pratiquais déjà la poterie, et j'avais harcelé mon père pour qu'il m'inscrive à un cours du soir. Ma première réalisation fut un bol tourné à la glaçure d'un blanc opalescent, relevé de quelques touches de bleu cobalt. Tout jeune, je passais la plupart de mes après-midi dans un atelier de poterie, et lorsque je quittai précocement l'école, à dix-sept ans, j'entamai mon apprentissage sous l'égide d'un maître austère qui vouait un culte au céramiste anglais Bernard Leach. Il m'inculqua le respect du matériau et la pertinence du geste. Chez lui, je fabriquais par centaines des bols à soupe et des pots à miel en grès gris, et je balayais le plancher. Je participais à la pose des glaçures, soigneuse reconstitution des nuances orientales. Mon professeur n'était jamais allé au Japon, mais il possédait une bibliothèque entière d'ouvrages sur la poterie japonaise. À l'heure du café matinal, nous débattions des mérites de certains bols à thé particulièrement réputés. Garde-toi, me conseillait-il alors, des gestes superflus : la sobriété est une richesse. Nous travaillions en silence, ou au son du répertoire musical classique.

Au milieu de mon apprentissage, je passai un long été de vacances au Japon, rendant visite à des maîtres aussi solennels que le mien dans des petits villages de potiers : Mashiko, Bizen, Tamba. Le bruissement d'un écran en papier de riz en train de se refermer, le clapotis de l'eau sur les galets dans le jardin d'une maison de thé étaient pour moi autant d'épiphanies, tout comme les snacks Dunkin' Donuts, avec leur éclairage au néon, suscitaient une moue de contrariété. Un article que je rédigeai à mon retour pour un magazine japonais porte témoignage de ma profonde dévotion : « Le Japon et l'éthique du potier : cultiver la déférence pour le matériau et les marques du temps ».

Après ma formation et un cursus de littérature anglaise, je passai sept ans à travailler seul dans des ateliers calmes et bien rangés, d'abord sur la frontière galloise, puis dans le centre d'une ville lugubre. J'arrivais à me concentrer profondément, et mes poteries en apportaient la preuve. Et voici que j'étais de retour au Japon, dans un atelier désordonné, avec un voisin bavard qui discutait base-ball, en train de façonner un pot en porcelaine au modelé expressif. Et je découvrais que j'y prenais un grand plaisir. Les choses étaient sur la bonne voie.

Deux fois par semaine, je me rendais aux archives du Nihon Mingei-kan, le musée des Arts populaires du Japon, où je travaillais à une monographie sur Leach. Au sein d'une ferme restaurée de la banlieue de Tokyo, ce musée accueille la collection d'objets d'art populaire japonais et coréen léguée par Yanagi Soetsu. Philosophe, historien de l'art et poète, Yanagi a forgé une théorie sur la beauté de certains objets – poterie, vannerie ou étoffes – fabriqués par des artisans anonymes. S'ils sont porteurs, selon lui, d'une beauté inconsciente, c'est parce qu'ils ont été reproduits un si grand nombre de fois que l'artisan s'est libéré de son ego. Dans sa jeunesse, au début du XXe siècle, il a été l'ami inséparable de Leach, avec qui il échangeait des lettres passionnées sur les écrits de Blake, Whitman ou Ruskin. Ils ont même fondé une colonie d'artistes dans un hameau situé à la bonne distance de Tokyo, où Leach modelait ses poteries avec l'assistance des jeunes gens du cru, tandis que Yanagi faisait à son cercle de bohèmes des discours sur Rodin et la beauté.

Passé la porte, le dallage de pierre cédait la place à un banal linoléum, et il fallait emprunter un petit couloir pour arriver à la salle des archives consacrée à Yanagi : un petit espace dont les murs tapissés de rayonnages abritaient ses livres, ainsi que ses notes et sa correspondance rangées dans des enveloppes matelassées. Un bureau, une ampoule nue, et rien d'autre. J'aime beaucoup les archives. Celles-ci étaient spécialement calmes, et toujours plongées dans une épaisse pénombre. C'est là que je poursuivais mes lectures, prenant des notes en vue d'une monographie novatrice sur Leach. Elle prendrait la forme d'un essai sur le *japonisme**[1], ce malentendu séculaire, passionné et créatif que l'Occident a nourri à l'égard du Japon. Je cherchais à appréhender ce qui, dans la nature du Japon, suscitait tant de zèle et de ferveur chez les artistes, et tant de courroux chez les universitaires qui dénonçaient une méprise après l'autre. En écrivant cet ouvrage, je nourrissais l'espoir de me délivrer de mon propre engouement pour ce pays, profond et envahissant.

Je consacrais aussi une après-midi par semaine à mon grand-oncle Iggie.

À la sortie du métro, j'entamais l'ascension de la colline, passant devant des distributeurs de bière rutilants, le temple de Senjaku-ji où sont ensevelis les quarante-sept samouraïs, la salle de réunion shinto, étrangement baroque, et le bar à sushis tenu par l'athlétique M. X, puis je tournais à droite au niveau du grand mur d'enceinte d'un jardin planté de pins qui appartient au prince Takamatsu. J'entrais dans l'immeuble et prenais l'ascenseur jusqu'au sixième étage. Je trouvais Iggie en train de lire dans son fauteuil, près de la fenêtre. John Le Carré ou Elmore Leonard, principalement, ou des mémoires écrits en français. C'est curieux, faisait-il

1. Les mots ou expressions en italiques suivis d'un astérisque sont en français dans le texte original *(N.d.T.)*

15

remarquer, comme certaines langues sont plus chaleureuses que d'autres. Je me penchais vers lui, et il m'embrassait.

Il y avait sur son bureau un sous-main vide, un bloc de papier à lettres à en-tête et des stylos prêts à l'emploi, même s'il avait cessé d'écrire. Par la fenêtre placée derrière lui, on ne voyait que des grues. Des immeubles de quarante étages cachaient la vue sur la baie de Tokyo.

Nous partagions le déjeuner préparé par sa cuisinière, Mme Nakano, ou déposé par son ami Jiro, dont l'appartement communiquait avec le sien. Omelette et salade, et du pain acheté dans une excellente boulangerie française d'un centre commercial de Ginza. Un verre de vin blanc bien frais, sancerre ou pouilly fumé. Une pêche. Du fromage. Et enfin un délicieux café. Bien noir.

À quatre-vingt-quatre ans, Iggie n'était que très légèrement voûté, et il s'habillait toujours de manière impeccable. Il avait belle allure dans ses vestes à chevrons ornées de pochettes, qu'il portait avec une chemise claire et une cravate. Il arborait aussi une petite moustache blanche.

Le déjeuner terminé, il tirait une des portes coulissantes de la longue vitrine qui occupait presque tout un mur du salon, et il en sortait, un par un, les *netsukes* qu'elle contenait. Le lièvre aux yeux d'ambre. Le jeune homme casqué, brandissant son épée de samouraï. Un tigre tout en pattes et en épaules, qui se retournait en montrant les dents. Il m'en tendait un, que nous observions ensemble, et que je rangeais ensuite avec précaution parmi les dizaines d'animaux et de personnages alignés sur les étagères en verre.

16

Iggie et sa collection de netsukes, Tokyo, 1960

Je me chargeais de remplir les coupelles d'eau qui restaient toujours dans la vitrine, de peur qu'un air trop sec ne vienne à fissurer les figurines d'ivoire.

T'ai-je déjà dit, me demandait mon oncle, combien nous les aimions dans notre enfance ? Sais-tu qu'ils ont été offerts à mes parents par un cousin de Paris ? T'ai-je déjà conté l'histoire de la poche d'Anna ?

Nos conversations empruntaient parfois d'étranges détours. À un moment, il me décrivait le *Kaiserschmarrn* que la cuisinière préparait pour l'anniversaire de son père, au petit-déjeuner – des piles de crêpes enrobées de sucre glace et de liqueur sirupeuse, que le majordome Josef servait en grande pompe dans la salle à manger, découpant les parts avec un long

17

couteau. Et son père déclarait toujours que l'empereur en personne ne pouvait commencer plus agréablement sa journée d'anniversaire. La minute d'après, il se mettait à évoquer le second mariage de Lilli. Qui était Lilli, d'abord ?

Dieu merci, me disais-je, même si je ne connaissais pas Lilli, j'étais assez bien informé pour savoir où se déroulaient certaines de ces histoires. Bad Ischl, Kövesces, Vienne. Alors que les lumières des grues s'allumaient dans le crépuscule, s'étendant toujours plus loin vers la baie de Tokyo, je pensais que j'étais en passe de devenir son secrétaire particulier, et que je coucherais sans doute par écrit tous ses récits sur la Vienne d'avant la guerre de 14, assis aux côtés d'Iggie avec un carnet de notes. Finalement je ne l'ai jamais fait. La chose me semblait à la fois protocolaire et déplacée. Intéressée, aussi, dans le genre « Voilà une bonne histoire que j'ai bien envie de m'approprier ». Quoi qu'il en soit, j'appréciais la manière dont la répétition finit par aplanir les choses, et les histoires d'Iggie étaient polies comme des galets.

Au fil des années, j'entendis parler de la fierté que leur père tirait de l'intelligence d'Elisabeth, sa sœur aînée, et de l'agacement de leur mère devant son langage sophistiqué. Un peu de sens commun, enfin ! Il lui arrivait fréquemment de mentionner avec une note d'anxiété un de ses jeux avec sa jeune sœur Gisela : il s'agissait de prendre dans le salon un petit objet, de l'emporter au rez-de-chaussée et de lui faire traverser la cour en esquivant les grooms, avant de descendre les marches de la cave et de le cacher dans le sous-sol voûté de la maison. Chacun mettait l'autre au défi d'aller le récupérer, et un jour Iggie avait perdu l'un de ces objets dans le noir. Ce souvenir-là avait quelque chose d'inachevé, de fuyant.

Une foule d'histoires sur Kövesces, leur maison de campagne en Tchécoslovaquie. Sa mère, Emmy, le réveillant avant l'aube pour aller chasser le lièvre dans les chaumes avec le garde-chasse. C'était la première fois qu'on l'autorisait à tirer au fusil, mais en voyant frémir les oreilles des lièvres dans la fraîcheur de l'air, il n'avait pas pu se résoudre à faire feu.

Gisela et Iggie tombant sur un groupe de Tziganes et leur ours dansant attaché à sa chaîne, sur le campement dressé au bord de la rivière, aux confins de la propriété. Saisis de terreur, ils avaient regagné la maison en courant. L'*Orient-Express* s'arrêtait pour déposer leur grand-mère qui descendait dans sa robe blanche, aidée par le chef de train, tandis qu'ils s'élançaient pour l'accueillir et prendre la boîte de gâteaux emballée dans un papier vert, achetée pour eux chez Demel à Vienne.

Et le matin où Emmy, au petit-déjeuner, l'avait entraîné à la fenêtre pour lui montrer l'arbre d'automne couvert de chardonnerets. Les oiseaux s'étaient dispersés quand il avait cogné à la vitre, et après leur envol, l'arbre conservait l'éclat de l'or.

Après le déjeuner, je m'occupais de la vaisselle pendant qu'Iggie faisait la sieste, puis je m'attelais à l'étude des kanji, remplissant de mes efforts maladroits des pages et des pages de papier quadrillé. Je m'attardais jusqu'à ce que Jiro rentre du travail, rapportant les journaux du soir anglais et japonais, ainsi que des croissants pour le petit-déjeuner du lendemain. Il mettait un disque de jazz ou du Schubert,

19

nous dégustions un verre ensemble, et puis je prenais congé.

Je louais dans le quartier de Mejiro un studio très agréable qui donnait sur un petit jardin fleuri d'azalées. Je me débrouillais de mon mieux avec ma bouilloire et ma plaque chauffante, mais j'avoue que mes soirées avaient un goût récurrent de nouilles et de solitude. Deux fois par mois, Jiro et Iggie m'invitaient à un dîner ou à un concert. Ils m'offraient un verre à l'Imperial, suivi d'un délicieux repas : sushis, steak tartare, ou *bœuf à la financière** en hommage à notre passé de banquiers. En revanche, je déclinais le foie gras, un des plats favoris d'Iggie.

Au cours de l'été, l'ambassade du Royaume-Uni donna une réception à l'intention des universitaires. Il me fallut prononcer un discours en japonais pour expliquer ce que cette année m'avait apporté, et comment la culture servait de passerelle entre nos deux nations insulaires. J'avais répété ma prestation jusqu'à satiété. Iggie et Jiro, tous les deux présents, m'adressaient des signes d'encouragement derrière leur coupe de champagne. Quand j'eus fini, ils vinrent me trouver, et Jiro me pressa l'épaule tandis que mon oncle m'embrassait ; avec un sourire complice, ils m'assurèrent que mon japonais était *jozu desu ne* – maîtrisé, pointu, excellent.

Ces deux-là s'étaient bien trouvés. Dans son appartement, Jiro avait aménagé une pièce typiquement japonaise, avec des tatamis au sol et un petit autel abritant des photographies de sa mère et de celle d'Iggie, où l'on récitait des prières au son d'une clochette. Dans le sien, Iggie avait exposé sur son bureau une photo d'eux en bateau, voguant sur la mer Intérieure mouchetée de lumière, des montagnes couvertes de pins en arrière-plan. Elle datait de janvier 1960. Jiro, superbe avec ses cheveux lissés en arrière, avait passé un bras autour des épaules d'Iggie. Sur une autre photo, prise dans les années 1980 sur un bateau de croisière au large de Hawaii, ils se tenaient par le bras, vêtus de leur costume de soirée.

C'est dur de partir le dernier, me confia Iggie à mi-voix.

Et il déclara d'une voix plus forte : Vieillir au Japon est quelque chose de merveilleux. J'ai passé ici plus de la moitié de ma vie.

Est-ce que Vienne te manque, à certains égards ? (Pourquoi hésiter à lui demander carrément : que regrette-t-on avec l'âge, quand on a quitté son pays d'origine ?)

Non. Tu sais, je n'y suis retourné qu'en 1973. C'était un endroit étouffant, oppressant. Tout le monde connaissait notre nom. On ne pouvait pas aller acheter un roman sur Kärntner Strasse sans qu'on nous demande des nouvelles du rhume de notre mère. Impossible de faire un mouvement. Toutes ces dorures dans la maison, tous ces marbres. Et il y faisait tellement sombre ! As-tu déjà vu notre ancienne maison sur le Ring ?

Et il me demanda sans préambule : Sais-tu que les beignets aux prunes sont meilleurs au Japon qu'à Vienne ?

Il finit par reprendre le fil, après une pause : Papa disait toujours qu'il me ferait entrer à son club quand j'aurais l'âge voulu. Le jeudi, il allait rejoindre ses amis près de l'Opéra – ses amis juifs. Ces soirs-là il rentrait toujours la mine réjouie. Le Wiener Club. Je demandais chaque fois à l'accompagner, mais il n'a jamais accepté. Ensuite je suis parti pour Paris et New York, et puis la guerre a commencé.

Voilà ce qui me manque. Ce qui m'a manqué.

Iggie a disparu en 1994, peu de temps après mon retour en Angleterre. C'est Jiro qui m'a appelé : il n'avait passé que trois jours à l'hôpital. C'était un soulagement. Je suis retourné à Tokyo pour assister aux funérailles. Nous n'étions qu'une vingtaine de personnes – leurs vieux amis, la famille de Jiro, Mme Nakano et sa fille –, les yeux baignés de larmes.

Nous nous regroupons après la crémation, et l'on nous présente les cendres ; deux par deux, nous nous succédons pour déposer dans l'urne, à l'aide de baguettes noires, les fragments d'os qui n'ont pas brûlé.

Ensuite nous nous rendons au temple où Jiro et Iggie ont acquis une concession, vingt ans auparavant. Le cimetière se trouve derrière le lieu de culte, sur une colline, et chaque lot est délimité par un muret de pierres grises. Leurs deux noms sont déjà marqués sur la pierre tombale, et il y a un emplacement réservé aux fleurs. Des seaux d'eau et des brosses voisinent avec des plaquettes de bois portant des inscriptions peintes. On frappe trois fois, et l'on s'excuse auprès de ses proches de ne pas être revenu plus tôt, puis on nettoie la tombe et on enlève les chrysanthèmes fanés pour les remplacer par des fleurs fraîches.

Au temple, l'urne est posée sur une plate-forme, et l'on place devant elle un portrait d'Iggie – la photographie prise sur le bateau de croisière, en costume de soirée. Le prêtre psalmodie un sutra tandis que nous répandons de l'encens, et Iggie reçoit son nouveau nom bouddhique, son *kaimyo*, qui l'aidera dans sa vie future.

Nous parlons enfin de lui. Je m'efforce d'exprimer en japonais combien mon oncle comptait à mes yeux, mais les larmes m'en empêchent, et malgré ma confortable bourse d'études, les mots japonais tardent à me venir quand j'en ai vraiment besoin. Dans ce temple des faubourgs de Tokyo, c'est donc un kaddish que je prononce à la mémoire d'Ignace von Ephrussi exilé de Vienne, à la mémoire de son père et de sa mère, de son frère et de ses sœurs éparpillés dans la diaspora.

Les obsèques achevées, Jiro me demande de trier avec lui les vêtements d'Iggie. Dans les placards de son dressing, je trouve les chemises rangées par coloris. En emballant ses cravates, je note qu'elles tracent une carte de ses voyages avec Jiro à Londres et Paris, à Honolulu et New York.

Quand nous avons terminé, Jiro nous sert un verre de vin et, sortant un pinceau et un encrier, il rédige un document avant de le sceller. Il y est dit, m'explique-t-il, qu'après sa disparition, c'est moi qui aurai la charge des netsukes.

C'est donc moi le prochain.

La collection compte 264 netsukes. Une vaste collection rassemblant de très petits objets.

J'en prends un, je le retourne entre mes doigts, je le soupèse au creux de ma paume. Ceux qui sont taillés en bois d'orme ou de châtaignier sont encore plus légers que les statuettes d'ivoire, et ils laissent mieux apparaître la patine : on devine un lustre discret sur l'échine du loup gris tacheté, sur le couple d'acrobates étroitement enlacés. Les figurines d'ivoire font défiler toute la gamme des crème, toutes les nuances sauf le blanc pur. Quelques-unes ont des yeux incrustés d'ambre ou de corne. Parmi les plus anciennes, on en trouve de légèrement érodées : ainsi, la cuisse du faune reposant sur un lit de feuilles a perdu de son relief. Et la cigale présente une fine craquelure, une fissure à peine perceptible. Qui l'a laissée tomber ? En quel lieu, à quel moment ?

La plupart sont signées, attestant ce moment d'appartenance où l'objet est achevé et où son créateur s'en sépare. Un des netsukes en bois figure un homme assis, qui tient une courge entre ses pieds. Incliné en avant, il serre à deux mains un couteau dont la lame est à demi plantée dans la courge. La besogne est ardue, ses bras, ses épaules et son cou sont là pour le montrer : chaque muscle concentre son effort sur la lame. Un autre représente un tonnelier maniant son herminette sur un tonneau inachevé. Assis, il se penche à l'intérieur comme dans un cadre, les sourcils froncés par la concentration. Ce travail sur l'ivoire nous révèle ce qu'est le travail du bois. Tous les deux incarnent l'ouvrage achevé prenant pour sujet l'inachevé. Regardez, je suis arrivé le premier, et lui a tout juste commencé.

Quand on fait tourner les netsukes dans ses mains, on a le plaisir de découvrir l'emplacement des signatures – sur la semelle d'une sandale, à l'extrémité d'une branche, sur le thorax d'un frelon – ainsi que l'espacement entre les coups de ciseau. Je pense aux mouvements que l'on fait quand on signe à la japonaise, à l'encre : le pinceau plongeant dans l'encre,

24

l'explosion du premier contact, le retour à la pierre à encre, et je me demande comment l'on peut tracer une signature aussi précise avec les délicats outils de métal du sculpteur de netsukes.

Certains netsukes ne portent aucun nom, et l'on a collé sur d'autres des petits bouts de papier, sur lesquels des nombres minuscules sont inscrits à l'encre rouge.

Les rats sont très représentés. Peut-être parce qu'ils donnaient au sculpteur l'occasion d'entremêler toutes ces queues sinueuses, de les enrouler autour des seaux d'eau, des poissons morts et des robes des mendiants, et de replier leurs pattes sur le dessous des sculptures. Je m'aperçois que les chasseurs de rats sont tout aussi nombreux.

Il y a des netsukes qui sont des études du mouvement, si bien que les doigts suivent la courbe d'une corde qui se déroule, ou d'une gerbe d'eau renversée. D'autres figures ont des postures contractées, irrégulières au toucher. Une jeune fille dans un tub en bois, un tourbillon de palourdes. D'autres encore vous font la surprise d'être les deux à la fois. Un dragon tout en plis et replis prend appui contre un rocher tout simple. Les doigts se promènent sur l'ivoire lisse qui évoque la pierre, et rencontrent brusquement la densité du dragon.

J'observe avec joie que l'asymétrie est leur point commun. Comme pour mes bols à thé japonais favoris, la partie ne suffit pas à résumer le tout.

En rentrant à Londres, j'enfouis dans ma poche un de ces netsukes, et pendant une journée je le transporte partout où je vais. Le mot « transporter » ne convient pas tout à fait, d'ailleurs, il est trop intentionnel. Un netsuke est si petit, si léger qu'il se déplace entre vos clés et votre petite monnaie et disparaît quasiment au milieu. On finit tout simplement par oublier sa présence. Celui dont je parle figurait une nèfle bien mûre, taillée en bois de châtaignier à la fin du XVIIIe siècle à Edo, l'ancienne Tokyo. En automne au Japon, on voit quelquefois des néfliers ; une branche qui se déploie par-dessus l'enceinte d'un temple ou d'un jardin privatif, jusque dans une rue bordée de distributeurs, cause une joie indescriptible. Mon fruit approche la limite entre maturité et déclin. On croirait que les trois feuilles qui le coiffent vont tomber si on les frotte entre ses doigts. Il y a un léger déséquilibre dans le fruit, un côté est plus mûr que l'autre. On sent au-dessous les deux orifices – l'un plus grand que l'autre – où l'on pourrait glisser un cordon de soie pour que le netsuke serve à suspendre une petite bourse. J'essaie d'imaginer à qui il a appartenu. Ce netsuke est tout simple, il a été fabriqué bien avant que le Japon ne s'ouvre au commerce extérieur vers 1850, et il est donc adapté au goût japonais : il se peut qu'il ait été destiné à un marchand ou à un lettré. Il est sobre et discret, mais sa vue amène un sourire sur mes lèvres. Créer pour le toucher un objet si doux à partir d'un matériau si dur est une espèce de boutade tactile, patiente et assez convaincante.

La nèfle toujours au fond de ma poche, je passe au musée, où j'ai rendez-vous au sujet de mes recherches en cours, puis je retourne à mon studio avant de me rendre à la London Library. De temps en temps, je la fais rouler entre mes doigts.

Je me rends compte alors à quel point il m'importe que cet objet à la fois dur et doux, et si facile à perdre, ait survécu. Il faut que je trouve le moyen de démêler les fils de son histoire. Le fait que ce netsuke m'appartienne, et que j'aie reçu tous les autres en héritage, me charge d'une responsabilité envers eux et envers ceux qui les ont possédés avant moi. J'ai peine à définir clairement en quoi elle consiste, et cela me plonge dans l'embarras.

Je connais, grâce à Iggie, les grandes lignes de leur périple. Je sais que ces netsukes ont été achetés à Paris vers 1870 par un cousin de mon arrière-grand-père, Charles Ephrussi. Je sais aussi qu'ils ont été offerts comme cadeau de mariage à mon arrière-grand-père Viktor von Ephrussi au début du XXᵉ siècle, dans la ville de Vienne. Je connais en détail l'histoire d'Anna, la bonne de mon arrière-grand-mère. Et je sais enfin qu'ils ont suivi Iggie à Tokyo, et qu'ils ont fait partie de sa vie avec Jiro.

Paris, Vienne, Tokyo, Londres.

L'histoire de la nèfle débute à l'endroit où elle a été fabriquée. À Edo, l'ancienne Tokyo, avant que les Black Ships du commodore américain Perry n'ouvrent le Japon au commerce international, en 1859. Mais son premier sanctuaire a été le bureau de Charles, à Paris. Une pièce de l'hôtel Ephrussi qui donnait sur la rue de Monceau.

Voilà un bon début. Je me réjouis de tenir ce lien direct, oral, avec Charles. À l'âge de cinq ans, ma grand-mère Elisabeth rencontra Charles au chalet Ephrussi de Meggen, sur les bords du lac de Lucerne. Le « chalet » était en fait un bâtiment de six étages en pierres rustiquées couronné de majestueuses tourelles.

Une construction d'une stupéfiante laideur. Jules, le frère aîné de Charles, et son épouse Fanny l'avaient fait bâtir au début des années 1880, afin d'échapper « à l'atmosphère affreusement oppressante de Paris ». Immense, il était assez spacieux pour loger l'ensemble du « clan Ephrussi » de Paris et de Vienne, ainsi que tous les cousins berlinois.

Autour du chalet, on rencontrait mille petits sentiers au gravier crissant bordés de buis bien taillés, à l'anglaise, de petits parterres fleuris de plantes ornementales et un féroce jardinier prompt à interrompre les jeux d'enfants. Dans ce sévère jardin suisse, les gravillons éparpillés n'étaient pas de mise. Le jardin descendait vers le lac, où l'on trouvait un ponton et un hangar à bateaux, ainsi que de nouvelles occasions de réprimande. Jules, Ignace et le benjamin Charles étaient tous trois de nationalité russe, si bien que le drapeau de Russie flottait sur le toit de la remise à bateaux. Les étés nonchalants se succédaient au chalet. Elisabeth était l'héritière pressentie de la colossale fortune de Jules et de Fanny, qui n'avaient pas de descendance. Ma grand-mère avait gardé le souvenir d'une grande toile accrochée dans la salle à manger, représentant des saules au bord d'un ruisseau. Elle se rappelait aussi que tous les serviteurs de la maisonnée étaient de sexe masculin, y compris en cuisine, ce qu'elle trouvait beaucoup plus excitant que leur domesticité viennoise, où les seuls hommes étaient le vieux majordome Josef, le portier qui lui adressait un clin d'œil en ouvrant la grille qui donnait sur le Ring, et les quelques grooms perdus dans la foule des bonnes et des cuisinières. Apparemment, les serviteurs mâles avaient moins tendance à briser les porcelaines.

Et dans ce chalet sans enfants, les porcelaines occupaient toute la place.

Charles n'était pas vraiment âgé, mais à côté de ses frères nettement plus séduisants, il donnait l'impression d'être très vieux. Tout ce que se rappelait Elisabeth, c'était sa superbe barbe, et la montre d'une facture très délicate qu'il tirait d'une poche de son gilet. Et que, comme dans toutes les histoires de parents âgés, il lui avait donné une pièce d'or.

Un épisode, cependant, avait laissé dans sa mémoire une marque plus vive : un jour, Charles s'était penché pour ébouriffer les cheveux de sa sœur. Gisela, plus jeune et infiniment plus jolie, se voyait toujours réserver ce genre d'attentions. Charles l'avait appelée sa *Bohémienne**.

Voilà mon lien verbal avec Charles. Il appartient à l'histoire. Une fois couché sur le papier, il semble un peu insuffisant.

Et la matière qu'il me reste pour poursuivre – la domesticité masculine, l'histoire assez banale du vieil oncle qui offre une pièce – semble baigner dans une pénombre mélancolique, quoique j'apprécie le détail du drapeau russe. Je sais que ma famille était juive, bien entendu, et qu'elle possédait une fortune ahurissante, mais je me garderai bien de m'embarquer dans une saga aux teintes sépia, et de concocter un récit élégiaque d'un monde perdu dans la Mitteleuropa. Et je ne veux surtout pas réduire Iggie au personnage du grand-oncle dans son bureau, pareil au Utz de Bruce Chatwin, en train de léguer l'histoire familiale tout en m'invitant à en prendre grand soin.

Cette histoire-là n'a pas besoin de moi pour être racontée. Il suffirait de tisser quelques anecdotes mélancoliques, d'évoquer encore l'*Orient-Express*, et de glisser quelques balades au hasard des rues de Prague ou de tout autre lieu pareillement photogénique, et des images trouvées sur Google des salles de bal de la Belle Époque. Le résultat aurait un air de nostalgie. Et d'*inconsistance*.

Ce n'est pas mon rôle d'exprimer de la nostalgie pour toute cette richesse et ce luxe du siècle dernier aujourd'hui disparus. Et l'*inconsistance* ne m'intéresse pas. Je veux connaître la relation entre l'objet en bois que je fais tourner entre mes doigts – dur, complexe, japonais – et les lieux où il s'est trouvé. Je veux atteindre la poignée de la porte et sentir qu'elle s'ouvre devant moi. Je veux arpenter chaque pièce où il a été placé, ressentir l'espace autour, voir les tableaux sur les murs, la lumière qui entre par les fenêtres. Et je veux savoir quelles mains l'ont touché, et ce que la personne a senti, ce qu'elle a pensé – si seulement elle a pensé quelque chose. Je veux savoir de quoi il a été le témoin.

Selon moi, la mélancolie est la manière la plus commune de rester dans le vague, un prétexte au non-engagement, un défaut de concentration asphyxiant. Alors que ce netsuke est à l'inverse un concentré d'exactitude. Il mérite en retour une précision égale.

Si tout cela m'importe tant, c'est que j'ai pour métier de fabriquer des choses. Pour moi, la façon dont les objets sont manipulés, utilisés et cédés ne relève pas d'un intérêt secondaire. C'est au contraire *la* question centrale. J'ai réalisé des milliers et des milliers de poteries. Je n'ai aucune mémoire des noms, je m'embrouille et je me trompe, mais je suis doué pour la céramique. Je n'ai aucun mal à mémoriser le poids et l'équilibre d'une poterie, les rapports entre volume et surface. Je suis capable de déchiffrer la tension qu'une arête peut créer ou réduire. Je sens si l'objet a été façonné dans la hâte ou avec minutie. S'il émane de lui quelque chose de chaleureux.

Je perçois le fonctionnement de tout cela dans les objets qui me sont proches. Comment un objet déplace autour de lui un fragment du monde.

Je me rappelle aussi si un objet invitait à être touché avec toute la main, ou seulement du bout des doigts, ou s'il vous priait de ne pas l'approcher. Car prendre une chose dans sa main n'est pas en soi *meilleur* que s'en abstenir. Certaines choses sont destinées à la contemplation à distance, et non au contact désinvolte. En tant que céramiste, je m'étonne parfois que les gens qui possèdent mes poteries me parlent d'elles comme d'êtres vivants. Je ne suis pas certain de pouvoir affronter la vie future d'un objet que j'ai créé. Pourtant, certains semblent réellement avoir conservé la pulsation du moment où ils ont été faits.

Cette pulsation ne laisse pas de m'intriguer. C'est une expérience étrange, ce bref instant où l'on hésite entre toucher et ne pas toucher. Si je décide de poser la main sur cette petite tasse blanche, avec son unique ébréchure près de l'anse, ce geste sera-t-il inscrit dans l'histoire de ma vie ? Un objet tout simple, cette tasse ivoire plutôt que blanche, trop petite pour servir le café, pas très bien proportionnée, pourrait s'intégrer au monde des objets que j'ai manipulés, trouver sa place sur le territoire de mon roman intérieur : l'entrecroisement sinueux et sensuel des choses et de la mémoire. Devenir une chose aimée et privilégiée.

Je pourrais tout aussi bien la laisser de côté. Ou la donner à quelqu'un d'autre.

La transmission des objets contient toujours des histoires. Je te donne ceci parce que je t'aime. Ou parce que quelqu'un me l'avait offert. Parce que je l'ai acheté dans un endroit bien spécial. Parce que je sais que tu en prendras soin. Parce que cela compliquera ta vie. Parce qu'il attirera l'envie d'un tiers. Un héritage est toujours porteur d'une histoire complexe. Que retiendra la mémoire, qu'est-ce qui sera voué à l'oubli ? Il peut exister une chaîne de l'oubli, l'effacement des précédents possesseurs et des histoires accumulées. Je me demande ce qui m'a été légué en même temps que ces petits objets japonais.

Je me rends compte que la question des netsukes me poursuit depuis trop longtemps. Je peux continuer indéfiniment à la réduire à une anecdote – mon singulier héritage, venu d'un vieil oncle très cher –, ou bien me mettre en quête de sa signification. Un soir, au cours d'un dîner, alors que je rapporte à quelques universitaires ce que je sais de l'histoire, je me sens légèrement écœuré par la mesure de mes paroles. Je m'entends leur tenir des propos distrayants, et l'écho de l'histoire m'est renvoyé par leurs réactions. Elle est en train de perdre non seulement ses aspérités, mais aussi sa consistance. Il faut que je m'en occupe sans attendre, sous peine de la voir disparaître.

Être occupé ailleurs n'est pas une excuse valable. Ma dernière exposition vient de s'achever, et si je m'y prends bien, je peux toujours renvoyer à plus tard la commande d'un collectionneur. J'ai fait un compromis avec ma femme et libéré mon calendrier. Trois ou quatre mois devraient me suffire. Ce délai me laissera le temps de retourner voir Jiro à Tokyo et de me rendre à Paris et à Vienne.

Dans la mesure où ma grand-mère et mon oncle Iggie sont tous les deux décédés, je dois recourir à l'aide de mon père pour m'assurer d'un point de départ. Âgé de quatre-vingts ans, il est la gentillesse même et me promet de chercher des informations dans les affaires de famille. Il semble enchanté qu'un de ses quatre fils porte intérêt à tout cela. Il n'y a pas grand-chose, me prévient-il. Il passe me remettre à mon atelier une liasse de photographies, une quarantaine environ. Il apporte en même temps deux minces dossiers contenant des lettres auxquelles il a ajouté des post-it couverts de notes en grande partie lisibles, un arbre généalogique annoté par ma grand-mère dans les années 1970, le registre des membres du Wiener Club en 1935, et, emballés dans un sac de supermarché, une série de romans de Thomas Mann aux marges pleines d'annotations. Nous disposons le tout sur la longue table de mon bureau, au-dessus de la pièce où je cuis mes céramiques. Te voilà conservateur des archives familiales, déclare mon père, tandis que je contemple d'un œil dubitatif les piles de documents.

Je lui demande non sans angoisse s'il a autre chose en réserve. Le soir même, il cherche de nouveau dans le petit appartement qu'il occupe dans une résidence pour pasteurs à la retraite. Il m'informe par téléphone qu'il a déniché un volume supplémentaire de Thomas Mann. Ce voyage s'annonce plus compliqué que je ne m'y attendais.

Je ne peux tout de même pas commencer par des doléances. Je ne sais rien de très concret sur Charles, le premier collectionneur des netsukes, mais j'ai trouvé au moins l'adresse de son domicile parisien. Un netsuke au fond de ma poche, je me mets en route.

Première partie

PARIS

1871-1899

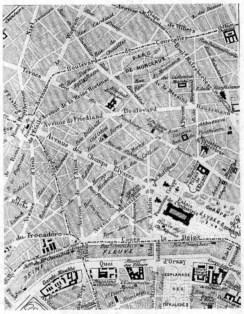

Plan de Paris

1.

Le « West End »

Je pars à la rencontre de Charles sous le soleil d'une après-midi d'avril. La rue de Monceau est une longue rue parisienne coupée par le boulevard Malesherbes, qui monte tout droit vers le boulevard Pereire, où se dressent des immeubles de pierres chaudes, une succession d'hôtels particuliers aux façades rustiquées qui jouent discrètement avec les motifs néoclassiques, petits palais florentins décorés de têtes sculptées, de caryatides et de cartouches. Voici celui que je cherche, juste après le siège de Christian Lacroix. Je découvre, accablé, qu'il est occupé aujourd'hui par une compagnie d'assurances médicales.

Il est d'une incontestable beauté. Enfant, je dessinais des bâtiments pareils à celui-ci, passant des après-midi à encrer soigneusement les ombres afin de bien rendre les effets de perspective sur les piliers et les fenêtres. Ce type d'architecture n'est pas sans parenté avec la composition musicale. On sélectionne quelques éléments classiques et l'on s'efforce de leur imprimer un rythme : quatre colonnes corinthiennes pour ponctuer la façade, quatre urnes massives sur la rambarde, cinq étages de haut, huit fenêtres. Le rez-de-chaussée est fait d'énormes blocs de pierre auxquels

37

on a voulu donner la patine des ans. Je longe la façade avec un regard appréciateur, et à mon troisième passage, je remarque le double E dos à dos, emblème de la famille Ephrussi, inséré dans les garde-corps métalliques des fenêtres sur rue, les vrilles de l'initiale se déployant à l'intérieur du motif ovale. On le voit à peine. J'essaie de comprendre cette rectitude, et ce qu'elle révèle de confiance en soi. Je me glisse sous le porche pour pénétrer dans la cour, puis j'emprunte un autre passage qui mène à l'écurie en briques rouges, surmontée des logements des domestiques : une sensible baisse de qualité dans les matériaux et les textures.

Un livreur apporte des cartons de pizzas aux employés de la compagnie d'assurances. La porte d'entrée est restée ouverte. J'entre donc dans le hall, où l'escalier en fonte noire et à filigrane d'or s'enroule telle une volute de fumée jusqu'à la lanterne qui marque son sommet. Une urne de marbre dans une niche profonde, un dallage de marbre en damiers, noir et blanc. Un groupe de cadres descend l'escalier en faisant résonner le marbre, et je m'éloigne, embarrassé. Comment trouver les mots pour expliquer ma quête insensée ? Posté dans la rue, j'observe la maison en prenant des photographies, tandis que les passants me contournent en s'excusant. Regarder les maisons relève d'une forme d'art. Il faut s'exercer à voir comment un bâtiment se tient au milieu d'un paysage, qu'il soit naturel ou urbain. Il s'agit de découvrir quelle place il prend dans le monde, quelle proportion du monde il déplace. Le numéro 81, par exemple, se fond discrètement avec ses voisins : certaines demeures sont plus majestueuses, d'autres plus communes, mais bien peu sont aussi effacées.

Je lève les yeux vers le deuxième étage, où se trouvait l'appartement de Charles, qui donnait à la fois sur la rue, face à un immeuble au classicisme robuste, et sur la cour, avec dans son prolongement un fouillis de toits, d'urnes, de pignons et de cheminées. Charles disposait d'une antichambre, de deux salons – dont l'un transformé en bureau –, d'une salle à manger et de deux chambres. Si mes calculs sont bons, il partageait cet étage avec son frère Ignace, tandis que l'aîné, Jules, et leur mère veuve, Mina, occupaient le premier niveau, avec des plafonds plus hauts, des fenêtres plus imposantes et ce balcon où l'on voit aujourd'hui des géraniums montés en graine dans leurs bacs en plastique. D'après les archives municipales, la cour était autrefois recouverte d'une verrière, disparue depuis fort longtemps. Et il y avait cinq chevaux et trois calèches dans cette écurie, convertie depuis lors en ravissante habitation. Je me demande si ce nombre de chevaux convenait à une famille étendue et mondaine, toujours soucieuse de produire une impression favorable.

La demeure a beau être immense, les trois frères devaient se croiser quotidiennement dans ces escaliers tournants, dorés et noirs, ou tout au moins chacun devait entendre les autres, quand le bruit de l'attelage prêt à partir résonnait sous le passage vitré. Ils devaient aussi rencontrer les amis en visite, qui passaient devant leur porte pour se rendre dans un autre appartement. Sans doute ont-ils appris à ne pas se voir, à ne pas s'entendre. Quand je pense à mes propres frères, je me dis que vivre si près de sa famille exige ce genre d'attitude. Je présume qu'ils avaient de bonnes relations. À moins qu'ils n'aient pas eu le choix. Après tout, le travail était à Paris.

Tout en étant une maison de famille, l'hôtel Ephrussi servait de quartier général parisien à une famille en pleine ascension. Il avait son pendant à Vienne, le palais Ephrussi sur le Ring. Les deux bâtiments, le parisien et le viennois, ont en commun une dimension théâtrale, un souci de représentation. Tous les deux ont été construits en 1871, dans des quartiers nouveaux et en vogue. La rue de Monceau et le Ring étaient tellement récents qu'ils ressemblaient à deux chantiers chaotiques et inachevés, pleins de vacarme et de poussière. Ces espaces farouchement arrivistes étaient en train de s'inventer, en concurrence avec les quartiers plus anciens, aux rues plus étroites.

Si cette maison en particulier, dans ce cadre précis, me semble aussi théâtrale, c'est justement parce qu'il s'agit d'une mise en scène délibérée. Les résidences de Paris et de Vienne s'inscrivaient dans une stratégie familiale. Les Ephrussi « imitaient » les Rothschild. De la même manière que ces derniers avaient envoyé, à l'aube du XIXe siècle, leurs fils et leurs filles coloniser les capitales d'Europe depuis la ville de Francfort, l'Abraham de notre famille, Charles Joachim Ephrussi, avait orchestré son expansion à partir d'Odessa dès les années 1850. En digne patriarche, il avait eu deux fils de sa première union, Ignace et Léon. Après son remariage, à l'âge de cinquante ans, il eut encore des descendants : deux autres garçons, Michel et Maurice, et deux filles, Thérèse et Marie. Ces six enfants seraient un jour lancés dans le milieu de la finance, ou unis par le mariage à des dynasties juives soigneusement choisies.

Odessa était située dans la Zone de résidence, cette région de la frontière occidentale de l'empire de Russie où les juifs avaient l'autorisation de s'installer. La ville, réputée pour ses synagogues et ses écoles rabbiniques, et forte d'une grande richesse littéraire et musicale, attirait comme un aimant les habitants misérables des shtetls de Galicie. Tous les dix ans, Odessa voyait doubler une population qui mêlait Russes, Grecs et juifs. C'était une cité polyglotte vouée aux spéculateurs et aux négociants, un port grouillant d'espions et d'intrigues : une ville en train de se faire. Modeste commerçant en grains, Charles Joachim Ephrussi avait réussi à bâtir une gigantesque entreprise en monopolisant le marché du blé. Il achetait le grain à des intermédiaires qui l'acheminaient par des routes cahoteuses depuis l'Ukraine ; les champs de blé de cette riche terre sombre étaient les meilleurs du monde. Arrivée à Odessa, la marchandise était stockée dans ses entrepôts du port, puis exportée au-delà de la mer Noire, le long du Danube et de l'autre côté de la Méditerranée.

En 1860, les Ephrussi étaient devenus les premiers exportateurs de céréales dans le monde. Si l'on surnommait James de Rothschild *le Roi des Juifs**, les Ephrussi avaient été baptisés *les Rois du blé**. Ces juifs-là possédaient leurs propres armoiries : un épi de blé et un bateau héraldique, un trois-mâts toutes voiles dehors. La devise familiale se déroulait au-dessous du navire : *Quod honestum*. « Nous sommes sans reproche. Vous pouvez avoir confiance en nous. »

L'idée principale était de s'appuyer sur ce réseau de contacts et d'activités financières pour participer à des projets de grande envergure : ponts sur le Danube, chemins de fer en Russie et en France, docks et canaux. Ephrussi et Cie, prospère maison de commerce, se transformait en un établissement financier d'ampleur internationale. Elle deviendrait plus tard une banque. Chaque affaire profitable conclue avec un gouvernement, chaque transaction avec un archiduc désargenté, chaque client qui contractait un engagement auprès de la famille était une nouvelle étape franchie vers la respectabilité, une distance accrue entre eux et les chariots grinçants venus d'Ukraine.

En 1857, les deux fils aînés et leurs familles furent envoyés à Vienne, capitale du tentaculaire Empire austro-hongrois. Ils firent l'acquisition d'une immense maison du centre-ville qui, pendant une décennie, abrita une population changeante de grands-parents, d'enfants et de petits-enfants, au gré des déplacements de chacun entre Vienne et Odessa. L'un des fils, mon arrière-arrière-grand-père Ignace, avait reçu pour mission de gérer les affaires familiales à l'intérieur de l'Empire austro-hongrois, depuis sa base viennoise. Paris devait être l'étape suivante. Léon, l'aîné des fils, eut pour tâche d'y établir la famille et les affaires.

Me voici devant l'avant-poste de Léon, sur cette colline dorée du 8e arrondissement. Plus précisément, je suis appuyé contre l'immeuble d'en face, et je pense au brûlant été de 1871, quand la famille arriva de Vienne pour s'installer dans cette maison étincelante et toute neuve. La ville n'était pas encore guérie de ses traumatismes. Le siège de l'armée prussienne ne s'était achevé que quelques mois plus tôt, avec la défaite de la France et la proclamation de l'Empire allemand dans la galerie des Glaces de Versailles. La IIIe République vivait des débuts instables, minée par les communards dans la rue et par les factions au sein du gouvernement.

Leur propre demeure était peut-être terminée, mais les constructions environnantes étaient toujours en chantier. Les plâtriers venaient tout juste de partir, et les doreurs, inconfortablement allongés sur les marches basses, polissaient les fleurons de la rampe d'escalier. Meubles, tableaux et caisses de vaisselle furent précautionneusement transportés dans les étages. L'intérieur était aussi bruyant que l'extérieur, les fenêtres étaient ouvertes sur la rue. Léon souffrait d'une maladie cardiaque. Pour la famille, les premiers jours passés dans cette belle maison se révélèrent tragiques : Betty, la benjamine des quatre enfants de Léon et Mina, mariée à un banquier juif absolument irréprochable, décéda quelques semaines après la naissance d'un bébé, Fanny. Il fallut alors ériger un caveau de famille dans la section juive du cimetière de Montmartre, dans la nouvelle ville d'adoption. Ce monument gothique, assez vaste pour accueillir tout le clan, exprime sans ambiguïté leur intention de rester, envers et contre tout. Je finis par trouver son emplacement. La grille a disparu, et la tombe est jonchée de feuilles de marronnier jaunies.

Cette colline était un site idéal pour accueillir les Ephrussi. Tout comme le Ring de Vienne – où résidait l'autre branche de la famille – avait reçu le surnom acerbe de « Zionstrasse », les capitaux juifs étaient un facteur déterminant dans la vie de la rue de Monceau. Le quartier avait été bâti dans les

L'hôtel Ephrussi, rue de Monceau

années 1860 par deux frères sépharades Isaac et Émile Pereire, qui avaient fait fortune dans la finance, les chemins de fer et la promotion immobilière. Ils sont à l'origine de colossales opérations dans l'hôtellerie et les grands magasins. Après avoir fait l'acquisition de la plaine Monceau, une zone étendue mais sans caractère particulier, située à l'époque hors des limites de Paris, ils se lancèrent dans la construction de résidences destinées à l'élite commerciale et financière naissante. Les familles juives récemment arrivées de Russie et du Levant trouvaient là un cadre à leur goût. Le quartier devint une espèce de colonie, un réseau de mariages, d'obligations et d'affinités religieuses.

Les Pereire réaménagèrent le parc existant, qui datait du XVIIIe siècle, afin d'offrir une vue plus agréable aux immeubles qui l'entouraient. On y accédait à présent par un portail en fonte doré exhibant l'emblème des entreprises Pereire. Les abords du parc Monceau faillirent recevoir le nom de « West End ». Si l'on vous demande où aboutit le boulevard Malesherbes, observait un journaliste contemporain, « n'hésitez pas à répondre "dans le West End"… un nom anglais étant plus distingué qu'une appellation française ». Dans le parc, on pouvait voir « les grandes dames du Faubourg se promener, le pendant féminin de *la Haute Finance** et de *la Haute Colonie israélite** », comme l'écrivait un journaliste atrabilaire. Très différent de la sobriété minérale et géométrique des Tuileries, le parc à l'anglaise avait des allées sinueuses et des massifs multicolores de plantes annuelles, qu'il fallait fréquemment renouveler.

Redescendant la colline, j'adopte le rythme paisible du flâneur, zigzaguant d'un côté de la rue à l'autre pour observer les moulures des fenêtres. Je me rends compte alors que bon nombre des maisons que je croise portent enchâssées en elles des histoires de réinvention. Dans la plupart des cas, leurs premiers propriétaires avaient débuté leur vie ailleurs.

À dix immeubles de celui de la famille Ephrussi, au numéro 61, vivait Abraham Camondo, tandis que son frère Nissim occupait le 63 et leur sœur Rebecca le 60, de l'autre côté de la rue. Financiers juifs comme les Ephrussi, les Camondo étaient venus à Paris depuis Constantinople, en passant par Venise. Le banquier Henri Cernuschi, ploutocrate et champion de la Commune, venait pour sa part d'Italie et vivait près du parc dans la glaciale magnificence de ses trésors japonais. Le numéro 55 abrite l'hôtel Cattaui, où résidait une famille de banquiers juifs originaires d'Égypte. Quant au numéro 43, il s'agit du palais d'Adolphe de Rothschild, racheté à Eugène Pereire et nanti ensuite d'une salle d'exposition avec verrière qui accueillait sa collection d'art de la Renaissance.

Cependant, rien ne peut se comparer à l'hôtel particulier que fit bâtir Émile-Justin Menier, le magnat du chocolat. Derrière ses hauts murs, il laissait apercevoir une telle débauche de splendeurs, une profusion d'ornements si éclectique que Zola ne se trompait pas beaucoup en le dépeignant comme un « bâtard opulent de tous les styles ». Dans *La Curée*, un roman très sombre paru en 1872, le nabab de l'immobilier Saccard, décrit comme un juif rapace, a son domicile rue de Monceau. On se fait une idée de la rue telle qu'elle était à l'arrivée des Ephrussi : une rue juive, pleine de gens en représentation dans leurs fastueuses demeures rutilantes. Dans l'argot parisien, *Monceau* était devenu un synonyme de parvenu, de nouveau riche.

Voilà donc le monde au sein duquel mes netsukes se sont posés pour la première fois. Chemin faisant, je remarque le jeu entre discrétion et opulence, l'alternance entre visibilité et invisibilité.

Lorsqu'il arriva à Paris, Charles Ephrussi avait vingt et un ans. On était en train de planter des arbres dans Paris, et de larges trottoirs prenaient la place des étroits passages de la vieille ville. Depuis une quinzaine d'années, les travaux de démolition et de reconstruction allaient bon train sous la houlette du baron Haussmann. On rasait les rues médiévales, on créait des espaces verts, on perçait des boulevards. De nouvelles perspectives apparaissaient à une vitesse inouïe.

Si l'on veut retrouver le goût de cette époque, celui des nuages de poussière qui couraient le long des avenues tout juste pavées et des ponts, il suffit de regarder deux tableaux de Gustave Caillebotte. Le peintre, de quelques mois plus âgé que Charles, habitait lui aussi un superbe hôtel du quartier. Sa toile *Le Pont de l'Europe* montre un jeune homme élégant – peut-être l'artiste en personne – vêtu d'un pardessus gris et d'un haut-de-forme noir, qui traverse le pont en longeant un des vastes trottoirs. Deux pas derrière lui, une jeune femme à la robe ornée de sages volants se promène sous son ombrelle. La journée est lumineuse. Les pavés tout neufs rendent un vif éclat. Un chien passe, un ouvrier s'appuie au parapet. On se croirait au commencement du monde : une litanie d'ombres et de mouvements d'une rare perfection. Tout le monde, sans oublier le chien, sait ce qu'il a à faire.

Une atmosphère paisible baigne les rues de Paris : des façades de pierre bien nettes, une succession harmonieuse de balcons et des tilleuls fraîchement plantés apparaissent sur la toile *Jeune Homme à sa fenêtre*, découverte lors de la deuxième exposition impressionniste de 1876. Le frère de Caillebotte se tient à la fenêtre de l'appartement familial, à l'intersection de la rue de Monceau et de la rue de Lisbonne. Les mains dans les poches, il est élégant et plein d'assurance, avec toute une vie devant lui et un somptueux fauteuil derrière son dos.

Gustave Caillebotte, *Le Pont de l'Europe*, 1876

Tout semble possible.

Il pourrait tout aussi bien s'agir du jeune Charles. Né à Odessa, il avait passé ses dix premières années dans un *palais** aux stucs jaunes, en bordure d'un square poussiéreux planté de marronniers. Du haut des greniers de la maison, il avait vue sur le large, au-delà de la forêt de mâts qui encombrait le port. Son grand-père occupait un étage entier et prenait beaucoup de place. La banque se trouvait juste à côté. S'il se promenait sur l'esplanade, il y avait toujours quelqu'un pour arrêter son aïeul, son père ou un des oncles, et demander un renseignement, un service ou un kopek. Là, il apprit inconsciemment que la vie publique impliquait tout un système de rencontres et d'esquives, qu'il fallait savoir combien donner au mendiant ou au colporteur, et comment saluer ses connaissances sans s'arrêter.

La décennie suivante, c'est à Vienne que Charles la passe, en compagnie de ses frères et sœurs, de son oncle Ignace et de sa glaciale tante Émilie, et de ses trois cousins, Stefan (hautain), Anna (acide) et le petit Viktor. Un précepteur vient chaque matin. Ils apprennent les langues, grec et latin, allemand et anglais. Le français est de rigueur à la maison, et si on leur accorde le droit de parler russe entre eux, il leur est interdit d'employer le yiddish qu'ils ont appris dans les rues d'Odessa. Tous les cousins sont capables de commencer une phrase dans une langue et de la terminer dans une autre. Leur maîtrise se révèle indispensable dans une famille qui se déplace entre Odessa, Saint-Pétersbourg, Berlin, Francfort et Paris. Les langues constituent en outre un marqueur social important. Grâce à elles, il est possible d'évoluer dans toutes les sphères de la société. En étant polyglotte, on se sent *partout chez soi*.

Ils vont voir les *Chasseurs dans la neige*, de Bruegel, avec sa meute de chiens qui s'ébattent sur le talus. Ils découvrent aussi les Dürer à l'Albertina, ses aquarelles du lièvre frémissant, l'aile déployée d'un oiseau. Les cours d'équitation ont lieu au Prater, les garçons s'initient à l'escrime, et tous les enfants prennent des cours de danse, et ils se montrent très doués. À dix-huit ans, Charles est surnommé par ses proches *le Polonais**, le valseur.

À Vienne, les plus âgés des garçons, Jules, Ignace et Stefan, sont conduits dans les bureaux donnant sur le Schottenbastei, non loin du Ring. Le bâtiment où se gèrent les affaires des Ephrussi est on ne peut plus impressionnant. On demande aux garçons de rester sagement assis pendant que l'on discute des livraisons de céréales, que l'on négocie les pourcentages sur les bénéfices. De nouvelles opportunités se présentent – du pétrole à Bakou et de l'or près du lac Baïkal. Les employés s'affairent en tous sens. Pour la première fois, les enfants mesurent l'immensité des richesses qui leur reviendront, et les interminables colonnes des registres les initient à la religion du profit.

À la même époque, Charles, assis près de son jeune cousin Viktor, dessine le Laocoon et les serpents, d'après une statue qu'il adorait à Odessa, et pour impressionner le petit garçon, il s'applique à bien resserrer les anneaux autour des épaules musculeuses du héros. Il lui faut s'exercer longtemps avant de bien réussir chaque serpent. Il trace aussi des esquisses des œuvres qu'il a admirées à l'Albertina, et des croquis des domestiques. Avec les amis de ses parents, il s'engage dans des conversations sur les tableaux qu'ils possèdent. Ils prennent grand plaisir à s'entretenir de leurs collections avec ce jeune homme si cultivé.

Enfin vient le moment du départ mûrement réfléchi pour Paris. Charles a vingt et un ans. Mince de stature et d'un physique agréable, il a une barbe brune bien taillée, qui prend des reflets roux sous certains éclairages. Il a aussi le nez des Ephrussi, grand et recourbé, le même front haut que ses cousins, et des yeux gris sombre à l'expression animée. C'est un jeune homme tout à fait charmant. Sa cravate artistement nouée respire l'élégance, et dès qu'on l'entend parler, on comprend qu'il a pour la conversation le même talent que pour la danse.

Charles a toute licence de vivre à sa guise.

J'aime à croire que cela tenait au fait qu'il était le benjamin, le troisième fils, celui qui, dans les contes, quitte le foyer pour aller courir le vaste monde. Pure projection personnelle, puisque je suis moi-même le troisième fils de la fratrie. Cependant, je soupçonne la famille d'avoir bien compris que ce garçon-là n'était pas taillé pour la Bourse. Ses oncles, Maurice et Michel, se sont également établis à Paris. Il y a peut-être suffisamment de fils dans les bureaux du 45 rue de l'Arcade pour que l'on se dispense sans peine de cet aimable lettré qui se dérobe quand on parle d'argent, et s'absorbe si facilement dans une conversation.

Charles a ses appartements privés dans la demeure familiale, dorés, clairs et encore vides. Il a un endroit où rentrer, une nouvelle maison sur une colline parisienne aux pavés tout neufs. Il a pour lui sa maîtrise des langues, de la fortune et du temps libre. C'est à ce moment-là qu'il entame ses pérégrinations. Comme tout jeune homme bien éduqué, il part pour le Sud. L'Italie est sa première destination.

2.

Un lit de parade

La période initiale des collections de Charles est comme une préhistoire de mes netsukes. Il se peut qu'enfant il ait ramassé les marrons tombés sur la promenade d'Odessa, ou rassemblé des pièces à Vienne, mais à ma connaissance, c'est à Paris que tout a débuté. Les premières acquisitions qu'il rapporte au 81 rue de Monceau témoignent d'une certaine avidité. Avidité, cupidité ou enthousiasme désinhibé – toujours est-il qu'il achète beaucoup.

Il a passé une année loin de sa famille, un an de pause, la *Wanderjahr* traditionnelle, le Grand Tour qui l'a mené auprès des classiques de la Renaissance. C'est ce voyage qui a fait de lui un collectionneur. Disons plutôt qu'il lui a permis de devenir un collectionneur, de transformer la contemplation en possession et la possession en connaissance.

Charles acquiert des dessins et des médaillons, des émaux Renaissance et des tapisseries du XVIe siècle inspirées de Raphaël. Il fait l'achat d'une sculpture d'enfant en marbre à la manière de Donatello, d'une belle statue en faïence de Luca della Robbia, une créature équivoque et vulnérable qui se retourne vers nous sous sa glaçure bleu ciel et jaune vif. Dans l'appartement du deuxième étage, Charles la place dans une niche de sa chambre drapée d'étoffes brodées du XVIᵉ siècle italien. Il en fait une sorte d'autel païen où le faune tient la place du saint et martyr.

Cet autel est reproduit dans un volumineux album brun-rouge conservé à la bibliothèque du Victoria and Albert Museum. Je demande à le consulter, et c'est accompagné d'une salve de plaisanteries qu'il m'arrive dans la salle de lecture, transporté sur un chariot. Ce *Musée graphique** renferme des gravures de toutes les grandes collections européennes d'art de la Renaissance, principalement celles de sir Richard Wallace, le propriétaire de la collection Wallace à Londres, de plusieurs membres de la famille Rothschild, et de Charles, âgé alors de vingt-trois ans. La publication de tels albums est un acte de vanité à grande échelle de la part des collectionneurs, dans le seul but de briller auprès de leurs pairs. Trois pages après la somptueuse niche du faune – une draperie d'un rouge profond rehaussée de fils d'or, des portraits de saints et des armoiries –, je tombe sur un autre élément de sa collection.

Je ne peux réprimer un éclat de rire : il s'agit d'un lit monumental datant de la Renaissance, un *lit de parade** tendu lui aussi d'étoffes brodées. Un haut baldaquin orné de putti enchâssés dans des cadres sophistiqués, des figures grotesques, des emblèmes héraldiques, des fleurs et des fruits. Deux magnifiques rideaux, retenus par des embrasses surchargées de glands, blasonnés chacun d'un grand E sur fond doré. La même initiale figure sur la tête de lit. Ce lit est digne d'un duc, voire d'un petit prince. Il appartient au royaume de la fantaisie. C'est un lit depuis lequel on dirige une cité-État et donne des audiences ; un lit fait pour composer des sonnets et, très certainement, pour se livrer aux ébats amoureux. Quel genre de jeune homme peut s'offrir semblable lit ?

Tout en inventoriant les acquisitions de Charles, je me mets dans la peau d'un jeune homme de vingt-trois ans, faisant monter par l'escalier tournant des caisses garnies de trésors, que l'on déballe au deuxième étage dans une pluie de copeaux et d'éclats de bois ; je me vois les agencer dans mon propre appartement, choisissant leur place en fonction du soleil matinal qui entre à flots dans les pièces. En pénétrant dans le salon, les visiteurs doivent-ils découvrir des dessins exposés au mur, ou plutôt une tapisserie ? Faut-il qu'ils aient un aperçu de mon *lit de parade**? Je m'imagine en train de montrer les émaux à mes parents et à mes frères, me rengorgeant devant la famille. Brusquement, je me rappelle avec embarras l'époque de mes seize ans, quand j'avais traîné mon lit dans le couloir pour dormir par terre, et punaisé un tapis au-dessus du matelas en guise de baldaquin. Je passais mes week-ends à changer de place mes cadres et mes livres, expérimentant les modifications de mon espace privé. Tout cela me semble éminemment crédible.

Naturellement, l'appartement de Charles tient de la scène de théâtre. Les objets de sa collection requièrent l'œil d'un connaisseur, et tous parlent de savoir, d'histoire, de lignée, et de l'acte même de collectionner. À parcourir cette liste de merveilles – tapisseries tissées *d'après* des cartons de Raphaël, une sculpture *d'après* Donatello –, on comprend que Charles a intériorisé la manière dont l'art se déploie à travers l'histoire.

De retour à Paris, il fait don au Louvre d'un médaillon rare du XVe siècle, représentant Hippolyte démembré par ses chevaux ensauvagés. J'ai l'impression de commencer à entendre le jeune historien d'art s'adressant aux invités. Au-delà de l'argent, on décèle en lui l'habitude du carnet de notes.

Je commence aussi à sentir le plaisir qu'il tire des choses : le poids surprenant d'un damas, la froide surface des émaux, la patine des bronzes, le relief marqué des fils d'une broderie.

La collection des premiers temps est purement conventionnelle. Bon nombre des amis de ses parents devaient posséder des choses identiques, et ils les avaient sûrement rassemblées pour créer de somptueuses compositions, comparables à la *mise en scène** pourpre et or que Charles avait élaborée dans sa chambre parisienne. Ce n'était là qu'une version plus modeste de ce qui se passait dans d'autres demeures juives. Charles cherchait à montrer, avec une insistance exagérée pour un homme aussi jeune, combien il était adulte. Et il se préparait par la même occasion à la vie publique.

Pour des compositions plus grandioses, il fallait se tourner vers les résidences parisiennes des Rothschild, ou vers le nouveau palais de James de Rothschild à Ferrières, non loin de Paris. On y célébrait les chefs-d'œuvre d'une Italie de la Renaissance menée par les marchands et les banquiers, rappelant comment les plus brillants mécènes avaient fait usage d'une fortune qui n'avait rien d'héréditaire. Au lieu d'un grand hall d'inspiration chrétienne et chevaleresque, Ferrières était centré sur une cour intérieure d'où partaient quatre imposants couloirs desservant les différentes ailes de la demeure. Sous un plafond inspiré de Tiepolo courait une galerie abritant des tapisseries figurant les Triomphes, des statues en marbre noir et blanc et des toiles de Vélasquez, Rubens, Guido Reni et Rembrandt. Le doré était la note dominante, présente sur les meubles et sur les cadres, sur les moulures et sur les tapisseries. Partout étaient incrustés des emblèmes dorés des Rothschild. Le *goût Rothschild** était devenu synonyme de dorures. Les juifs et leur or.

Ferrières est un peu outré selon les critères de Charles, et son espace à lui est nettement plus restreint : il ne dispose que de sa chambre et de deux salons. Cependant, il a non seulement un lieu où installer ses nouvelles possessions et ses livres, mais aussi un sens affirmé de son identité d'érudit-collectionneur. À la fois absurdement riche et libre de ses mouvements, il jouit d'un statut extraordinaire.

Rien de tout cela ne contribue à me le rendre sympathique. Pour tout avouer, ce lit me met passablement mal à l'aise. Netsukes ou pas, je ne suis pas sûr de supporter bien longtemps ce jeune homme et son œil avisé pour l'art et la décoration intérieure. Une alarme se déclenche en moi : *un connaisseur, bien jeune pour se croire aussi savant.*

Et tout cet argent n'est pas bon pour lui.

Je me rends compte alors que je dois saisir le regard qu'il portait sur les choses, et que pour cela il me faut lire ses écrits. Me voici sur un terrain de recherches bien balisé : je vais établir tout d'abord une bibliographie complète, que j'explorerai dans l'ordre chronologique. Dans un premier temps, je consulte de vieux numéros de la *Gazette des beaux-arts* datant de l'époque où Charles est arrivé à Paris, et je prends en note ses premiers commentaires publiés, assez arides, sur les peintres maniéristes, les bronzes et Holbein. Le travail est laborieux, mais je suis concentré. Charles manifeste une prédilection pour le Vénitien Jacopo de Barbari, qui a pour sujets favoris saint Sébastien, le combat des Tritons et les personnages dénudés se contorsionnant dans leurs liens. Je m'interroge encore sur le sens à donner à ce penchant pour les thèmes érotiques. Non sans inquiétude, je repense au Laocoon d'Odessa.

Les débuts de Charles sont modestes. Je trouve des notes sur des expositions, des livres et des essais, des notes aussi sur des publications : les rebuts attendus de l'histoire de l'art, inscrits en marge de l'érudition d'un autre (« notes en vue de l'authentification de... », « réponse au catalogue raisonné de... »). Ces textes me semblent en accord avec ses collections italiennes, et je n'ai guère l'impression de progresser. Toutefois, au fil des semaines, je me sens plus à mon aise en compagnie de Charles : le premier détenteur des netsukes commence à écrire de manière plus fluide. Des nuances de sentiments inattendues trouvent à s'exprimer. Trois semaines de mon précieux printemps s'écoulent, puis deux autres encore, un temps inconsidérément dépensé dans la pénombre de la section des Périodiques.

Charles apprend à passer du temps avec un tableau. On a l'impression qu'il ne s'est pas contenté d'un seul regard. Certains comptes rendus d'expositions témoignent de ce mouvement de retour en arrière, de cette façon de reculer et d'avancer de nouveau pour mieux voir une toile. En même temps que sa passion et son assurance grandissante, on sent que son écriture s'affermit et qu'il réprouve les opinions toutes faites. Il s'efforce d'équilibrer sentiments et jugements, mais son style laisse affleurer les deux dimensions. Une qualité rare dans les écrits sur l'art, constaté-je tandis que les semaines s'enfuient et que la pile des *Gazette* ne cesse de s'élever devant moi, telle une tour de nouvelles questions, chaque volume bourré de marque-pages, de post-it jaunes et de bordereaux d'emprunt.

Mes yeux sont fatigués. L'impression est en corps 8, en plus petit encore pour les notes. Une bonne occasion, en tout cas, pour rafraîchir mon français. Je commence à penser que je peux m'entendre avec cet homme. La plupart du temps, il ne fait preuve d'aucun pédantisme. Il cherche uniquement à nous faire voir plus nettement ce qui se présente à nos regards. Une entreprise honorable, me semble-t-il.

3.

« Un cornac pour la guider »

Il est encore trop tôt pour que les netsukes entrent en scène. À vingt ans et des poussières, Charles est toujours parti, toujours en transit, envoyant de Londres, de Venise ou de Munich son meilleur souvenir et ses excuses pour avoir manqué une réunion de famille. Il a entamé la rédaction d'une étude sur Dürer, l'artiste dont il est tombé amoureux dans les collections viennoises, et pour lui rendre justice, il se doit de débusquer le moindre croquis, le moindre griffonnage conservé dans les archives.

Ses deux frères ont chacun une place sûre, bien casés dans leur monde à eux. Jules, aux côtés de ses oncles, tient la barre d'Ephrussi et Cie, rue de l'Arcade. Sa précoce formation viennoise a porté ses fruits, et il montre un réel talent pour la finance. Il a épousé à la synagogue de Vienne une jeune femme intelligente et sarcastique du nom de Fanny, veuve d'un financier viennois. Sa fortune est considérable, et sa famille digne d'une union avec la lignée Ephrussi. À en croire les potins de Paris et de Vienne, Jules l'aurait invitée à danser soir après soir, jusqu'à ce qu'elle se rende par lassitude et accepte le mariage.

Ignace, lui, a pris ses distances. Il a tendance à tomber amoureux de manière chronique et démesurée. Cet *amateur de femmes** se distingue par sa faculté à escalader les bâtiments et à entrer par les fenêtres pour honorer un rendez-vous, comme je l'ai appris dans les Mémoires des dames de l'époque. Ignace est un *mondain** parisien qui partage son temps entre ses liaisons, les soirées au Jockey Club – point de ralliement des célibataires de la haute société – et les duels. Bien qu'illégale, cette activité occupe les heures des jeunes nantis et des officiers de l'armée, qui dégainent l'épée à la moindre atteinte à leur honneur. Ignace est cité dans les livres d'escrime de son temps, et un quotidien rapporte qu'il a failli perdre un œil lors d'un entraînement avec son professeur. « Sans être petit, il est légèrement au-dessous de la taille moyenne […] et doté d'une énergie heureusement soutenue par des muscles d'acier […] M. Ephrussi fait partie des escrimeurs les plus doués, les plus avenants et les plus ouverts de ma connaissance. »

Le voici tel qu'en lui-même, nonchalamment appuyé sur son épée, pareil à un courtisan de la reine Elisabeth sur une miniature de Hilliard. « On rencontre ce cavalier infatigable en forêt dès le petit matin, montant un superbe cheval gris pommelé. Il a déjà pris sa leçon d'escrime. » J'imagine Ignace ajustant ses étriers dans les écuries de la rue de Monceau. Il paraît que son cheval est harnaché « à la russe ». L'expression est splendide, bien que je ne sache pas trop ce qu'elle signifie.

C'est dans les salons de Paris que Charles se fait remarquer pour la première fois. Edmond de Goncourt, romancier, diariste et collectionneur connu pour sa plume acerbe, le mentionne dans son Journal, dégoûté que des personnages tels que lui puissent y être conviés. Il note que les salons sont désormais « infestés de juifs et de juives », et qualifie les jeunes Ephrussi de « *mal élevés** » et d'« *insupportables** ». Il insinue que Charles, omniprésent, n'a aucune conscience de la place qui est la sienne ; recherchant le contact à tout prix, il est incapable de masquer ses aspirations et de s'effacer au moment opportun.

Edmond de Goncourt est jaloux de ce charmant jeune homme qui parle avec une pointe d'accent étranger. En effet, Charles s'est introduit sans effort apparent dans le monde redoutable des salons à la mode – autant de terrains minés et âprement disputés où s'exprime le goût politique, artistique, religieux et aristocratique du moment. Parmi ces nombreux salons, les plus cotés sont ceux de Mme Straus, veuve de Bizet, de la comtesse Greffulhe et de Mme Madeleine Lemaire, peintre subtile spécialisée dans les aquarelles de fleurs. Ces fameux salons consistent à recevoir des habitués, qui se retrouvent à heure fixe, dans l'après-midi ou en soirée. Poètes, dramaturges, « clubmen » et *mondains* se réunissent sous le haut patronage de la maîtresse de maison, afin de discuter de questions d'actualité, d'échanger des cancans plus ou moins malveillants, d'écouter de la musique ou de découvrir quelque portrait mondain à peine achevé. Chaque salon a son ambiance propre et ses fidèles attitrés. Ceux qui ont contrarié Mme Lemaire sont appelés « les ennuyeux », ou « les déserteurs ».

Les jeudis de Mme Lemaire apparaissent dans un essai du jeune Marcel Proust. Il évoque les senteurs de lilas qui emplissent son atelier et se diffusent jusque dans la rue de Monceau, encombrée par les attelages du *beau monde**. Le jeudi, il était impossible d'avancer dans la rue de Monceau. Proust remarque la présence de Charles. Il se fraie un chemin dans la cohue des écrivains et des mondains : Charles est là dans un coin, en compagnie d'un portraitiste, la tête penchée près de la sienne, conversant avec lui avec tant d'attention et à voix si basse que Proust, s'étant attardé à proximité, ne peut même pas saisir une bribe de leurs propos.

L'irascible Edmond de Goncourt enrage tout particulièrement de voir le jeune Charles devenir le confident de *sa* princesse Mathilde, nièce de Napoléon, qui habite un vaste hôtel de la rue de Courcelles. Il relaie la rumeur selon laquelle on l'a vue rue de Monceau, au domicile de Charles, avec tout le *gratin** de l'aristocratie ; Charles serait devenu pour elle une espèce de « cornac » qui la guide à travers l'existence. Image inoubliable que cette vieille princesse imposante et tout de noir vêtue, une personnalité écrasante comparable à la reine Victoria, au côté de ce jeune homme de vingt-cinq ans qui la dirige subtilement.

Dans cette ville snob et complexe, Charles est en train de trouver sa place. Il repère les lieux où l'on apprécie sa conversation, et où sa qualité de juif est tolérée voire même occultée. En tant que critique d'art débutant, il se rend quotidiennement à la rédaction de la *Gazette des beaux-arts*, rue Favart – s'arrêtant en chemin dans six ou sept salons, précise l'omniscient Edmond de Goncourt. Pour gagner les bureaux du journal depuis la maison familiale, il faut vingt-cinq minutes si l'on avance d'un bon pas, mais en ce matin d'avril, mon rythme de flâneur me demande trois quarts d'heure de marche. Charles aurait pu se déplacer en voiture, mais je ne peux malheureusement pas évaluer le temps du trajet.

La *Gazette, Courrier européen de l'art et de la curiosité*, a une couverture jaune serin, et sa page de titre exhibe un assortiment esthétique d'objets de la Renaissance au-dessus d'un tombeau classique, surmonté par une effigie de Léonard de Vinci à la mine furieuse. Pour la somme de 7 francs, on peut lire des comptes rendus des expositions les plus courues de Paris – l'*Exposition des artistes indépendants**, les Salons officiels débordants de toiles… – et des commentaires sur le Trocadéro et le Louvre. Il est décrit non sans ironie comme « la revue d'art coûteuse que toutes les grandes dames laissent ouverte sur leur table sans jamais la lire », et il est censé jouer un rôle important dans la vie mondaine, mélange d'*Apollo* et de *World of Interiors*. Dans la belle bibliothèque ovale de l'hôtel Camondo, un peu plus bas sur la colline, s'alignent sur les rayonnages de nombreux volumes reliés de la *Gazette*.

On croise à la rédaction écrivains et artistes, et l'on peut profiter de la meilleure bibliothèque spécialisée de Paris, pourvue de revues d'art de toute l'Europe et de catalogues d'expositions. Il s'agit d'un club très fermé d'amateurs d'art, où l'on peut échanger nouvelles et potins sur les dernières commandes des peintres, sur ceux qui jouissent des faveurs des collectionneurs et des jurés des Salons. L'endroit est très animé. La *Gazette* paraît chaque mois, et demande un travail bien réel. Il faut prendre des décisions sur la répartition des articles, prévoir les gravures et les illustrations. On apprend beaucoup en fréquentant les lieux chaque jour, en assistant aux débats.

Quand Charles, après avoir dévalisé les marchands d'art italiens, commence à écrire pour la *Gazette*, la revue contient de superbes gravures de peintures contemporaines, des objets cités dans les articles de référence et les toiles les plus remarquées du dernier Salon, dans des reproductions de qualité. Je prends au hasard un des numéros de 1878. Il comprend, entre autres, des articles sur la tapisserie espagnole, la statuaire grecque archaïque, l'architecture du Champ-de-Mars, et sur Gustave Courbet – agrémentés, bien sûr, d'illustrations protégées par des feuilles de papier de soie. C'est le journal idéal pour un jeune homme qui veut écrire, une lettre d'introduction dans les sphères où l'art rencontre la haute société.

Ces points d'intersection, j'en retrouve les traces en compulsant laborieusement les colonnes des chroniqueurs mondains, dans le Paris de l'époque. L'entreprise se présente d'abord comme un débroussaillage indispensable, mais je me surprends à m'absorber dans ma lecture, qui me repose de mes efforts obstinés pour recenser toutes les critiques publiées par Charles. Je trouve là d'autres listes tentaculaires de rencontres et d'invités, la description détaillée des toilettes et des gens en vue, chaque liste de noms passée au crible du jugement.

Je me laisse tout spécialement captiver par les inventaires des cadeaux offerts lors des grands mariages, persuadé qu'il s'agit d'un précieux document sur la culture du don, si bien que je perds un temps inconsidéré à estimer qui s'est montré trop généreux, qui a joué les radins et qui se situe dans la moyenne. À l'occasion d'un de ces mariages, en 1874, mon arrière-arrière-grand-mère a offert un ensemble de plats de service dorés en forme de coques. Je trouve cela tout à fait vulgaire – opinion purement gratuite de ma part.

Au milieu de cette pléthore de bals et de soirées musicales, de salons et de réceptions, je repère plusieurs références aux trois frères. Ils ne se quittent pas, apparemment. MM. Ephrussi ont été vus dans leur loge à une première de l'Opéra, à des obsèques, à une soirée donnée par le prince X ou la comtesse Y. Lors d'une visite du tsar à Paris, ils sont là pour l'accueillir en tant qu'éminents ressortissants russes. Ils organisent ensemble des réceptions, et s'illustrent par une « série de grands dîners qu'ils ont donnés conjointement ». On les remarque, parmi d'autres *sportsmen*, chevauchant la toute nouvelle invention, la bicyclette. Dans *Le Gaulois*, une colonne est dévolue aux *déplacements** du beau monde – qui séjourne à Chamonix, qui est parti à Deauville –, ce qui me permet de savoir quand ils quittent Paris pour se rendre au grandiose chalet Ephrussi de Meggen, chez Jules et Fanny. Du haut de leur maison rutilante au sommet de la colline, il semble qu'ils se soient intégrés en l'espace de quelques années à la société parisienne. *Monceau* est synonyme de rapidité, je ne dois pas l'oublier.

Outre la décoration de ses appartements et le perfectionnement de sa prose sinueuse d'historien de l'art, l'élégant Charles Ephrussi a d'autres centres d'intérêt. Il a une maîtresse. Et il s'est mis à collectionner l'art japonais. Ces deux éléments, le sexe et le Japon, sont étroitement liés.

Il ne possède pour l'instant aucun netsuke, mais il s'en rapproche peu à peu. Je l'encourage à poursuivre, tandis qu'il inaugure sa collection en achetant des laques au marchand d'art Philippe Sichel, spécialiste du Japon. Dans son journal, Edmond de Goncourt rapporte sa visite à la galerie Sichel, où afflue, à l'en croire, « l'argent des juifs ». Passant dans la réserve en quête du dernier *objet** à la mode, du dernier album d'estampes érotiques ou de quelque peinture sur rouleau, il tombe sur « la Cahen d'Anvers [qui], penchée sur une boîte de laque que lui fait admirer le jeune Ephrussi, indique à son amant le jour où il pourra venir coucher avec elle ».

4.

« Si légers, si doux au toucher »

La maîtresse de Charles s'appelle Louise Cahen d'Anvers. À peine plus âgée que lui, c'est une très jolie femme à la chevelure d'un roux doré. « La Cahen d'Anvers » est mariée à un banquier juif dont elle a eu quatre enfants, un garçon et trois filles. Un cinquième enfant vient au monde, que Louise prénomme Charles.

Je ne connais les couples parisiens qu'à travers les romans de Nancy Mitford, mais celui-ci me frappe par son extraordinaire maturité. Et j'avoue bourgeoisement que je suis plutôt impressionné que l'on puisse trouver assez de temps pour cinq enfants, un mari *et* un amant. Les deux clans sont très proches. En fait, je constate en me tenant place d'Iéna devant chez Jules et Fanny, dont les initiales sophistiquées s'entrelacent au-dessus du portail principal, que j'ai vue sur le palais tout aussi baroque de Louise, à l'angle de la rue de Bassano. Je me demande alors si c'est Fanny, intelligente autant qu'infatigable, qui a favorisé la liaison de Charles et de sa meilleure amie.

La situation a assurément quelque chose de très intime. Les deux amants se croisent sans cesse dans les bals et les réceptions, et il est courant que les deux familles séjournent ensemble au chalet Ephrussi ou au château des Cahen d'Anvers à Champs-sur-Marne, en région parisienne. Que prescrivait la bienséance quand on rencontrait son ami en montant dans les appartements de son beau-frère ? Le couple avait bien besoin de la réserve d'un marchand d'art pour se soustraire à la pression de ces civilités pleines de sous-entendus. Et pour échapper aux enfants.

Le jeune Charles, de plus en plus à l'aise dans le milieu des salons, commande à son ami Léon Bonnat un portrait de Louise au pastel. Elle est représentée en robe claire, le regard modestement baissé, sa chevelure cachant à demi son visage.

En réalité, Louise est tout sauf réservée. Edmond de Goncourt la décrit dans son salon avec son œil de romancier, le samedi 28 février 1880 :

Les Juives gardent, de leur origine orientale, une nonchalance particulière. Aujourd'hui, je suivais d'un œil charmé les mouvements de chatte paresseuse avec lesquels Mme Louise Cahen pêchait au fond de sa vitrine ses porcelaines et ses laques, pour me les mettre dans la main. Puis, quand elles sont blondes, les Juives, il y a au fond de leur blondeur comme de l'or de la peinture de la MAÎTRESSE DU TITIEN.

L'examen fini, la Juive s'est laissée tomber sur une chaise longue ; et la tête abandonnée de côté et montrant au sommet un enroulement de cheveux qui ressemblait à un nid de couleuvres, elle s'est indolemment plainte, avec toutes sortes d'interrogations amusantes de la mine et du bout du nez, de cette exigence des hommes et des romanciers demandant aux femmes qu'elles ne fussent pas des créatures humaines et qu'elles n'eussent pas dans l'amour les mêmes lassitudes et les mêmes dégoûts que les hommes.

Nous avons là une image marquante de l'alanguissement érotisé : la maîtresse du Titien est effectivement très dénudée et très alanguie, se couvrant négligemment d'une main. On devine l'ascendant de Louise sur le célèbre écrivain, sa maîtrise de la situation. Pour Paul Bourget, autre romancier populaire de ces années-là, elle reste « *la muse alpha** ». Sur le portrait d'elle qu'elle a commandé pour son salon à Carolus-Duran, *le* peintre mondain le plus prisé du moment, elle semble prête à s'échapper des tourbillons de sa robe, les lèvres entrouvertes. Cette muse a le sens de la théâtralité. Je me demande pourquoi elle a choisi ce jeune esthète pour amant.

Elle a peut-être aimé ses manières sans artifices, les façons posées et réfléchies de l'historien de l'art. À moins que, accablée sous le poids de ses contraintes domestiques, elle n'ait apprécié l'entière liberté de cet homme sans attaches, capable de la distraire quand elle le désire. Il est indéniable que les amants ont en commun le goût de la musique, de l'art et de la poésie, et une attirance pour les musiciens, les artistes et les poètes. Le beau-frère de Louise, Albert, est compositeur, et Charles et Louise l'accompagnent à l'Opéra de Paris et aux premières plus radicales de Bruxelles, pour y entendre Massenet. Ils adorent tous les deux Wagner, une passion aussi difficile à cacher qu'agréable à partager. Je suppose que les opéras de Wagner ont assuré au couple de longues heures de tranquillité dans les vastes loges tendues de peluche. Invités par Proust, ils assistent, *sans* le mari de Louise, à un petit dîner très sélect organisé par Proust, où Anatole France récite ses poèmes.

Ensemble, ils achètent des boîtes en laque japonaise noir et or pour leurs collections respectives. Leur histoire d'amour avec le Japon vient de débuter.

C'est grâce à Louise qui, fatiguée par une querelle avec son époux ou avec Charles, plonge nonchalamment la main dans sa vitrine de bibelots japonais avant de se renverser sur sa chaise longue, que j'ai le sentiment de me rapprocher des netsukes. J'ai d'eux une vision plus nette, intégrée à la complexité d'une turbulente vie parisienne qui a réellement existé.

J'ai envie de savoir comment ces deux indolents Parisiens, Charles et sa maîtresse, manipulaient les objets japonais. Quel effet cela faisait-il de tenir pour la première fois dans sa main un objet aussi étranger, coffret, tasse ou netsuke, façonné dans une matière encore inconnue ? Que ressent-on à le faire tourner entre ses doigts, à éprouver son poids et ses proportions, à suivre du bout du doigt le relief d'une cigogne prenant son essor au milieu des nuages ? Quelqu'un a bien dû écrire sur le sens du toucher, décrire dans son Journal l'instant fugace où l'on se saisit d'un de ces objets. Une empreinte de leurs mains subsiste forcément quelque part.

La remarque de Goncourt m'offre un point de départ commode. Leurs premiers laques, Charles et Louise en font l'achat chez les frères Sichel. Il ne s'agit pas d'une galerie où les *objets** sont présentés au collectionneur avec révérence dans des cabinets individuels, comme cela se fait dans la luxueuse boutique d'art oriental de Siegfried Bing. C'est plutôt un amoncellement foisonnant de toutes sortes de choses venues du Japon. Les quantités sont ahurissantes. Pour la seule année 1874, Philippe Sichel a sélectionné et fait acheminer de Yokohama quarante-cinq caisses contenant cinq mille objets. Une telle munificence crée une atmosphère de frénésie. Que va-t-on découvrir ? Les autres collectionneurs ne risquent-ils pas de dénicher la perle rare avant vous ?

Cette profusion d'art japonais donnait à rêver. Goncourt se rappelait avoir passé une journée chez Sichel peu après une livraison, environné de « *tout cet art capiteux et hallucinatoire** ». Estampes et céramiques avaient fait une discrète apparition vers 1859, mais dans les années 1870 on assistait à un véritable déferlement de *choses*. Un rédacteur de la *Gazette* écrivait en 1878, se remémorant les débuts de cet engouement pour le Japon :

> On se tint au courant des arrivages nouveaux. Ivoires anciens, émaux cloisonnés, faïences et porcelaines, bronzes, laques, bois sculptés [...] satins brodés [...] joujoux, ne firent plus que traverser la boutique du marchand pour entrer aussitôt dans les ateliers d'artistes et dans les cabinets des gens de lettres. Il s'est formé [...] des collections entre les mains des peintres Manet, James Tissot, Fantin-Latour, Degas, Carolus-Duran, Monet, des écrivains Edmond et Jules de Goncourt, Philippe Burty, Zola [...] des voyageurs Cernuschi, Duret, Émile Guimet [...] Le mouvement étant donné, la foule des amateurs suit.

Plus incroyable encore était la rencontre

> [...] dans nos grands quartiers, sur les boulevards, au théâtre, de jeunes hommes dont l'aspect à première

vue nous surprend toujours. Ils portent avec aisance le chapeau de haute forme ou le petit chapeau de feutre rond (qui affecte plus de désinvolture) coiffé sur des cheveux noirs, fins et lustrés, à longue raie dorsale, la redingote de drap correctement boutonnée, le pantalon gris clair, la chaussure fine et la cravate de couleur foncée flottant sur le linge soigné. Si le bijou en forme de passant coulant qui fixe cette cravate n'était trop voyant, le pantalon trop évasé sur le cou-de-pied, la bottine trop luisante, la canne trop légère – ces nuances trahissent l'homme qui subit le goût de ses fournisseurs au lieu de leur imposer le sien –, à la tenue, à l'allure facile on les prendrait pour des Parisiens. Vous vous croisez sur l'asphalte, vous les regardez : le teint est légèrement bronzé, la barbe rare ; quelques-uns ont adopté la moustache et la mouche transparentes comme un lavis d'encre de Chine, d'autres les favoris à la cuirassière, arrêtés au ras de l'oreille ; la bouche est large, conformée pour s'ouvrir carrément, à la façon des masques de la comédie grecque ; les pommettes s'arrondissent et font saillie sur l'ovale du visage ; l'angle externe des yeux petits, bridés, mais noirs et vifs, au regard aigu, se relève vers les tempes. Ce sont des Japonais.

Voilà une évocation saisissante de ce que signifie être un étranger au sein d'une nouvelle culture, remarquable seulement par votre mise ultra-soignée. Le passant jette un second coup d'œil, et votre déguisement ne vous dénonce que parce qu'il est trop complet.

Cela trahit également le caractère d'étrangeté de cette rencontre avec le Japon. Bien que les Japonais fussent très rares à Paris dans les années 1870 – quelques délégations, des diplomates et un prince de temps à autre –, l'art de leur pays était omniprésent. Tout le monde se précipitait sur les *japonaiseries** : les peintres que Charles côtoyait dans les salons, les écrivains rencontrés à la *Gazette*, sa famille et leurs amis, sa maîtresse, nul n'échappait à cette folie. Dans sa correspondance, Fanny Ephrussi raconte s'être rendue chez Mitsui, boutique en vogue de la rue Martel où se vendaient des objets d'Extrême-Orient, afin d'acheter du papier peint pour le fumoir et les chambres d'amis de sa nouvelle demeure place d'Iéna, tout juste achevée. Il paraît inévitable que Charles, critique, collectionneur et *amateur d'art** élégant, se soit mis lui aussi à l'art japonais.

Dans le climat d'émulation artistique du Paris de l'époque, il importe fort de savoir quand vous avez commencé votre collection. Les précurseurs, ou *japonistes**, se prévalent de leur jugement supérieur et de leur qualité de prescripteurs du goût. Edmond de Goncourt, naturellement, prétendait que son frère et lui-même avaient vu des estampes japonaises *avant* l'ouverture du Japon à l'Occident. Les premiers thuriféraires de l'art japonais, quoique opposés par une farouche compétition, sont unis par un discernement commun. Toutefois, George Augustus Sala observe en 1878, dans *Paris Herself Again*, que l'atmosphère exclusive des premiers temps n'a pas tardé à se dissiper. « Pour certains amateurs d'art éclairés, tels que les Ephrussi ou les Camondo, le *japonisme** est devenu une sorte de religion. »

Charles et Louise, jeunes, riches, et venus tardivement à l'art japonais, sont définis comme des « néo-japonistes ». Ce domaine offre l'avantage stimulant d'être à l'abri de l'érudition des spécialistes, des historiens susceptibles de contrer d'un seul mot vos réac-tions spontanées, vos intuitions. Une nouvelle Renais-sance se présente au collectionneur, l'art noble et ancien de l'Orient est à portée de main. Il est dis-ponible en abondance, et dans l'instant.

Un *objet** japonais se révèle immédiatement à celui qui le prend dans sa main. Le toucher vous apprend ce que vous avez besoin de savoir : il vous dévoile à vous-même. Selon Edmond de Goncourt, celui qui manipule l'objet sans délicatesse, qui ne sait pas le toucher de ses doigts aimants, n'a pas vraiment la pas-sion de l'art.

Pour les amateurs de la première heure, qui ont visité le Japon, il suffit de prendre dans sa main un objet japonais pour juger de sa qualité. Ainsi, l'artiste américain John La Farge, voyageant au Japon avec des amis, a fait le pacte « de n'emporter aucun livre, de ne rien lire et d'arriver aussi innocent que pos-sible ». La *sensation* de la beauté lui paraît suffisante. Le toucher correspond à une espèce d'innocence sensorielle.

L'art japonais possède le charme de la nouveauté : il introduit des textures inconnues, des façons inédites d'appréhender les choses. On vend un peu partout des albums de gravures sur bois, mais cet art-là n'est pas simplement fait pour s'exhiber sur les murs. On assiste à une épiphanie de nouveaux matériaux : des bronzes dont la patine surpasse les œuvres de la Renaissance, des laques dont la sombre profondeur est sans égale, des paravents dorés à la feuille, qui coupent une pièce en deux et réfractent la lumière. Sur la toile de Monet *La Japonaise*, la robe de Camille Monet arbore « des broderies de plus d'un centimètre d'épaisseur ». Certains objets ne ressemblent à rien de connu en Occident et sont décrits comme des « joujoux », telles ces petites figurines d'animaux ou de mendiants, les netsukes, que l'on peut faire rouler entre ses doigts. Le collectionneur Louis Gonse, ami de Charles et rédacteur en chef de la *Gazette*, qualifie un netsuke en buis de « *plus gras, plus simple, plus caresse** ». On peut difficilement aller au-delà d'une telle intensité de réactions.

Ce sont là des choses à tenir entre ses mains, capables de relever la décoration d'un salon ou d'un boudoir. Tout en observant les images de ces pièces japonaises, je me rends compte que les Parisiens aiment accumuler les matières : ivoire enveloppé de soie, soierie suspendue derrière une table en laque, elle-même couverte de porcelaines, éventails étalés sur un parquet.

Passion du toucher, découverte tactile, choses que l'on enveloppe amoureusement. Le japonisme et le toucher forment une combinaison attrayante pour Charles et Louise, comme pour beaucoup de leurs contemporains.

Une collection de trente-trois boîtes en laque noir et or précède les netsukes. Elle rejoint dans l'appartement de l'hôtel Ephrussi le reste des collections de Charles, les tentures pourpres de la Renaissance et le pâle marbre de Donatello. Charles et Louise l'ont constituée à partir de la chaotique caverne aux trésors de Philippe Sichel. Un ensemble de laques du XVIIᵉ siècle, d'une très bonne facture. Pour les sélectionner, Charles et Louise ont dû faire de fréquentes visites à la galerie Sichel. En tant que céramiste, je me réjouis de trouver, en plus des laques, un pot à couvercle en grès du XVIᵉ siècle originaire de Bizen, le village de potiers où j'ai étudié à l'âge de dix-sept ans, trop heureux de poser mes mains enthousiastes sur ces bols tout simples, si agréables au toucher.

Dans un long essai paru dans la *Gazette* en 1878, *Les Laques japonais au Trocadéro*, Charles propose une description de cinq ou six vitrines de laques exposés au Trocadéro. C'est là sa publication la plus aboutie sur l'art japonais. Comme à son habitude, il alterne notations savantes (il est très compétent pour les datations), descriptions et lyrisme.

Il mentionne le terme *japonisme*, inventé selon lui par son ami Philippe Burty. Pendant trois semaines, avant que je ne tombe sur une occurrence antérieure, je m'imagine que c'est la première fois que le mot est imprimé, et j'exulte devant ce lien merveilleux entre mes netsukes et le japonisme. Dans la section Articles de la bibliothèque, je suis traversé par un éclair de joie viscérale.

L'étude de Charles exprime une certaine euphorie : ayant découvert que Marie-Antoinette possédait une collection de laques japonais, il met son savoir à contribution pour établir un séduisant parallèle entre la civilisation japonaise et le style rococo du XVIIIe siècle. Son essai entrelace les notions de féminité et d'intimité à l'art de la laque. Il explique que les laques japonais étaient une véritable rareté en Europe, et qu'il fallait « à la fois le crédit et la fortune d'une favorite ou d'une reine pour atteindre à la possession enviée de ces objets presque introuvables ». Mais dans le Paris de la IIIe République, ces deux univers si éloignés, si étrangers l'un à l'autre, ont fini par se rencontrer. Désormais, ces laques extraordinaires, privilèges des princes du Japon et des reines d'Occident, d'une technique si complexe que leur fabrication est une prouesse, attendent l'acheteur dans les boutiques parisiennes. Charles voit en eux des poèmes cachés : somptueux et exotiques, mais portant en filigrane des histoires de désir. Sa passion pour Louise est palpable. L'inaccessibilité de ces laques les nimbe d'une aura toute particulière. Tandis qu'il écrit, on sent le mouvement qui le porte vers Louise aux cheveux d'or.

Coffret japonais en laque dorée,
issu de la collection
de Louise Cahen d'Anvers

Il tient un coffret dans sa main : « Prenez en main une de ces boîtes en laque d'or – si légère, si douce au toucher, sur laquelle l'artiste a représenté des pommiers en fleur, une eau dormante que sillonnent des grues sacrées, et au-dessus une ligne de montagnes ondulant sous un ciel nuageux, ou bien quelques personnages aux robes flottantes, dans des attitudes bizarres à nos yeux, mais toujours élégantes et gracieuses, devisant sous leurs grands parasols. »

La boîte dans sa main, il évoque son caractère exotique. Pour une exécution aussi achevée, il a fallu selon lui « une souplesse de main toute féminine, une dextérité persévérante, un sacrifice de temps que les nations de l'Occident ne voudraient pas faire avec tant d'insouciance ». Lorsqu'on touche un de ces objets, lorsqu'on l'a sous les yeux laque, bronze ou netsuke, on prend aussitôt conscience du travail accompli. Tout le labeur qu'ils ont requis reste présent en eux, et il en émane pourtant une liberté miraculeuse.

Dans l'esprit de Charles, les motifs qui ornent les laques se mêlent à son amour grandissant pour la peinture impressionniste : les pommiers en pleine floraison, les ciels nuageux et les robes flottantes semblent tout droit sortis des toiles de Pissarro et de Monet. Les objets venus du Japon évoquent un lieu où les sensations ne perdent jamais leur fraîcheur, où l'art jaillit de la vie quotidienne, et où toute chose s'inscrit dans le rêve mouvant d'une inépuisable beauté.

Charles a illustré son article de gravures figurant des laques de sa collection et de celle de Louise. À ce moment-là, sa prose verse un peu dans l'excès, dans l'exaltation, alors qu'il dépeint l'intérieur d'un cabinet en laque dorée appartenant à Louise, sur lequel retombe un volubilis. Leurs collections se forment au gré des « caprices de l'amateur fortuné, qui peut s'offrir tout ce qu'il convoite ». Pour Charles, parler de leur goût commun pour ces laques superbes et insolites est un moyen subtil de se rapprocher de Louise. Ils sont l'un comme l'autre guidés par leur fantaisie et leurs envies, aiguillonnés par l'impulsion du moment. Et tous les deux collectionnent des objets que l'on explore avec les mains, « si légers, si doux au toucher ».

Exposer en même temps leurs collections au public équivaut à un demi-aveu à la discrète sensualité. Et la réunion de tous ces laques est comme un témoignage de leurs rendez-vous. La collection est la trace de leur liaison, le récit d'une histoire intime du toucher.

En 1884, dans un compte rendu du *Gaulois* sur l'exposition des laques de Charles, l'auteur souligne que l'on aurait pu passer des heures devant ces vitrines. Je suis d'accord avec lui. Même s'il m'est impossible d'identifier tous les musées où se sont retrouvés les laques de Charles et de Louise, je vais passer une journée à Paris pour visiter le musée Guimet, où est actuellement conservée la collection de Marie-Antoinette, et je m'arrête devant les vitrines sur lesquelles s'entrelacent les reflets de ces objets au doux éclat.

Charles rapporte ces objets compacts, noir et or, dans son salon de la rue de Monceau, qu'il a récemment enrichi d'un tapis de la Savonnerie, un fin tissage de soie dorée initialement destiné à une galerie du Louvre, au XVIIe siècle. Une allégorie de l'Air orne sa surface : les quatre vents, gonflant leurs joues, soufflent dans leurs trompettes, au milieu d'un réseau de rubans ondoyants et de papillons. Le tapis a été retaillé aux dimensions de la pièce. Je m'imagine en train de la traverser. Elle est entièrement dorée.

5.

Une boîte de bonbons pour les enfants

Si l'on désire s'offrir un petit fragment de Japon, le mieux est de se rendre sur place. C'est de cette façon que cherchent à se distinguer Henri Cernuschi, voisin de Charles, et l'industriel Émile Guimet, instigateur de l'exposition du Trocadéro.

Ceux qui n'ont pas la possibilité de se déplacer se contentent d'écumer les galeries parisiennes à la recherche de bibelots japonais. Ces boutiques sont réputées être des lieux de rencontre du beau monde, de *rendez-vous des couples adultères** appréciés, tels Charles et Louise. Autrefois, ces couples-là se retrouvaient à la Jonque chinoise rue de Rivoli ou dans la boutique jumelle, la Porte chinoise de la rue Vivienne, où la galeriste Mme Desoye, qui avait vendu de l'art japonais à la première vague de collectionneurs, trônait, « couverte de bijoux, telle une grasse idole japonaise ». C'est désormais Sichel qui la remplace.

S'il possédait un sens aigu du commerce, Sichel était dépourvu de la curiosité et des facultés d'observation de l'anthropologue. Dans ses *Notes d'un bibeloteur au Japon*, publiées en 1883, il avoue que le pays était entièrement nouveau pour lui. Peu intéressé par le mode de vie de ses habitants, il n'avait qu'une motivation en tête : dénicher les précieux laques au milieu du capharnaüm.

Et c'est exactement ce qu'il fit. Peu après son arrivée au Japon, en 1874, il découvrit un ensemble d'écritoires en laque, ensevelies sous la poussière d'un bazar de Nagasaki. Chacune ne lui coûta qu'un dollar, et beaucoup furent ultérieurement évaluées à plus de 1 000 francs. Il omet de préciser que ces mêmes pièces furent cédées à ses clients parisiens, Charles, ou Louise, ou Gonse, pour une somme largement supérieure.

De son séjour au Japon, il se rappelle la surabondance des marchandises et la foule des vendeurs accourant vers le client étranger pour conclure une affaire, si nombreux que l'on en était presque écœuré d'acheter. Il dépeint cependant le commerçant autochtone comme un personnage affable, disposé à rendre service en échange d'une boîte de bonbons, et donnant de grands banquets pour fêter une transaction.

Le Japon, de fait, ressemblait à une boîte de bonbons. L'existence des collectionneurs générait une incroyable rapacité. Selon les mots de Sichel, il s'agissait de « *dévaliser le Japon** ». On racontait que les seigneurs désargentés étaient prêts à vendre leur patrimoine, les samouraïs leur épée et les danseuses leur corps – ce qui ouvrait des perspectives illimitées. Tout pouvait s'acheter : le Japon devenait une contrée parallèle vouée à la satisfaction de tous les désirs – artistiques, commerciaux et sexuels.

L'objet japonais est chargé de sous-entendus érotiques qui vont au-delà de la simple rencontre d'un couple d'amants devant une boîte en laque ou un bibelot en ivoire. Éventails, bibelots et robes ne venaient à la vie qu'à l'occasion de rendez-vous privés, accessoires pour un travestissement et l'incarnation d'un personnage, pour une sensuelle réinvention de soi-même. Ils ne pouvaient que séduire Charles, lui qui couchait dans un lit ducal habillé d'un océan de brocarts, et qui recomposait sans fin la décoration de son appartement rue de Monceau.

Sur la toile de James Tissot *La Japonaise au bain*, une jeune fille se tient sur le seuil d'une pièce de style japonais, vêtue seulement d'un kimono broché flottant sur ses épaules. Quant à Monet, il a fait de son épouse Camille un portrait provocant : coiffée d'une perruque blonde, elle se drape dans les tourbillons d'un peignoir brodé écarlate, au bas duquel un samouraï dégaine son sabre. En arrière-plan, les éventails éparpillés sur le mur font penser à un feu d'artifice de Whistler. Une espèce de morceau de bravoure pour le peintre, comparable au passage de *Du côté de chez Swann* où la *demi-mondaine** Odette de Crécy reçoit Charles Swann en kimono, dans un salon décoré de coussins en soie, de paravents japonais et de lanternes, et où flotte le lourd parfum des chrysanthèmes, exemple parfait de *japonisme** olfactif.

La notion d'appartenance semble ici renversée : ce sont ces objets qui vous possèdent et exigent quelque chose de vous, eux qui vous poussent à l'insatiabilité. Les collectionneurs eux-mêmes reconnaissent l'ivresse de la quête et de l'acquisition, à la limite de la manie : « De toutes les passions, souligne Guy de Maupassant dans *Le Gaulois* en 1883, de toutes sans exception, la passion du bibelot est peut-être la plus terrible et la plus invincible. L'homme pris par le vieux meuble est un homme perdu. Le bibelot n'est pas seulement une passion, c'est une… maladie. »

Ce phénomène est dépeint de manière troublante dans un ouvrage singulier du détracteur de Charles, Edmond de Goncourt. Dans *La Maison d'un artiste*, l'auteur se consacre à la description pointilleuse de son domicile parisien – *boiseries**, tableaux, livres et objets, ainsi que leur emplacement – dans le but de rendre hommage à son frère disparu, avec qui il partageait cette résidence. En deux volumes de plus de 300 pages chacun, Goncourt dresse un inventaire exhaustif du contenu d'une demeure, doublé d'une autobiographie et d'un récit de voyage. Le décor regorge de pièces japonaises. Broderies et kakemonos dans le hall, et un jardin planté d'une sélection soigneusement entretenue de plantes et d'arbres japonais ou chinois.

Dans un passage digne de Borges, on voit que sa propre collection englobe celle d'un « *bibeloteur exotique** » japonais du XVIIe siècle, qui avait lui-même rassemblé des œuvres d'art chinoises. Les compositions de Goncourt tissent un jeu infini de correspondances entre les peintures, les paravents et les rouleaux exposés, et les objets enfermés dans leurs vitrines.

J'imagine Goncourt, l'œil noir et la cravate en soie blanche négligemment nouée, théâtralement campé devant sa vitrine en bois de poirier. Un netsuke au creux de sa main, il conte une anecdote sur la recherche obsessionnelle de la perfection qui sous-tend chaque ouvrage :

C'est pour ainsi dire une breloque-bijou, à la confection de laquelle travaille une classe de fins et délicats artistes, généralement des spécialistes, qui se consacrent exclusivement à la représentation d'un objet ou d'une créature : ainsi l'on parle d'une famille qui, depuis trois générations, sculpte, au Japon, des souris, rien que des souris. À côté de ces artistes professionnels, dans ce peuple manuellement adroit, il y aurait des sculpteurs de netsukes amateurs, s'amusant à sculpter pour eux-mêmes un petit chef-d'œuvre. Un jour, M. Philippe Sichel, s'approchant d'un Japonais qui entaillait, sur le pas de sa porte, un netsuke déjà très avancé, lui demandait s'il voulait le lui vendre, quand il l'aurait fini. Le Japonais se mettait à rire, et finissait par lui dire qu'il en avait bien encore pour dix-huit mois, en lui en montrant un autre à sa ceinture, qui lui avait coûté plusieurs années de travail. Et la conversation s'engageait entre les deux hommes : l'artiste-amateur avouait à M. Sichel « qu'il ne travaillait pas comme cela tout d'une haleine... qu'il avait besoin d'être en train... que c'était seulement certains jours... des jours où, après avoir fumé une ou deux pipettes, il se sentait dispos, gai » ; enfin lui laissait entendre qu'il avait besoin, pour ce travail, d'heures d'inspiration.

Ces bibelots en ivoire, en laque ou en nacre donnent tous à penser que les artisans japonais ont l'imagination tournée vers les « *bijoux-joujoux lilliputiens** ». L'idée que les Japonais, eux-mêmes de petite taille, aimaient façonner de petites choses, était devenue un poncif à Paris. La tradition de la miniature justifie que l'on ait parfois reproché à l'art japonais son manque d'ambition. Brillants dans la mise en forme minutieuse d'une sensation fugace, ils peinaient à accéder à des réalités plus sublimes, telles que la tragédie ou la terreur sacrée. Ce qui expliquait chez eux l'absence d'un Parthénon ou d'un Rembrandt.

Leur champ d'exploration était la vie quotidienne. Et les émotions. Ce furent celles-ci, d'ailleurs, qui subjuguèrent Kipling quand il découvrit les netsukes pendant son voyage au Japon, en 1889. Voici ce qu'il décrit dans une de ses lettres :

[...] une boutique remplie des vestiges du vieux Japon [...] Le professeur s'extasie sur les cabinets anciens en ivoire et or, tout incrustés de jade, de lapis-lazuli, d'agate, de nacre et de cornaline, mais de mon côté, aucune merveille ne me ravit autant que ces boutons et ces netsukes posés sur des pièces de coton, et que l'on peut faire tourner entre ses doigts. Malheureusement, il ne reste que de rares traces de caractères japonais pour m'indiquer le nom de l'artiste, et je suis donc condamné à ignorer qui a conçu, puis taillé dans un ivoire crème, ce vieil homme affreusement embarrassé d'une seiche ; ce prêtre qui fait porter un cerf par un soldat, riant à l'idée que la viande sera pour lui, et la peine pour son compagnon ; ce maigre serpent desséché narquoisement enroulé sur un crâne sans mâchoire constellé de restes de corruption ; ce blaireau rabelaisien dressé sur la tête, capable de vous faire rougir alors qu'il ne fait qu'un demi-pouce de haut ; ou le petit garçon grassouillet qui frappe son jeune frère ; ou le lapin qui vient de faire une bonne farce [...] il y en a des centaines, engendrés par la joie, le mépris et l'expérience qui règnent sur le cœur humain. Et ma main qui a abrité dans sa paume cinq ou six d'entre eux adresse un salut muet à l'ombre de celui qui les a fabriqués. Il a quitté ce monde, mais il a su inscrire dans l'ivoire une poignée de sentiments que j'ai vainement cherchés dans la froideur des mots écrits.

Les Japonais étaient versés en outre dans l'art érotique, recherché avec une passion toute particulière par les Parisiens : Goncourt parlait de ses « *débauches** » quand il s'en procurait auprès de Sichel. Degas et Manet couraient tous les deux après les *shunga*, ces estampes figurant des positions sexuelles acrobatiques ou de cocasses rencontres entre une courtisane et une créature fantastique. Les pieuvres étaient spécialement prisées, car leurs onduleux tentacules suggéraient de multiples possibilités. Edmond de Goncourt rapportait pour sa part : « J'ai acheté l'autre jour des albums d'obscénités japonaises [...] Cela me réjouit, m'amuse, m'enchante l'œil [...] La violence des lignes, l'imprévu de la conjonction, l'arrangement des accessoires, le caprice des poses et des choses, le pittoresque et pour ainsi dire le paysage des parties génitales. » Les netsukes à caractère érotique suscitaient pareillement l'engouement du collectionneur parisien. Parmi les sujets les plus courants, on trouvait la pieuvre embrassant une jouvencelle dénudée, les singes chargés de gros champignons à la silhouette phallique, et les kakis éclatés.

Ces curiosités érotiques venaient s'ajouter aux *objets** occidentaux réservés au plaisir masculin, tels ces nus en bronze classiques, faits pour tenir dans la main, que les connaisseurs conservaient dans leur cabinet en vue de quelque débat érudit sur la qualité du modelé ou de la patine. Il y avait aussi ces collections de petites boîtes à priser émaillées qui, une fois ouvertes, laissaient apparaître des faunes priapiques et des nymphes surprises, petites saynètes autour de la dissimulation et de la révélation. Ces petits objets que l'on manipulait et que l'on déplaçait, par jeu mais avec la main délicate d'un connaisseur, étaient rangés dans des vitrines.

Dans le Paris des années 1870, personne ne se serait privé d'une occasion de faire circuler un petit objet un peu choquant. Les vitrines étaient devenues un aspect essentiel des interludes galants et spirituels de la vie de salon.

6.

Un renard en bois, aux yeux incrustés

Et c'est ainsi que Charles fait l'acquisition des netsukes. Il en achète deux cent soixante-quatre.

Un renard en bois, aux yeux incrustés
Un serpent lové sur une feuille de lotus, en ivoire
Un lièvre en buis, et la lune
Un guerrier debout
Une servante endormie
Des enfants jouant avec des masques, en ivoire
Des enfants jouant avec des chiots
Des enfants s'amusant avec un casque de samouraï
Des dizaines de rats en ivoire
Singes, tigres, cerfs, anguilles, et un cheval au galop
Prêtres, acteurs, samouraïs, artisans, et une femme
se baignant dans un tub en bois
Un fagot de bois lié par une corde
Une nèfle
Un frelon et un nid de frelons, attaché à une branche
cassée
Trois crapauds sur une feuille
Un singe et son petit
Un couple faisant l'amour
Un cerf couché, se grattant l'oreille avec la patte arrière
Un danseur de nô à la robe richement brodée,
un masque devant le visage

Une pieuvre
Une femme nue avec une pieuvre
Une femme nue
Trois châtaignes d'eau
Un prêtre à cheval
Un kaki.

Et encore deux cents de plus, une immense collection d'objets miniature.

Charles ne les a pas achetés une pièce après l'autre, comme il l'a fait pour ses laques, mais en une seule fois, collection complète et spectaculaire acquise chez Sichel.

Venaient-ils tout juste d'arriver après quatre mois de traversée depuis Yokohama, chacun étant enveloppé d'un carré de soie, dans des caisses tapissées de copeaux ? Sichel les avait-il disposés dans un cabinet afin de tenter sa riche clientèle parisienne ? Ou Charles les a-t-il déballés les uns après les autres, découvrant mon favori entre tous, le tigre surpris qui se retourne sur une branche de bambou, sculpté dans l'ivoire à Osaka, à la fin du XVIIIe siècle ? Ou les rats qui lèvent le nez, pris en flagrant délit sur la carcasse d'un poisson séché ?

Est-il tombé amoureux du lièvre aux yeux d'ambre, d'une pâleur si étonnante, et a-t-il acheté tous les autres pour lui tenir compagnie ?

En a-t-il passé commande à Sichel ? Peut-être a-t-il fallu un an ou deux pour qu'un marchand roué de Tokyo parvienne à les rassembler, les rachetant à des gens tombés dans l'indigence. Je les examine attentivement. Rares sont ceux qui ont été délibérément fabriqués pour le marché occidental, bâclés et vieux de dix ans à peine. Le garçon rondelet qui minaude derrière son masque en fait résolument partie, vulgaire et de facture médiocre. En revanche, la plupart des autres ont été sculptés à l'intention des collectionneurs japonais avant l'arrivée du commodore Perry, et certains remontent encore à un siècle plus tôt. Personnages, animaux, sujets érotiques et créatures mythologiques : quasiment tous les thèmes attendus dans une collection exhaustive sont représentés ici. Plusieurs portent la signature d'artistes renommés. Celui qui les a réunis n'était pas un néophyte.

Le hasard a-t-il amené Charles chez Sichel avec Louise, au milieu des océans de soieries, des portfolios, des paravents et des porcelaines, avant que d'autres collectionneurs n'aient le temps de dénicher le trésor ? Est-ce lui qui a pris la décision, ou plutôt elle ?

Louise n'était peut-être pas là, dans le fond. Il se peut qu'il ait voulu lui réserver une surprise pour leur prochain rendez-vous dans son appartement.

Combien ce jeune collectionneur charmant et capricieux a-t-il dû débourser pour les avoir ? Son père, Léon, venait de mourir d'un arrêt cardiaque à quarante-cinq ans à peine, et avait été inhumé près de Betty dans le caveau familial du cimetière de Montmartre. Ephrussi et Cie n'en avait pas moins le vent en poupe. Jules avait acquis un terrain près du lac de Lucerne pour y faire bâtir le chalet. Ses oncles s'offraient des châteaux, et leurs chevaux couraient à Longchamp sous les couleurs des Ephrussi – pois bleus et jaunes. Les netsukes ont probablement coûté fort cher, mais Charles, dont la fortune personnelle ne cessait de croître en même temps que celle de la famille, pouvait se payer le luxe de céder à toutes ses fantaisies.

S'il y a certaines choses que je suis condamné à ignorer, je sais en revanche que Charles a acheté pour ranger ses netsukes une vitrine en bois sombre et poli comme une laque, un peu plus haute que lui. L'intérieur restait visible par l'avant et les parois latérales en verre. Tapissant le fond, un miroir démultipliait à l'infini la collection exposée sur du velours vert. Les netsukes présentent une gamme subtile de teintes, déclinant toutes les nuances de l'ivoire, de la corne et du buis : crème et blanc cire, noisette et or se détachant sur un fond d'un vert soutenu et profond.

Ils sont devant mes yeux, à présent, telle une collection dans la collection. Charles place ses netsukes sur le velours vert dans leur vitrine en bois sombre, reflétés par le miroir, et c'est là le premier foyer qu'ils trouvent dans mon histoire. Ils ont pour compagnons les boîtes en laque, les amples tentures rapportées d'Italie et le tapis couleur or.

J'aimerais savoir s'il a ressenti le besoin de se rendre chez son frère Ignace, dans l'appartement voisin, pour l'informer de sa nouvelle acquisition.

Il est impossible de laisser traîner les netsukes sans protection dans un salon ou dans un bureau. Ils ont tôt fait de s'égarer ou de tomber par terre, de s'ébrécher et de se couvrir de poussière. Il leur faut un refuge paisible, de préférence aux côtés d'autres bibelots. D'où l'importance des vitrines. Et au cours du voyage qui m'a mené vers les netsukes, je me suis pris pour elles d'un intérêt toujours plus vif.

Ces vitrines, je les rencontre sans cesse dans le salon de Louise. J'en ai vu d'autres, conservées dans des hôtels Belle Époque, j'en ai croisé aussi en parcourant les articles de Charles pour la *Gazette*, ou les catalogues des collections Rothschild. Et maintenant que Charles a la sienne, je me rends compte qu'elles sont bien plus qu'un simple meuble : un acteur à part entière sur la scène des salons. Un ami collectionneur de Charles, occupé à disposer des objets dans une vitrine, est comparé au peintre appliquant sur sa toile les touches de couleur, dans un moment de raffinement et d'harmonie.

La vitrine est là pour que l'on puisse contempler les objets sans les toucher. Elle les encadre et les maintient à distance, aiguisant la tentation du spectateur.

C'est une réalité que, jusqu'à présent, je n'étais pas parvenu à comprendre. Pendant les vingt premières années de ma vie de céramiste, je n'ai eu de cesse de faire sortir mes propres poteries des vitrines où les enfermaient galeristes et conservateurs de musées. J'étais persuadé qu'elles ne pouvaient que mourir, confinées ainsi dans leurs cages de verre. À mes yeux, une vitrine équivalait à une espèce de cercueil. Les objets avaient besoin de liberté, ils devaient prendre le risque de se soustraire à la sécurité d'une présentation formalisée. J'avais alors pour credo : « Hors de la vitrine, dans la cuisine ! » Les obstacles étaient trop présents entre eux et nous. *Trop de verre**, aurais-je pu dire, paraphrasant un célèbre architecte devant la maison en verre conçue par un de ses rivaux modernistes.

Mais la vitrine ne se confond pas avec le présentoir de musée : elle est destinée à être ouverte. Et dans l'acte d'ouvrir la porte, de choisir un objet et de tendre la main pour s'en saisir, se concentre un instant de séduction, une rencontre électrisante entre la main et l'objet.

Cernuschi, l'ami de Charles dont l'hôtel se trouvait près des grilles du parc Monceau, possédait une vaste collection d'art japonais conservée dans une pièce aux murs d'un blanc immaculé. Un critique fit remarquer que les objets y avaient l'air « malheureux », comme s'ils étaient exposés au musée du Louvre. Exhiber l'art japonais comme du grand Art le pare d'une solennité problématique. En revanche, le salon de Charles en haut de la colline, où s'établit un dialogue entre les antiquités italiennes et la nouvelle collection japonaise, n'a rien d'une salle de musée.

La vitrine de Charles est un seuil.

Et les netsukes s'adaptent parfaitement à la vie du salon de Charles. À voir Louise aux cheveux dorés ouvrir la vitrine et avancer la main pour y pêcher un objet à contempler, à toucher et à caresser, on comprend que l'art japonais se prête aux digressions et aux distractions. À mon avis, ces netsukes ajoutent une touche irremplaçable à l'existence quotidienne de Charles. Ce sont là les premières choses liées à la vie de tous les jours, fût-elle exotique. Même si elles sont merveilleuses et d'une grande sensualité, elles n'ont pas le caractère princier du lit Médicis ou des laques de Marie-Antoinette. Elles sont faites pour être touchées.

Et surtout, elles suscitent le rire de multiples façons, pleines d'esprit et de truculence, empreintes d'une facétieuse drôlerie. Maintenant que les netsukes ont gravi l'escalier tournant et se sont installés dans le salon de Charles, dans l'hôtel aux couleurs ambrées, je constate non sans soulagement que cet homme estimé de tous avait suffisamment d'humour pour les apprécier à leur juste valeur. Au-delà de l'admiration, je peux désormais éprouver de la sympathie pour lui.

7.

Le fauteuil jaune

Les netsukes – mon tigre, mon lièvre, mon kaki – ont élu domicile dans le bureau de Charles, où il est en train d'achever son étude sur Dürer. Le poète Jules Laforgue a laissé dans une de ses lettres une évocation enthousiaste de cette pièce.

Chaque ligne de votre beau livre me rappellerait tant de souvenirs ! Surtout les heures passées à travailler seuls dans votre chambre où éclatait la note d'un fauteuil jaune. – Et les impressionnistes ! Deux éventails de Pissarro bâtis solidement par petites touches patientes. – De Sisley, la Seine avec poteaux télégraphiques et ciels de printemps. Ou une berge des environs de Paris avec un voyou bucolisant par les sentiers. – Et les pommiers en fleurs escaladant une colline, de Monet. – Et la sauvageonne ébouriffée de Renoir, et de Berthe Morisot un sous-bois profond et frais, une femme assise, son enfant, un chien noir, un filet à papillons. Et encore de Morisot, une bonne avec son enfant, bleu, vert, rose, blanc, soleil. – Et de Renoir encore, la Parisienne aux lèvres rouges en jersey bleu. Et cette très capricieuse femme au manchon, une rose laque à la boutonnière, dans un fond spirituellement fouetté de neige. Et la danseuse de Mary Cassatt en jaune vert blond roux, fauteuils rouges, nue des épaules. Et les danseuses nerveuses de Degas, et le *Duranty* de Degas – et le *Polichinelle* de Manet avec les vers de Banville !

Ah ! les douces heures passées là, à m'oublier sur les tables d'*Albert Dürer*, à rêver, et comme je bénissais l'austère M. de Tauzia qui me chassait dans votre chambre claire où éclatait la note d'un fauteuil jaune, jaune, très jaune.

Albert Dürer et ses dessins est le premier véritable ouvrage signé par Charles, issu de ses « vagabondages » à travers l'Europe. Laforgue, âgé de vingt et un ans et fraîchement arrivé à Paris, lui a été recommandé comme secrétaire, chargé de faire le tri dans les listes, les corrections et les notes accumulées durant les dix dernières années, et d'établir en vue de la publication appendices, tables et index. Aux yeux de Laforgue, Charles dans son peignoir chinois est un mécène envoûtant campé dans un décor qui ne l'est pas moins.

Je n'ai appris que récemment la collaboration de Laforgue et de Charles, grâce à une note dans un ouvrage sur Manet, et cette découverte me remplit de joie. Laforgue est un magnifique poète des paysages urbains, avec leurs bancs mouillés de pluie et leurs fils télégraphiques au-dessus des voies désertes.

Charles a cessé d'être le jeune homme pressé d'autrefois. Il est devenu le « bénédictin-dandy de la rue de Monceau », érudit flegmatique en manteau noir, dont le haut-de-forme est toujours coiffé selon l'angle qui convient. Un homme qui porte sa canne sous son bras avec un grand sens de la bienséance et de l'*amour-propre**, et qui emploie un valet pour être sûr que son chapeau sera bien brossé. Quelqu'un, je parie, qui ne transporte jamais rien dans ses poches, de peur de gâcher le tombé de l'étoffe. Il a trente ans, une maîtresse et un poste de rédacteur en chef à la *Gazette* : sa vraie personnalité s'est pleinement affirmée. Historien d'art *mondain** assisté d'un secrétaire, collectionneur de netsukes mais aussi de tableaux.

Sa silhouette semble si pleine de vie dans cette pièce ! Toutes ces teintes – le noir de la redingote et du chapeau, les reflets roux de la barbe sur un fond de peintures étourdissantes – sont rehaussées par l'éclat ardent du fauteuil jaune. Le bureau d'un homme à qui les couleurs sont indispensables, et qui construit même sa vie autour d'elles. Il arbore dans la rue de Monceau l'uniforme irréprochable d'un noir rabbinique, mais une autre vie l'attend derrière la porte de son bureau.

À quelles études peut-on s'adonner dans un bureau tel que celui-ci ?

Charles engage Jules Laforgue le 14 juillet 1881. Celui-ci passe l'été à travailler dans son bureau, poursuivant son ouvrage jusque tard dans la nuit. Je me permets de souligner que ses mécènes juifs le paient bien chichement. C'est à travers lui que l'on voit Charles construire son livre, une pierre après l'autre. Dans les marges de son travail, Laforgue ébauche hâtivement un portrait de lui et de Charles. Laforgue, minuscule, les cheveux bouffants, ouvre la marche, les mains sur les hanches et soufflant un nuage de fumée, suivi d'un Charles bien droit au profil assyrien, monumental mais néanmoins jovial. Sa carrure s'est admirablement étoffée.

Laforgue, qui l'adore, aime le taquiner. C'est son premier emploi, et il cherche à se distinguer. « Et maintenant, ô bénédictin-dandy de la rue de Monceau, que faites-vous ? Je vois toujours les sommaires de la *Gazette* et de l'*Art*. Que tramez-vous entre votre *Grenouillère* de Monet, le *Constantin Guys* de Manet... et les archéologies bizarres de Moreau – dites ? »

Le « dandy-bénédictin »
de la rue de Monceau, autoportrait
avec Charles de Jules Laforgue, 1881

Laforgue souhaite rappeler son souvenir à « notre » bureau, et signe en saluant le Monet, « vous savez lequel ». Pour lui, cet été passé près de Charles coïncide avec sa découverte de l'impressionnisme, qui l'amènera à forger un langage poétique entièrement nouveau. Il s'essaie au poème en prose avec « Guitare », qu'il dédie à Charles. Mais les descriptions de son bureau ne sont-elles pas déjà des poèmes en prose ? Elles combinent toutes les touches chromatiques, « *la tache colorée** », le jaune du fauteuil, les lèvres rouges et le jersey bleu de la femme de Renoir… Les lettres de Laforgue, pêle-mêle de sensations et d'idées grisantes, se rapprochent de la définition qu'il a lui-même donnée de l'impressionnisme : un style pictural où spectacle et spectateur sont étroitement liés, « *irrémédiablement mouvant, insaisissable** ».

Charles est très attaché à Laforgue. Après le long été qu'ils ont partagé à Paris, il procure au jeune poète un poste de lecteur de français à Berlin, auprès de l'impératrice – l'air de rien, Charles avait un entregent impressionnant. Il correspond avec lui, envoie argent et conseils, donne son avis sur les articles qu'il écrit et s'arrange pour qu'il soit publié. Charles conservera de ces échanges une trentaine de lettres de Laforgue, qu'il fera paraître dans *La Revue blanche* après la mort prématurée du poète, emporté par la tuberculose.

Ces lettres nous font réellement sentir la présence de la pièce. Moi qui rêvais de me projeter auprès des netsukes, je craignais de me trouver cantonné à une connaissance livresque de l'ameublement somptueux de l'appartement de Charles. Je me suis demandé avec inquiétude si je saurais reconstituer une vie à travers les objets qui l'ont peuplé. À l'image du style de Laforgue, la pièce déborde d'accords et de contrastes inattendus. Mon oreille perçoit les digressions de ces conciliabules nocturnes, et je réussis enfin à entrer.

Tout ici n'est qu'émotions exacerbées. Comment ne pas se sentir vivant dans un lieu saturé d'images de liberté et de repos, excursions à la campagne, jeunes femmes, bohémienne, baigneurs dans la Seine, flâneur désœuvré sur un sentier, faune splendide encadré d'étoffes dorées, et tous ces netsukes insolites et amusants, qui appellent le toucher ?

8.

Les asperges de M. Elstir

Je suis de nouveau à la bibliothèque, et je ne sais quel parti prendre. Lorsque j'ouvre le livre de Charles, *Albert Dürer et ses dessins,* l'autoportrait du peintre me renvoie mon regard, avec son visage christique, sa barbe et ses cheveux longs. Il y a du défi dans ce regard. Je me suis très souvent demandé comment cet écheveau de réflexions, délicat et soigné, comment ces tables et ces listes minutieusement établies, avaient pu être rédigés dans un bureau qui contenait aussi les brises estivales de Monet.

Je devine l'émotion dans la voix de Charles quand il décrit avec animation sa recherche des dessins perdus de Dürer. « Pour mener à bien [notre travail], nous avons poursuivi les dessins de notre maître partout où nous soupçonnions qu'ils pouvaient se cacher : musées des capitales et des villes secondaires de l'étranger, de Paris et de la province, collections privées célèbres ou peu connues, *cabinets** d'amateurs aimables ou rébarbatifs, nous avons tout fouillé, remué. » Charles est peut-être un flâneur qui prend son temps dans les salons, fréquente les courses et l'Opéra, il n'en met pas moins une grande énergie dans ses « vagabondages ». Il se plaît en effet à employer ce mot, comme s'il s'agissait d'un divertissement, et non d'une activité assidue et professionnelle. Selon les codes sociaux en vigueur, un *mondain** tel que lui, à la tête d'une grande fortune juive, n'est pas supposé travailler. Il préfère donc se présenter comme un « *amateur d'art** », un terme volontairement péjoratif. Cependant, il éprouve bel et bien le plaisir de l'investigation sérieuse et ne mesure guère son temps, motivé par le caprice de l'instant autant que par le projet arrêté. Je fais un parallèle avec mes propres recherches, alors que je fouille dans *sa* vie sur les traces des netsukes, copiant les notes que d'autres ont laissées dans les marges. Mes propres vagabondages me poussent de bibliothèque en bibliothèque, je suis la piste des gens qu'il a connus, de ceux sur qui il a écrit ou dont il a acheté les tableaux. Sous la pluie d'été, je me tiens devant ses anciens bureaux de la rue Favart, tel un mélancolique limier de l'histoire de l'art, attendant de voir qui va en sortir.

Je m'aperçois qu'au fil des mois j'ai acquis une curieuse sensibilité à la qualité du papier. Et je dois avouer que la personnalité de Charles m'a finalement conquis. C'est un érudit passionné, qui réussit à être à la fois un élégant, un historien de l'art chevronné *et* un chercheur persévérant. Un ensemble de qualités aussi rares que précieuses, me dis-je avec envie.

Charles obéit à une motivation bien définie dans la poursuite de ses recherches, convaincu que « tous les dessins de Dürer, même les plus légers croquis, méritaient une attention spéciale, que rien de ce qui est dû à la main du maître ne saurait être omis ». Il est conscient de l'importance de l'intimité dans une telle entreprise. Face à un dessin, on « surprend la pensée de l'auteur dans toute sa fraîcheur, au moment même de l'éclosion, avec plus de vérité peut-être et de sincérité que dans les œuvres de longue haleine, remaniées avec la patiente défiance du génie ».

Charles signe là un fabuleux manifeste à la gloire du dessin. Il y célèbre l'instant de compréhension et la réaction fugace qui le suit – quelques traces d'encre, quelques traits au crayon. On peut aussi lire entre ses lignes une belle revendication d'un dialogue particulier entre les œuvres du passé et les nouvelles formes d'art. Et surtout, Charles souhaite à travers ce livre « faire mieux connaître au public français le plus grand des artistes allemands », le premier peintre pour lequel il s'est enflammé pendant son enfance viennoise. Par la même occasion, il s'assure d'une tribune intellectuelle aussi bien qu'émotionnelle pour mettre en perspective les différentes époques de l'art, et démontrer les affinités entre un croquis de Dürer et une esquisse de Degas. Il a confiance dans sa théorie.

Par ses écrits, Charles s'applique à promouvoir les artistes vivants qu'il est amené à côtoyer. Sous son véritable nom ou sous divers pseudonymes, il fait l'éloge de certaines toiles, défend *La Petite Danseuse de quatorze ans* de Degas, « debout en tenue de répétition, lasse et fatiguée ». Grâce à sa position de rédacteur en chef à la *Gazette*, il peut commander des articles sur ses artistes de prédilection. Et enfin, passionné et partisan comme il l'est, il a commencé à acheter des toiles destinées à la pièce au fauteuil jaune.

Berthe Morisot compte parmi ses premières acquisitions. « Elle broie sur sa palette des pétales de fleurs pour les étaler ensuite sur la toile en touches spirituelles, soufflées, jetées un peu au hasard, qui s'accordent, se combinent et finissent par produire quelque chose de fin, de vif et de charmant qu'on devine plutôt qu'on ne le voit. »

En l'espace de trois ans, il rassemble une quarantaine d'œuvres impressionnistes, et en achète vingt autres pour ses cousins berlinois, les Bernstein. Ses toiles et pastels de Morisot, Cassatt, Degas, Manet, Monet, Sisley, Pissarro et Renoir forment l'une des premières grandes collections autour du mouvement impressionniste. Je suppose que son bureau en était tapissé, et que les toiles se superposaient sur plusieurs niveaux. On est bien loin de l'éclat solitaire du pastel de Degas sur son mur du Metropolitan, placé à distance respectable de toute autre pièce. Dans le bureau de Charles, *Les Modistes* devait faire de l'ombre au Donatello, casé parmi une vingtaine de toiles resplendissantes, collé contre la vitrine des netsukes.

Avocat de l'avant-garde, Charles se doit d'être audacieux. Malgré le fervent soutien de leurs adeptes, les impressionnistes sont encore taxés de charlatanisme par la presse et l'Académie. La caution de Charles a dans ce contexte une grande valeur, étayée par son statut de rédacteur en chef et d'éminent critique. Plus concrètement, il se montre fort utile en tant que mécène auprès de peintres en difficulté. À en croire Philippe Burty, les tableaux de ce style se rencontraient surtout dans les hôtels des Américains et des banquiers israélites. Charles s'emploie aussi à guider ses amis fortunés, persuadant par exemple

Mme Straus, qui règne sur un salon farouchement dédié à l'esthétisme, d'acquérir un des *Nymphéas* de Monet.

Plus encore, il est pour les peintres un interlocuteur attentif, une sorte de frère aîné qui leur rend visite dans leur atelier pour constater les progrès de leur travail, réservant parfois les toiles en cours de réalisation. Il passe des heures à débattre avec Renoir pour savoir quelles œuvres sont les mieux indiquées pour le prochain Salon. Whistler lui demande d'inspecter une de ses toiles endommagée. « C'est grâce à lui, écrivait Proust dans une évocation plus tardive de Charles en *amateur de peinture**, que bon nombre de toiles laissées inachevées ont pu être terminées. »

Il tisse avec les artistes de véritables relations d'amitié : « Nous sommes aujourd'hui jeudi, lui écrit Manet, et nous sommes toujours sans nouvelles de vous. Sans doute êtes-vous trop captivé par l'esprit de votre hôte… Allons, prenez votre plus belle plume et écrivez-moi. »

Charles achète à Manet une de ses extraordinaires natures mortes de petit format, sur lesquelles une rose ou un citron luit doucement dans l'ombre. Celle-ci représente une botte d'une vingtaine d'asperges, liées ensemble avec de la paille. Manet en réclame 800 francs, une somme considérable, mais Charles, émerveillé, lui en offre 1 000. Une semaine plus tard, il reçoit en cadeau une petite toile signée d'un simple M. Une seule asperge posée sur une table, accompagnée du message suivant : « Je crois que celle-ci a glissé de la botte. »

Proust, qui connaissait bien les tableaux de Charles pour avoir visité son appartement, s'approprie l'anecdote dans *À la recherche du temps perdu*, à travers le peintre impressionniste Elstir, inspiré à la fois de Renoir et de Whistler. Le duc de Guermantes, indigné, fait remarquer qu'il « n'y avait que cela dans le tableau, une botte d'asperges précisément semblables à celles que vous êtes en train d'avaler. Mais moi, je me suis refusé à avaler les asperges de M. Elstir. Il en demandait trois cents francs. Trois cents francs, une botte d'asperges ! Un louis, voilà ce que ça vaut, même en primeurs ! ».

La plupart des toiles exposées dans le bureau de Charles sont l'œuvre de ses amis. Un portrait au pastel d'Edmond Duranty parmi ses livres, décrit par le jeune écrivain J.K. Huysmans. « M. Duranty est là, au milieu de ses estampes et de ses livres, assis devant sa table, et ses doigts effilés et nerveux, son œil acéré et railleur, sa mine fouilleuse et aiguë, son pincé de comique anglais... » Une toile de Constantin Guys, le « peintre de la vie moderne », et un portrait de lui par Manet, échevelé, négligé et l'air un peu égaré. Charles achète aussi à Degas le double portrait en buste du général Mellinet et du grand rabbin Astruc, deux hommes redoutables unis par leur expérience de la guerre de 1870.

D'autres toiles représentent la vie parisienne de Charles : le départ d'une course à Longchamp par Degas, où courent les chevaux réputés de son oncle Maurice. « Courses – Ephrussi – 1 000 [francs] », note Degas dans son carnet. Images du demi-monde, de danseuses et d'une boutique de modiste, où l'on voit deux jeunes femmes, de dos, assises sur un sofa (2 000 francs). Sans oublier la buveuse d'absinthe solitaire, installée dans un café avec son verre.

Édouard Manet, *Une botte d'asperges*, 1880

Cependant, la plupart des toiles de Charles sont des scènes de campagne, nuages filant dans le ciel ou vent qui passe dans les arbres, trahissant sa sensibilité à la fugacité de l'instant. Il possède cinq paysages de Sisley et trois de Pissarro. À Monet, il achète pour 400 francs une vue de Vétheuil où des nuages blancs se hâtent au-dessus d'une prairie plantée de saules, et les *Pommiers* peints dans le même village. Il fait également l'acquisition d'une vue de la Seine en pleine débâcle par une aube d'hiver, *Les Glaçons*, joliment décrite par Proust dans *Jean Santeuil*, « Un amateur de peinture » : « Voyez comme tout miroite, comme tout est mirage par ce dégel : vous ne savez plus si c'est de la glace ou du soleil, et tous ces morceaux de glace brisent et charrient les reflets du ciel. »

111

Même le portrait de la « petite sauvageonne ébou-riffée », à qui Laforgue envoyait son meilleur souve-nir, communique cette impression d'impermanence et de changement imminent. *La Bohémienne*, petite tzigane décoiffée aux cheveux roux, est vêtue en campagnarde, debout parmi les herbes et les arbres sous un soleil de plomb. Il est clair qu'elle fait partie du paysage, et qu'elle ne va pas tarder à se mettre à courir.

Ce que ces toiles ont en commun, comme Charles l'écrit lui-même, c'est de savoir capter les mouve-ments de l'être dans le changement perpétuel de la lumière, ainsi que les incessantes variations des nuances de l'atmosphère, ignorant les couleurs indi-viduelles pour aboutir à une unité lumineuse où les éléments épars se mêlent en un tout harmonieux et indivisible.

Charles achète aussi *Baigneurs à la Grenouillère*, de Monet, scène de baignade spectaculaire.

De retour à Londres, je me rends à la National Gallery pour contempler cette toile, que j'imagine en compagnie du *fauteuil** jaune et des netsukes. C'est le plein été sur un site populaire des berges de la Seine, où des silhouettes en costume de bain marchent sur une étroite passerelle en bois pour gagner le fleuve moucheté de soleil, tandis que celles qui ne se bai-gnent pas, vêtues de leur robe, se dirigent vers la rive. Une seule tache de vermillon éclate au bas d'un our-let. Des canots se pressent au premier plan, et un dais de feuillages abrite la scène. Les vaguelettes de l'onde se fondent dans les têtes mobiles des nageurs. Il fait juste assez bon pour entrer dans l'eau, et presque trop frais pour avoir envie d'en sortir. On se sent plus vivant à regarder ce tableau.

Le mariage de l'art japonais et des chatoiements de ce nouveau style pictural me paraît pertinent. Le *japonisme** est peut-être une religion pour les Ephrussi, c'est dans leur cercle d'amis artistes que la nouvelle forme d'art a l'impact le plus profond. Comme Charles, Manet, Renoir et Degas collectionnent avidement les estampes japonaises. Leur structure semble bouleverser la signification du monde. Des fragments insignifiants de la réalité – un colporteur qui se gratte la tête, une femme avec son enfant en pleurs, un chien qui s'éloigne vers la gauche – sont investis d'autant de sens que la haute montagne qui se dresse à l'horizon. Comme dans l'univers des netsukes, la vie quotidienne se déroule dans toute sa spontanéité. Cette conjonction un peu brutale du récit et de la clarté graphique fait l'effet d'un catalyseur.

Les impressionnistes ont appris à extraire de la réalité des coups d'œil et des exclamations. À la vue officielle, ils préfèrent le trapèze qui découpe l'espace, les têtes vues de dos chez la modiste, les piliers de la Bourse. Edmond Duranty, dont le portrait par Degas était accroché dans le bureau de Charles, avait pleinement conscience de ce processus : « Le personnage [...] n'est jamais au centre de la toile, au centre du décor. Il ne se montre pas constamment entier, tantôt il apparaît coupé à mi-jambe, à mi-corps, tranché longitudinalement. » Quand on regarde l'étrange portrait de Degas, *Place de la Concorde/Le comte Lepic et ses filles,* aujourd'hui conservé à l'Ermitage de Saint-Pétersbourg – trois silhouettes et un chien traversant le vide surprenant qui s'étend sur la toile –, on sent dans cette absence de perspective l'influence patente des estampes du Japon.

Les netsukes partagent avec l'estampe la tradition du motif récurrent, de la série autour d'un thème. C'est ainsi qu'une célèbre montagne est revisitée selon quarante-sept vues différentes, dans un constant reformatage des codes picturaux. Des meules de blé, le coude d'une rivière, des peupliers, la façade abrupte de la cathédrale de Rouen – tous ont fait l'objet de ces réinterprétations poétiques. Whistler, maître des « variations » et des « caprices », affirmait que « sur une toile, les couleurs devaient être comme brodées ; en d'autres termes, une même teinte doit apparaître par intermittence, comme le fil d'une broderie ». Zola, précoce admirateur des impressionnistes, a justement rapproché leur art de la simplification de l'estampe japonaise, avec qui ils partagent une étrange élégance et de magnifiques touches de couleurs. En effet, la simplification semble être le concept central de cette esthétique novatrice, à condition toutefois qu'elle s'associe à un traitement abstrait de la couleur ou à des récurrences chromatiques.

Il suffit parfois de prendre pour sujet Paris sous l'averse. Une flottille de parapluies gris à la place des ombrelles, et Paris se change en une espèce d'Edo.

Lorsque Charles écrit sur ses amis – dans une prose belle et précise –, il saisit très bien le caractère radical de leur démarche, tant dans ses thèmes que dans sa technique.

> […] pour goûter l'œuvre, il [faut] l'embrasser dans son entier et la regarder à la distance voulue : tel est

l'idéal de la nouvelle école. Elle n'a pas appris le caté-chisme optique, elle traite avec dédain la légalité pic-turale ; elle rend ce qu'elle voit comme elle le voit, spontanément, bien ou mal, sans ménagement, sans commentaire, sans périphrase. Dans son horreur du convenu, elle cherche les sujets inédits ; elle hante les coulisses des théâtres, les cafés, les cabarets, les caboulots même ; les bals de barrière ne lui font pas peur, et elle canote à Asnières et à Argenteuil.

Les bords de Seine sont d'ailleurs le cadre de l'œuvre la plus éclatante de Renoir, *Le Déjeuner des canotiers*. Une après-midi gentiment canaille à la Mai-son Fournaise, restaurant situé dans un de ces lieux de promenade en vogue où les Parisiens pouvaient venir en train passer la journée. Des bateaux de plai-sance et un canot sont visibles à travers les feuilles argentées des saules. Le groupe est protégé de l'ardeur du soleil par un auvent à rayures blanc et rouge. On vient d'achever le déjeuner dans l'univers de peintres, de mécènes et d'actrices créé par Renoir, et tout le monde est ami. Les modèles bavardent en buvant et en fumant parmi les reliefs du repas et les bouteilles vides. Ici, on ignore les normes et les réglementations.

Une jeune femme, son chapeau orné d'une fleur, porte un verre à ses lèvres. Le baron Raoul Barbier, ancien maire de Saigon, converse avec la fille de la tenancière, son melon marron incliné en arrière. Le frère de la jeune personne, coiffé du chapeau de paille des canotiers professionnels, observe le déjeuner au premier plan. Caillebotte, élégant et décontracté avec son maillot de corps et son canotier, regarde, à cheval sur sa chaise, la jeune couturière Aline Charigot, maî-tresse et future épouse de Renoir. L'artiste Paul Lhote entoure d'un bras de propriétaire l'actrice Jeanne Samary. L'ambiance est au flirt, à la conversation et à la bonne humeur.

Charles est là, lui aussi : on l'aperçoit tout au fond, en costume et haut-de-forme noir, se détournant à demi. On ne distingue de son visage que la barbe brun-roux. Il discute avec Laforgue, mal rasé mais avenant, arborant la casquette d'ouvrier et le veston en velours dignes d'un vrai poète.

Je serais bien surpris que Charles, parti se promener en bateau sous le soleil estival, ait porté sa tenue de bénédictin, sombre et pesante, et n'ait pas échangé son tuyau de poêle contre un canotier. Je crois plutôt que Renoir a reproduit l'uniforme de son mécène en manière de plaisanterie, suggérant par là que même par un jour de liberté et de soleil, on a besoin d'un parrain et d'un critique dans les parages. À propos de cette peinture, qu'il attribue à Elstir dans son roman, Marcel Proust signale un monsieur en haut-de-forme qui n'a pas « l'air à sa place », peut-être un mécène du peintre.

Certes, Charles ne semble guère à sa place, mais il est bel et bien là, modèle, ami et mécène. Charles Ephrussi, ou du moins ce que l'on voit de lui sur le tableau, vient d'entrer dans l'histoire de l'art.

9.

Même Ephrussi s'est laissé prendre

Le mois de juillet est là, et je suis dans mon studio du sud de Londres. Il se situe au bout d'une ruelle, entre un bookmaker et un fast-food antillais, coincé au milieu des réparateurs de voitures. Le quartier est bruyant, mais j'ai beaucoup d'espace à ma disposition : un atelier au rez-de-chaussée, bien aéré et tout en longueur, où se trouvent les fours et les tours, et en haut d'une volée de marches peintes en blanc, une pièce pour ranger mes livres. C'est aussi là-haut que j'expose les pièces à peine achevées, telles les séries de cylindres en porcelaine placées dans des boîtes à cloison de plomb que je fabrique en ce moment. Là, aussi, que j'empile mes paquets de notes sur les premiers impressionnistes et que je continue à écrire sur le collectionneur initial des netsukes.

C'est un lieu tranquille, où je profite de la compagnie agréable des livres et des poteries. J'y reçois les clients qui souhaitent passer une commande. Cela fait une impression curieuse de lire toutes ces choses sur les activités de mécène de Charles, sur son amitié avec Renoir et Degas. Pour moi, habitué à être celui qui reçoit la commande et non celui qui la passe, c'est un renversement de point de vue vertigineux.

Mon expérience de céramiste m'a enseigné combien ce statut est délicat : on éprouve de la gratitude, certes, mais cela n'implique pas que l'on se sente redevable. La question mérite d'être soulevée pour n'importe quel artiste : jusqu'à quand doit perdurer la reconnaissance après que quelqu'un a acquis une de vos œuvres ? La jeunesse du mécène – trente et un ans en 1881 – et l'âge de certains peintres ont dû rendre la situation particulièrement difficile. Manet avait en effet quarante-huit ans quand il peignit la botte d'asperges. Et quand je regarde la reproduction d'un Pissarro que Charles possédait autrefois, des peupliers dans la brise, je me dis que les choses devaient être encore plus épineuses quand le credo de l'artiste englobait la liberté d'expression, la spontanéité et le refus du compromis.

Renoir ayant besoin d'argent, Charles convainquit une de ses tantes de poser pour lui. Il travailla ensuite pour Louise. Il fallut tout un été de subtiles négociations entre le peintre et les deux amants. Fanny, écrivant du chalet Ephrussi où Charles séjournait, évoquait la peine prise par son parent pour mener l'affaire à bien. L'exécution de ces deux toiles fut le fruit d'efforts prolongés. La première représente Irène, la fille aînée de Louise, ses cheveux blond-roux comme ceux de sa mère épars sur ses épaules. Le second, d'une excessive suavité, est un portrait de ses sœurs cadettes, Alice et Elisabeth, dotées elles aussi de la chevelure maternelle. Placées devant un rideau bordeaux foncé qui laisse voir un salon en arrière-plan, les deux fillettes se tiennent la main comme pour se rassurer, dans une profusion de volants et de rubans roses et bleus. Les deux toiles furent exposées au Salon de 1881, mais j'ignore si Louise en fut réellement satisfaite. En tout cas, elle ne s'acquitta qu'avec un retard inadmissible de la modeste somme de 1 500 francs réclamée en échange de ce labeur. C'est avec la même gêne que je découvre un billet irrité de Degas rappelant à Charles une note impayée.

Les travaux de commande effectués par Renoir éveillaient parfois la méfiance des amis peintres de Charles. Ainsi Degas :

Monsieur Renoir, vous n'avez aucune intégrité. Je n'admets pas que l'on fasse de la peinture sur commande. Vous travaillez pour la finance, quoi ? Vous ferez le tour des châteaux avec M. Charles Ephrussi, vous exposerez bientôt aux Mirlitons, comme M. Bouguereau !

Cette inquiétude fut portée à son comble lorsque Charles commença à acquérir les œuvres d'autres artistes. Le mécène recherchait manifestement de nouvelles sensations. C'est à ce moment-là que ses origines juives le rendirent suspect.

Charles venait d'acheter deux toiles de Gustave Moreau, dont Goncourt comparait les œuvres à des visions des *Mille et Une Nuits*. Riches, parnassiennes et saturées de symboles, elles prenaient pour sujet Salomé, Hercule, Sapho ou Prométhée. Les personnages de Moreau sont fort peu vêtus, simplement voilés de gaze. Les paysages classiques sont semés de temples en ruine, pleins de détails strictement codifiés. Un monde bien éloigné des prairies sous le vent, de la rivière glacée ou de la couturière penchée sur son ouvrage.

Dans son sulfureux roman *À rebours*, Huysmans a évoqué ce que l'on ressent à partager la vie d'une toile de Moreau ou, plus précisément, à vivre dans l'atmosphère qu'elle crée. Pour son personnage de Des Esseintes, il s'est beaucoup inspiré du comte Robert de Montesquiou, un décadent entièrement voué à l'esthétisation de son existence, qui peaufinait les détails de son intérieur afin de s'immerger totalement dans chaque expérience sensorielle. Apogée de sa démarche, la tortue incrustée de pierreries dont la lente promenade devait animer les motifs d'un tapis persan. Cela impressionna fortement Oscar Wilde, qui nota en français dans son Journal parisien : « [...] un ami d'Ephrussi avait une tortue dorée avec des émeraudes sur le dos. Il me faut aussi des émeraudes, des bibelots vivants [...] » C'était tout de même autre chose que d'ouvrir la porte d'une vitrine.

Au sein de son existence feutrée, Des Esseintes appréciait « entre tous un artiste [...] dont le talent le ravissait en de longs transports, Gustave Moreau. Il avait acquis ses deux chefs-d'œuvre et pendant des nuits il rêvait devant l'un d'eux, le tableau de la Salomé. » Il se plonge si intensément dans leur contemplation qu'il parvient à une sorte d'osmose. Charles éprouvait des sentiments un peu semblables à l'égard de ses deux grandes toiles. Il écrivit à Moreau que son travail avait « les tonalités d'un rêve idéal », qui vous fait oublier les frontières de votre moi et vous laisse suspendu dans une rêverie éthérée.

Renoir en conçut une vive colère :

Ah, ce Gustave Moreau ! Et dire qu'on le prend au sérieux, un peintre qui n'a jamais été capable de peindre un pied correctement... il est roué, tout de même. Quelle habileté de sa part d'avoir su séduire les juifs, d'avoir eu l'idée de choisir pour ses peintures des teintes dorées… même Ephrussi s'est laissé prendre, moi qui lui prêtais du bon sens ! Un jour que je lui rendais visite, je suis tombé face à un Gustave Moreau !

J'imagine Renoir franchissant le hall en marbre et montant l'escalier tournant avant d'être introduit chez Charles, au deuxième étage, et se trouvant face à face avec *Jason* dénudé sur la carcasse de l'aigle terrassé, brandissant sa lance brisée et la Toison d'or. Médée, tenant la fiole de potion magique, pose avec adoration une main sur son épaule – une des « archéologies bizarres de Moreau » dont parlait Laforgue.

À moins qu'il ne soit tombé sur *Galatée*, dédiée « *à mon ami Charles Ephrussi** », un « antre illuminé de pierres précieuses comme un tabernacle et contenant l'inimitable et radieux bijou, le corps blanc, teinté de rose aux seins et aux lèvres, de la Galatée endormie » (Huysmans). Et il est exact que l'or ne manque pas autour du fauteuil jaune. Galatée est enchâssée dans un cadre pseudo-Renaissance qui ne déparerait pas un Titien.

De « l'art juif », déclare Renoir, ulcéré de trouver sur les murs de son mécène, rédacteur en chef de la *Gazette*, des traces du *goût Rothschild**, avec ses joyaux et sa mythologie, contaminant de leur voisinage ses propres œuvres. Le salon de la rue de Monceau est devenu un « tabernacle » susceptible d'indigner Renoir, d'inspirer Huysmans, et même d'éblouir le pétulant Oscar Wilde, qui notait dans son Journal parisien : « *Pour écrire il me faut du satin jaune** . »

Je me rends compte que je suis tenté de corriger le goût de Charles, et que Moreau et ses dorures ne laissent pas de m'inquiéter, et plus encore l'œuvre de Paul Baudry, décorateur des plafonds de l'Opéra de Paris et spécialiste des cartouches baroques des bâtiments Belle Époque de Paris. Les impressionnistes tenaient son travail pour un sommet du mauvais goût, du même acabit que le peintre académique William-Adolphe Bouguereau, leur bête noire. Les nus de Baudry avaient pourtant un succès qui ne s'est jamais démenti, puisque son très populaire *La Perle et la vague*, sur lequel une vague est près de déferler sur une jeune fille allongée, s'achète dans toutes les boutiques des musées, sous forme de poster ou d'aimant pour réfrigérateur. De tous ses amis peintres, c'était de Baudry que Charles était le plus proche, comme en témoignent leurs lettres affectueuses. Charles fut même son biographe et son exécuteur testamentaire.

Je devrais peut-être continuer à poursuivre les tableaux qui ont partagé le bureau de Charles avec les netsukes. J'entreprends donc de dresser la liste des musées où ils sont conservés, et d'enquêter sur les circonstances qui les y ont menés. Je mesure le temps qu'il faudrait pour aller de l'Art Institute of Chicago au musée de la Ville de Gérardmer, afin de voir à la fois les *Courses à Longchamp* de Manet et le double portrait du général et du rabbin peint par Degas. Peut-être devrais-je emporter dans ma poche le lièvre aux yeux d'ambre, pour réunir objet et image. Le temps d'une tasse de café, j'envisage ce périple comme une véritable possibilité, un prétexte pour continuer le voyage.

Mon emploi du temps ne signifie plus rien. Ma vie de céramiste est momentanément suspendue. Un musée attend une réponse, et si quelqu'un cherche à me joindre, mes assistants expliquent que je suis absent. À cause d'un projet important. Il ne manquera pas de vous recontacter.

Je me contente en fait de me rendre à Paris, une fois de plus, et de contempler le plafond du grand foyer de l'Opéra Garnier peint par Baudry, avant de me précipiter au musée d'Orsay pour voir l'unique asperge de Manet et les deux Moreau qui s'y trouvent désormais. Je suis à l'affût d'une cohérence, d'une harmonie, je cherche à voir à travers l'œil de Charles. Bien entendu, je n'y parviens pas, pour la bonne raison que les achats de Charles suivaient ses inclinations. Ce n'était pas la logique qui le guidait, pas plus que le souci de combler des lacunes dans sa collection. Il achetait les œuvres de ses amis, avec toutes les complexités que cela impliquait.

Hors des ateliers de peintres, Charles a noué de nombreuses amitiés. Il passe les samedis soir au Louvre, en compagnie d'écrivains et de collectionneurs, et chacun apporte pour nourrir la discussion un objet, une esquisse ou une question d'attribution à débattre. « Que de bonnes heures n'avons-nous pas passées dans ces familières et instructives causeries, se souvenait l'historien de l'art Clément de Ris, où tout était admis sauf le pédantisme ! Que d'utiles choses on y apprenait presque sans s'en douter ! Que de voyages sans fatigues, en ces bons fauteuils du Louvre, à travers tous les musées d'Europe ! » Charles a des collègues stimulants à la *Gazette*, et il s'est aussi lié d'amitié avec ses voisins, Cernuschi et les frères

Camondo, toujours disposés à venir voir ses nouvelles acquisitions.

Charles est en train de devenir un personnage public. Devenu propriétaire de la *Gazette* en 1885, il contribue à réunir des fonds pour l'achat d'un Botticelli par le Louvre. Il se partage entre l'écriture et ses responsabilités de conservateur : en 1879 il participe à l'organisation d'une exposition de dessins des maîtres anciens, puis à deux expositions de portraits, en 1882 et 1885. C'est une chose que d'être un jeune homme envieux et vagabond, c'en est une autre que d'occuper de telles fonctions et d'avoir un œil d'expert. On vient même de lui décerner la *Légion d'honneur** pour son rôle dans la promotion des arts.

Le principal de cette existence bien remplie est vécu sous le regard d'autrui : collègues, amis et voisins, ses jeunes secrétaires, sa maîtresse et sa famille.

Proust, nouvellement introduit dans son cercle, a pris l'habitude de lui rendre visite, grisé à la fois par sa conversation spirituelle, la mise en scène de ses trésors et sa place éminente dans la société. Charles connaît suffisamment le jeune homme avide de mondanités pour lui conseiller de ne pas s'attarder à un dîner après minuit, car ses hôtes sont morts de fatigue. En raison d'un affront très ancien, Ignace, voisin de Charles, l'a surnommé « le Proustaillon », sobriquet assez pertinent pour un homme qui papillonne de réception en réception.

Charles est aussi devenu indispensable à la rédaction de la *Gazette*, rue Favart, où il travaille assidûment. Soixante-quatre tableaux appelés à figurer plus tard dans *À la recherche du temps perdu* apparaissent en reproduction dans la revue, une proportion impressionnante du corpus pictural de Proust. À l'instar de Laforgue, Proust lui soumet ses premiers écrits sur l'art, et reçoit de sévères critiques avant de se faire engager. Proust se lance dans une étude sur Ruskin. La préface de sa traduction de la *Bible d'Amiens* est dédiée à « M. Charles Ephrussi, toujours si bon envers moi ».

Charles poursuit sa liaison avec Louise, mais je me demande si elle n'a pas un autre amant, voire plusieurs. Charles, d'une remarquable discrétion, n'a laissé aucun indice à ce propos, si bien que j'en suis réduit à l'ignorance. Je note que Laforgue a été le premier d'une série de jeunes gens à travailler pour lui, collaborateurs plus que secrétaires, et je m'interroge sur ces relations intenses dans l'antre envoûtant du bureau rutilant, avec son satin jaune et ses toiles de Moreau. La rumeur parisienne laisse entendre que Charles est bisexuel, *entre deux lits**.

En ce printemps 1889, Ephrussi et Cie prospère toujours, mais les relations familiales sont d'une extrême complexité. Ignace, farouchement hétérosexuel, a rejoint d'autres célibataires nostalgiques dans le culte de la comtesse Potocka. Proust la qualifie de « bien séduisante avec sa beauté antique, sa majesté romaine, sa grâce florentine, sa politesse française et son esprit parisien ». Elle exerce son empire sur une coterie de jeunes gens qui arborent un écusson bleu frappé de la devise « *À la vie, à la mort** ». La comtesse donne des dîners sur le thème des « Macchabées », au cours desquels ses invités s'engagent à accomplir en son honneur des actes scandaleux. Je réalise tardivement que si eux sont des Macchabées, martyrs juifs, elle-même doit s'identifier à Judith, qui profita de l'ébriété d'Holopherne pour le décapiter. Selon une lettre adressée à Maupassant après l'une de ces soirées, Ignace Ephrussi, encore plus excessif que les autres, a eu l'idée brillante d'aller se promener, entièrement nu, dans les rues de Paris. Sa famille s'empresse de l'envoyer se reposer à la campagne.

À quarante ans, Charles a trouvé un équilibre entre ces différents mondes. Son goût personnel appartient dorénavant au domaine public. L'esthétique domine son existence. À Paris, il est connu comme un esthète dont chacun épie les achats, les jugements et la tenue vestimentaire. Il fréquente assidûment l'Opéra. Il a même baptisé sa chienne Carmen.

Je découvre dans les archives du Louvre une lettre qui lui est adressée, chez M. Charles Ephrussi, 81 rue de Monceau, par le peintre Puvis de Chavannes, célèbre pour ses personnages éthérés sur fond de paysages pâles.

10.

Petits bénéfices

Renoir n'était pas le seul à être hostile aux juifs. Dans les années 1880, une série de scandales financiers discréditèrent les nouveaux financiers juifs, et les Ephrussi constituèrent une cible privilégiée. On imputa à une « machination » juive l'effondrement de l'Union générale en 1882, une banque catholique étroitement liée à l'Église, où bon nombre de catholiques déposaient de modestes économies. Antisémite notoire, le journaliste Édouard Drumont écrivait dans *La France juive* :

L'audace avec laquelle ces gens traitent ces opérations énormes, qui sont de simples parties de jeu pour eux, est incroyable. En une séance, Michel Ephrussi achète ou vend pour dix ou quinze millions d'huiles ou de blés. Nul trouble ; assis pendant deux heures près d'une colonne à la Bourse et tenant flegmatiquement sa barbe dans la main gauche, il distribue des ordres à trente courtiers qui s'empressent autour de lui le crayon tendu.

Les courtiers viennent chuchoter à l'oreille de Michel les informations du jour. Pour ces hommes d'affaires juifs, insinue Drumont, l'argent n'est qu'une bagatelle, un jouet. Rien à voir avec les économies que l'on apporte prudemment à la banque le jour du marché, ou que l'on cache dans un pot à café sur la cheminée.

Nous avons là une image éloquente du pouvoir occulte, du complot. Elle a l'intensité du tableau de Degas, *Portraits à la Bourse*, où deux financiers au nez crochu et à la barbe rousse s'entretiennent à mi-voix près des piliers.

La Bourse et ses courtiers sont une version moderne du Temple et de ses marchands. « Qui donc empêche ces gens-là de vivre, qui donc aura bientôt donné à la France l'aspect d'un pays en friche ? [...] c'est le spéculateur sur les blés étrangers, c'est le Juif, c'est l'ami du comte de Paris [...] le favori de tous les salons du noble faubourg ; c'est Ephrussi, le chef de la bande sémitique qui tripote sur les blés. » La spéculation, qui consiste à gagner de l'argent à partir de l'argent, passe pour un péché spécifiquement juif. Même le champion du sionisme Theodor Herzl, toujours prêt à solliciter des fonds auprès de ses coreligionnaires fortunés, stigmatise dans une lettre « les Ephrussi, *spekulant* ».

Ephrussi et Cie jouit à l'époque d'un immense pouvoir. Au cours d'une crise, on s'affole de remarquer l'absence des frères à la Bourse. Pendant une autre, on prend très au sérieux leur menace d'inonder le marché de blé en réponse aux pogroms russes, comme en témoigne la presse de l'époque. « [Les Juifs]... ont découvert la puissance de cette arme quand ils ont réussi à arrêter la Russie lors de la dernière vague de persécutions antisémites, en faisant chuter les actions russes de vingt-quatre points en l'espace de treize jours. "Touchez encore à un cheveu de notre peuple, et vous n'obtiendrez plus un seul rouble pour préserver votre empire", a déclaré Michel Ephrussi, le chef de la maison de commerce d'Odessa qui domine le marché mondial du grain. » En résumé, les Ephrussi sont très riches, très visibles et très partisans.

Drumont, rédacteur en chef d'un quotidien antisémite, contribue à influencer l'opinion publique. Il apprend aux Français à identifier un juif – il a une main plus grande que l'autre – et à contrer le danger que cette race fait peser sur la France. *La France juive* s'écoule à 100 000 exemplaires l'année de sa publication, en 1886, et atteint en 1914 son deux centième tirage. Drumont allègue que les juifs, de par leur nature nomade, ne se sentent aucun devoir envers l'État. Charles et ses frères, citoyens russes venus d'Odessa, de Vienne et de Dieu sait où, ne se soucient que d'eux-mêmes et sucent le sang de la France en spéculant sur son argent.

Cependant, les Ephrussi se pensent indéniablement chez eux à Paris, ce qui n'est pas l'opinion de Drumont. Celui-ci déplore en effet de voir « des juifs vomis par tous les ghettos, installés maintenant en maîtres dans les châteaux historiques qui évoquent les plus glorieux souvenirs de la vieille France... des Rothschild partout : à Ferrières et aux Vaux-de-Cernay... Ephrussi à Fontainebleau à la place de François Ier ». L'ironie de Drumont devant ces aventuriers sans le sou rapidement enrichis, qui se piquent de chasse à courre et s'inventent des armoiries, se change en colère vindicative lorsqu'il juge le patrimoine national souillé par les Ephrussi et leurs pareils.

Je m'oblige à prendre connaissance de ces pages : les livres de Drumont, les articles de presse, les opuscules innombrables et leurs traductions en anglais. Dans la bibliothèque que je fréquente à Londres, quelqu'un a annoté un ouvrage sur les juifs de Paris. Face au nom Ephrussi, il a soigneusement crayonné en capitales l'adjectif « vénal ».

Cette littérature couvre quantité de pages, les généralités militantes se mêlant à l'évocation indignée des cas particuliers. Le nom des Ephrussi est cité à l'envi. J'ai l'impression qu'on ouvre une vitrine et qu'on se saisit de chaque membre de la famille pour le malmener sans retenue. Je connaissais les grandes lignes de l'antisémitisme français, mais c'est dans le détail qu'il me paraît le plus répugnant. La vie de la famille est quotidiennement disséquée.

Charles est péjorativement désigné comme un individu qui « *opère* [...] dans l'univers de la littérature et des arts ». Ses détracteurs l'accusent d'être influent dans les milieux de l'art et de traiter l'art comme un commerce. Tout ce que fait Charles se rapporte à l'or, lit-on dans *La France juive*. Cet or que l'on peut fondre, transformer et transporter, l'or acheté et vendu par ces juifs pour qui la patrie n'existe pas. On passe même au crible son étude sur Dürer pour y débusquer le caractère sémitique. Comment Charles pourrait-il comprendre ce grand artiste allemand, s'insurge un historien, lui qui n'est qu'un Oriental, « *Landesman aus dem Osten* ».

Ses frères et ses oncles sont pareillement conspués, tandis que ses tantes, unies par le mariage à l'aristocratie française, font l'objet de féroces parodies. On jette l'anathème sur toutes les familles de financiers juifs, dont la liste est connue par cœur : « *Les Roth-schild, Erlanger, Hirsch, Ephrussi, Bamberger, Camondo, Stern, Cahen d'Anvers [...] Membres de la finance internationale**. » Le réseau complexe des alliances entre clans est comparé à une redoutable toile d'arai-gnée servant leurs manœuvres, et qui se resserre encore avec l'union de Maurice Ephrussi et de Béa-trice, la descendante d'Alphonse de Rothschild, chef de la branche française de la lignée. Les deux familles n'en font plus qu'une.

Ce dont rêvent les antisémites, c'est de renvoyer ces juifs là d'où ils sont venus, de les arracher aux raffinements de leur existence parisienne. Une bro-chure de ce type, *Ces bons Juifs*, imagine une conver-sation entre Maurice Ephrussi et un de ses amis :

— Est-ce vrai que vous devez partir prochaine-ment en Russie ?

— Sous deux ou trois jours, fit M. de K...

— Eh bien ! riposte Maurice Ephrussi, si vous passez à Odessa, entrez donc à la Bourse pour donner de mes nouvelles à mon père.

M. de K... promet, et après avoir terminé ses affaires à Odessa, il se rend à la Bourse et demande M. Ephrussi père.

— Vous savez, lui dit-on, si vous voulez vous faire rouler, c'est bien le Juif qu'il vous faut.

Arrive le père Ephrussi, un abominable Hébreu à cheveux longs et sales, porteur d'une pelisse constel-lée de milliers de taches de graisse.

M. de K... fait sa commission au bonhomme et veut s'éloigner, quand, il se sent tirer par le pan de son vêtement, et entend le père Ephrussi qui lui dit :

— Vous oubliez mes petits bénéfices.

— Comment vos petits bénéfices ? s'exclame M. de K…

— Mais parfaitement, cher monsieur – répond en s'inclinant jusqu'à terre, le père du gendre à Rothschild, – je suis une des curiosités de la Bourse d'Odessa ; quand les étrangers viennent me voir sans faire d'affaires, ils me font toujours un petit cadeau. Mes fils m'envoient ainsi plus de mille voyageurs par an, et ça m'aide à joindre les deux bouts.

Et avec un bon sourire, le noble Patriarche ajouta : Ils savent bien que ça leur reviendra un jour… mes fils !

Les Ephrussi, *les Rois du blé**, sont simultanément haïs en tant que parvenus et encensés en tant que mécènes. Un jour, on leur rappelle le marchand de grains d'Odessa, le patriarche au manteau graisseux et à la main tendue. Le lendemain, Béatrice est vue au bal avec sa tiare formée de centaines de frêles épis frissonnants. Sur son certificat de mariage avec Béatrice de Rothschild, Maurice, qui a acheté un vaste château à Fontainebleau, choisit de se définir comme « propriétaire terrien » et non comme banquier. C'est un acte tout à fait délibéré : pour les juifs, posséder des terres demeure une expérience relativement nouvelle. Ils n'ont obtenu en effet la citoyenneté à part entière qu'après la Révolution – une erreur, au dire de certains –, car on leur refusait jusque-là le statut d'adultes responsables. Regardez seulement comment vivent les Ephrussi, suggérait l'auteur de *L'Original M. Jacob*, « leur amour du bric-à-brac et des babioles – chez le juif, la passion de posséder prend souvent une forme puérile ».

Je me demande comment les frères Ephrussi ont pu vivre dans de telles conditions. Ont-ils traité tout

132

cela par le mépris, ou bien ont-ils souffert de ce climat de calomnie perpétuelle, de ces accusations de vénalité à peine voilées, de cette constante et vivace animosité que le narrateur de *La Recherche* prête à son propre grand-père ? « Aussi, quand j'amenais un nouvel ami, il était bien rare qu'il ne fredonnât pas "Ô Dieu de nos Pères" de *La Juive* ou bien "Israël, romps ta chaîne", ne chantant que l'air, naturellement [...] Et après avoir posé adroitement quelques questions plus précises, il s'écriait : "À la garde ! À la garde !" ou, si c'était le patient déjà arrivé qu'il avait forcé à son insu à confesser ses origines, alors [...] il se contentait de nous regarder en fredonnant imperceptiblement : *"De ce timide Israélite, Quoi, vous guidez ici les pas ?"* »

Les duels étaient fréquents. Bien qu'interdits par la loi, ils avaient la faveur des jeunes aristocrates, des membres du Jockey Club et des officiers de l'armée. La plupart des litiges ne portaient guère à conséquence, simples questions de préséance entre jeunes gens. Une mention désobligeante d'un cheval de l'écurie Ephrussi dans *Le Sport* provoqua une querelle avec le journaliste, suivie d'une confrontation avec Michel Ephrussi.

D'autres différends trahissaient en revanche les fissures de plus en plus alarmantes qui sapaient la société parisienne. Ignace était un duelliste accompli, mais le refus de se battre passait pour un travers exclusivement juif. Un témoin ravi en a rapporté un exemple, après qu'une transaction entre Michel et le comte Gaston de Breteuil eut entraîné des pertes considérables du côté du comte. Michel, en tant qu'homme d'affaires, ne voyait pas là prétexte à un duel et n'accepta pas l'affrontement. Lorsque le comte rentra à Paris après ce refus, on raconta dans les clubs qu'il rencontra Ephrussi et lui tordit le nez avec une liasse de billets correspondant à la somme perdue, et que l'épingle qui liait les coupures égratigna profondément l'appendice nasal du Roi du blé. À la suite de quoi, Michel aurait quitté le Cercle de la rue Royale et se serait délesté d'un million de francs, distribué aux pauvres de Paris. L'anecdote circulait sur le ton de la comédie, visant les juifs riches, grossiers et dénués du sens de l'honneur, les juifs et leur nez.

Les juifs n'étaient pas au-dessus de tout reproche : ils ne savaient pas se conduire.

Michel affronta le comte de Lubersac dans une âpre série de duels, à la place d'un cousin Rothschild dont l'honneur avait été sali, mais trop jeune pour se défendre seul. L'un d'eux se déroula sur l'île de la Jatte, sur la Seine. Un témoin rapporta qu'« Ephrussi fut blessé à la poitrine au quatrième assaut, l'épée du comte ayant touché une côte. Le comte attaqua vigoureusement dès le début, et les deux combattants se séparèrent à l'issue de la rencontre sans échanger la traditionnelle poignée de main. Quittant les lieux à bord d'un landau, le comte fut salué par les cris de "*À bas les juifs* !" et "*Vive l'armée* !" »

Pour un juif parisien, protéger son nom et l'honneur de sa famille devenait de plus en plus difficile.

11.

« Un très brillant five o'clock »

Au mois d'octobre 1891, Charles emporte les net-sukes à son nouveau domicile, avenue d'Iéna. Le numéro 11 est plus vaste que l'hôtel Ephrussi de la rue de Monceau, et sa façade affiche un style plus austère, sans urnes ni fioritures. Le bâtiment est si grand que l'on parvient tout juste à l'embrasser du regard. Je constate en l'observant que les intervalles séparant les étages sont plus importants : les pièces ont de beaux volumes. Charles déménage avec son frère Ignace trois ans après le décès de leur mère. Tentant ma chance, je sonne à la porte et j'expose ma mission à une femme au sourire inamovible, qui me répond très lentement que je fais erreur sur la personne : c'est un lieu privé, et elle n'a jamais entendu parler de cette famille. Elle me suit du regard jusqu'à ce que j'aie regagné la rue.

Je suis furieux. Une semaine plus tard, je découvre que la résidence des deux frères a été démolie et reconstruite dans les années 1920.

Ce nouvel environnement est encore plus gran-diose que la rue de Monceau. Cela fait à peine vingt ans que les Ephrussi se sont établis à Paris, mais la famille se sent désormais en confiance. La demeure des deux frères célibataires se dresse à trois cents mètres seulement des fastes de l'hôtel de Jules et Fanny, avec leurs corniches de fenêtres blasonnées d'épis de blé et leurs initiales entrelacées au-dessus du majestueux portail de la cour. Le palais de Louise n'est pas loin non plus, rue de Bassano. Le quartier est situé sur la colline qui s'élève au nord du Champ-de-Mars, où l'on vient d'ériger la tour Eiffel. C'est l'endroit où il faut être, surnommé « la colline des arts ».

Le goût de Charles est en perpétuelle évolution. Sa passion pour le Japon s'émousse peu à peu. Le culte s'est à ce point répandu que dans les années 1880, tout le monde a chamarré sa maison de *japonaiseries**. On ne voit plus en elles qu'un vulgaire bric-à-brac, qui se dépose comme une poussière sur toutes les surfaces libres. « Tout est japonais », souligne Dumas en 1887, tandis qu'on se gausse de la maison de Zola dans les environs de Paris, envahie d'*objets** japonais. On n'est plus guère en mesure d'alléguer leur originalité alors qu'ils sont devenus si communs, et que les affiches publicitaires pour l'absinthe ou les bicyclettes imitent les estampes japonaises. Malgré tout, il reste encore quelques collectionneurs sérieux, tel Émile Guimet, voisin de Charles, et comparées au bazar régnant dix ans auparavant, les connaissances en histoire de l'art ont beaucoup progressé. Goncourt a publié un ouvrage sur Hokusai et Utamaro, et Siegfried Bing son journal *Le Japon artistique*, mais la coterie à la mode qui gravite autour de Charles ne s'y intéresse plus avec la même dévotion qu'autrefois.

Proust enregistre ce moment de transition dans le salon d'Odette de Crécy, devenue l'épouse de Swann : « L'Extrême-Orient reculait de plus en plus devant l'invasion du XVIIIe siècle... Maintenant c'était plus rarement dans des robes de chambre japonaises qu'Odette recevait ses intimes, mais plutôt dans les soies claires et mousseuses de peignoirs Watteau. »

Un changement d'exotisme que Charles, critique, collectionneur et conservateur, ne pouvait que remarquer. Un journaliste observait d'ailleurs qu'il « devait peu à peu se détacher de cette époque et se tourner de plus en plus vers le XVIIIe siècle français, les productions de Meissen et de l'Empire, dont il avait réuni un ensemble de créations de premier ordre ». Dans sa nouvelle demeure, il pare son bureau d'une série de tapisseries représentant des jeux d'enfants, tissées de fils d'argent. Il aménage aussi une enfilade de pièces meublées d'ensembles Empire ornés de bronzes, et décorées de porcelaines de Sèvres et de Meissen savamment agencées. Il y accroche aussi ses Moreau, ses Manet et ses Renoir.

Dans *À la recherche du temps perdu*, la duchesse de Guermantes énumère les pièces néoclassiques vues au domicile du duc d'Iéna : « [...] les sphinx qui viennent se mettre aux pieds des fauteuils, les serpents qui s'enroulent aux candélabres, une Muse énorme qui vous tend un petit flambeau pour jouer à la bouillotte ou qui est tranquillement montée sur votre cheminée et s'accoude à votre pendule, et puis toutes les lampes pompéiennes, les petits lits en bateau qui ont l'air d'avoir été trouvés sur le Nil. » Elle a aussi remarqué un lit orné d'une sirène en relief, qui lui a rappelé une peinture de Moreau.

Charles décide de remplacer son *lit de parade** par un lit Empire, *un lit à la polonaise** tendu de soieries.

Je déniche chez un bouquiniste parisien certains catalogues des collections de Michel et de Maurice, vendues et dispersées après leur mort. Un marchand qui s'est intéressé sans succès aux pendules a noté sous chaque lot le prix final : 10 780 francs pour une pendule astronomique Louis XV incrustée de signes du zodiaque en bronze. Les porcelaines, les tapis de la Savonnerie, les tableaux de Boucher, les *boiseries** et les tapisseries dénotent chez la famille Ephrussi le besoin de se fondre dans la bonne société. Il m'apparaît alors que pour Charles, qui a passé la quarantaine, ce penchant nouveau pour le style Empire n'obéit pas seulement au désir de se créer un décor où habiter : c'est avant tout la revendication d'une identité française, l'affirmation d'une appartenance à un lieu précis. Peut-être souhaite-t-il aussi mettre une distance entre son intérieur d'autrefois, un amoncellement hétérodoxe, et son statut d'arbitre du bon goût. Le style Empire n'a rien à voir avec le goût juif, le *goût Rothschild**. Il est au contraire français et parvenu.

Je me demande de quoi avaient l'air les netsukes au milieu de tout cela. C'est dans ce cadre guindé que Charles commence à se détacher d'eux. Son appartement de la rue de Monceau n'avait pas appris son « catéchisme optique », traversé par la note jaune du fauteuil, empli d'un fouillis de choses à prendre en main et à toucher. Je détecte désormais chez Charles une aspiration au grandiose. Un bel esprit parisien le surnomme « l'opulent Charles ». Plus rien ne se prête au toucher dans sa nouvelle demeure. Qui oserait faire circuler ces vases de Meissen sur leurs supports en bronze ? Après le décès de Charles, un critique déclara qu'il possédait les plus belles pièces du genre, un mobilier « *pompeux, ingénieux et un peu froid** ». Le mot « froid » me semble juste, en effet, tandis que je tends le bras par-dessus un cordon pour caresser l'accoudoir d'un *fauteuil** Empire au musée Nissim de Camondo, rue de Monceau.

J'imagine de plus en plus mal une main suspendue dans la vitrine, hésitant entre la portée de chiots et la baigneuse dans son tub mousseux. J'ai la nette impression que les netsukes ne trouvent plus leur place.

Dans cette nouvelle résidence, les deux frères donnent des dîners et des réceptions plus ambitieux que jamais. Le 2 février 1893, la rubrique « *Mondanités** » du *Gaulois* rapporte :

> Très brillant *five o'clock*, hier, chez MM. Charles et Ignace Ephrussi, en l'honneur de la princesse Mathilde.
>
> À cinq heures, Son Altesse Impériale, accompagnée de la baronne de Galbois, est arrivée dans les splendides salons de l'avenue d'Iéna, où plus de deux cents personnes, le dessus du panier du grand monde parisien et étranger, se trouvaient réunies.
>
> Citons au hasard :
>
> Comtesse d'Haussonville, en satin noir ; comtesse de Molkte-Hvitfeldt, également en noir ; princesse de Léon, en velours bleu foncé ; duchesse de Morny, en velours noir ; comtesse Louis de Talleyrand-Périgord, en satin noir ; comtesse Jean de Ganay, en noir et rouge ; baronne Gustave de Rothschild, en velours noir… comtesse Louis Cahen d'Anvers, en velours mauve ; Mme Edgar Stern, en gris-vert ; Mme Manuel

de Yturbe, en velours rouge et noir ; Mme de Yturbe, née Diaz, en velours lilas ; baronne James de Roth- schild, en noir ; comtesse de Camondo, née Cahen, en satin gris ; baronne Benoist-Méchin, en velours noir et fourrures, etc.

Reconnus parmi les hommes :

Le ministre de Suède, prince Orloff, prince de Sagan, prince Jean Borghèse, marquis de Modène, MM. Forain, Bonnat, Roll, Blanche, Charles Yriarte Schlumberger, etc.

Mme Léon Fould et Mme Jules Ephrussi faisaient les honneurs aux invités, l'une en robe gris foncé, l'autre en gris clair.

Très appréciés, les élégants appartements, notam- ment le grand salon Louis XVI, où l'on admire la tête du roi Midas, une merveille de Luca della Rob- bia, et la chambre de M. Charles Ephrussi, du plus pur Empire.

La réception a été très animée, et on a entendu un très beau programme musical exécuté par les tziganes.

La princesse Mathilde n'a quitté l'avenue d'Iéna qu'à sept heures du soir.

Cette réception marque une étape importante pour les deux frères. D'après le journal, la soirée était froide et lumineuse, éclairée par la pleine lune. J'imagine les attelages des invités encombrant toute la largeur de l'avenue d'Iéna bordée de platanes, et les accents de la musique tzigane s'échappant par les fenêtres. Je vois Louise aux cheveux d'un roux doré, pareille à une peinture du Titien dans sa robe mauve, franchis- sant les quelques centaines de mètres qui la séparent de son mari et de son hôtel pseudo-Renaissance.

L'année suivante, il eût été bien difficile de donner un « brillant five o'clock ». En effet, pour paraphraser le peintre J.É. Blanche, « le Jockey Club venait de déserter la table des princes d'Israël ».

L'affaire Dreyfus avait éclaté, inaugurant une crise qui devait secouer la France et diviser Paris pendant plus d'une décennie. Alfred Dreyfus, officier juif à l'état-major de l'armée française, était accusé d'espionnage pour le compte de l'Allemagne, sur la foi d'un bout de papier trouvé dans une corbeille. Il fut jugé coupable après un procès en cour martiale, alors que l'état-major avait bien conscience d'avoir affaire à une preuve trafiquée. Sur son passage, une foule bruyante réclama son exécution. Des gibets miniatures étaient en vente dans les rues. Dreyfus fut condamné à l'emprisonnement à vie sur l'île du Diable.

Presque aussitôt débuta une campagne en faveur de la révision du procès, qui eut pour conséquence une violente flambée d'antisémitisme. On accusait les juifs de ne pas se soumettre à la justice naturelle. Leur patriotisme était remis en question : le soutien à Dreyfus démontrait qu'ils se sentaient juifs avant tout, et accessoirement français. Charles et ses frères, toujours citoyens russes, en offraient un exemple parfait.

Deux ans plus tard, il s'avéra que le coup monté était l'œuvre d'un autre officier français, le commandant Esterhazy, mais ce dernier fut innocenté au bout de deux jours de procès en cour martiale, tandis que la condamnation de Dreyfus était reconduite. D'autres faux documents furent cités pour étayer la supercherie. Malgré le plaidoyer passionné de Zola, « *J'accuse !* », paru dans le quotidien *L'Aurore* en janvier 1898, Dreyfus fut de nouveau condamné en

1899, à sa troisième comparution. Zola, poursuivi pour diffamation, fut obligé de se réfugier en Angleterre. Dreyfus dut attendre 1906 pour bénéficier d'une réhabilitation.

Le séisme sépara la France en deux camps farouchement opposés, les dreyfusards et les antidreyfusards. Des amitiés prirent fin à cette occasion, des familles se brouillèrent, et les salons où se côtoyaient jusque-là juifs et antisémites non déclarés commencèrent à manifester une franche hostilité. Parmi les amis artistes de Charles, ce fut Degas qui devint l'antidreyfusard le plus acharné, cessant toute relation avec lui et avec le peintre Pissarro, juif également. Cézanne croyait lui aussi en la culpabilité de Dreyfus, et Renoir ne cacha pas son animosité envers Charles et son « art juif ».

De par leur foi, leurs inclinations et leur visibilité sociale, les Ephrussi se rangeaient du côté des dreyfusards. Dans une lettre adressée à André Gide au cours du fiévreux printemps 1898, un ami raconte avoir entendu quelqu'un faire la leçon à ses enfants devant la demeure Ephrussi, avenue d'Iéna. « Qui habite ici ? – *Le sale juif* * ! » Quant à Ignace, il fut suivi depuis la gare du Nord, après un souper à la campagne, par des inspecteurs de police qui le prenaient pour Zola, exilé alors en Angleterre. Le 19 octobre 1898, on lisait dans *Le Gaulois*, journal antidreyfusard : « Dès hier matin, la maison était surveillée par cinq agents, et dans l'après-midi nous voyions arriver l'huissier [...] Maître Frécourt... voulut absolument voir [les] locataires [...] M. Ephrussi était sorti... et il ignore encore qu'il a été soupçonné de donner asile à M. Zola [...] M. Zola, quand il jugera le moment venu de rentrer, n'échappera pas à l'œil vigilant de la police. »

La bataille porta ses ravages jusque dans la famille. La nièce de Charles et d'Ignace, Fanny, fille adorée de leur défunte sœur Betty, avait épousé Théodore Reinach, archéologue et helléniste issu d'une éminente famille d'intellectuels juifs français. Et Théodore avait pour frère le politicien Joseph Reinach, l'un des principaux acteurs de la défense de Dreyfus, qui devait publier une monumentale *Histoire de l'affaire Dreyfus*. Reinach concentra sur lui les élans antisémites. Drumont, par exemple, dirigeait une bonne part de son courroux vers ce « faux Français » emblématique. Le « juif Reinach » fut même dégradé en cour martiale, passé à tabac à la sortie du procès de Zola, et fut victime d'une cabale nationale particulièrement virulente.

Pour Charles, Paris avait beaucoup changé. Les portes se fermaient au nez du *mondain**, le mécène se voyait frappé d'ostracisme par les artistes qu'il parrainait. Essayant d'imaginer ce qu'il a pu ressentir, je me remémore un passage de Proust où le duc de Guermantes exprime son indignation :

> […] pour ce qui concerne Swann […] on me dit qu'il est ouvertement dreyfusard. Jamais je n'aurais cru cela de lui, de lui un fin gourmet, un esprit positif, un collectionneur, un amateur de vieux livres, membre du Jockey, un homme entouré de la considération générale, un connaisseur de bonnes adresses, qui nous envoyait le meilleur porto qu'on puisse boire, un dilettante, un père de famille. Ah ! j'ai été bien trompé.

Je hante les archives parisiennes, cherchant les traces des anciennes demeures, des anciens bureaux, vagabondant d'un musée à l'autre, tour à tour hésitant et résolu. Je dresse la carte d'un voyage à travers la mémoire. Au fond de ma poche, je cache le netsuke du loup tacheté. Je suis plus que troublé par les ressemblances entre Charles et le Swann de Marcel Proust.

Je ne cesse de revenir à leurs points de rencontre. Avant d'entreprendre mon périple, je savais vaguement que Charles Ephrussi était l'un des deux principaux modèles de Proust pour le personnage de Swann, quoique le moins important des deux. Je me rappelle avoir lu cette remarque méprisante dans la biographie de Proust par George Painter, dans les années 1950, « un juif polonais, corpulent, barbu et laid, aux manières lourdes et grossières… », et l'avoir prise à l'époque pour argent comptant. Le second modèle reconnu par Proust était un certain Charles Haas, mondain et clubman des plus charmants. Plus âgé que Charles, il n'était ni écrivain ni collectionneur.

Si je désire que quelqu'un soit le premier propriétaire de mon loup tacheté, c'est Swann plus que tout autre, lui si passionné, si aimé, si plein de grâce, mais je ne veux pas pour autant que Charles Ephrussi disparaisse dans les notes et les bibliographies. Il m'est en effet devenu si cher que je refuse de le voir se dissoudre dans mes études proustiennes. En outre, j'ai trop de respect pour Marcel Proust pour réduire son œuvre à une série de devinettes Belle Époque. Ne répétait-il pas lui-même que son roman n'avait pas de clés ?

Je tente de repérer les similitudes évidentes entre le Charles réel et le Charles fictif, les grandes lignes de leurs vies respectives. Elles ont beau être « évidentes », je me retrouve devant une longue liste quand je me mets à les noter.

Tous les deux sont juifs et *hommes du monde**. Leur sphère sociale s'étend de la royauté – Charles a fait visiter Paris à la reine Victoria, Swann est un ami du prince de Galles – aux ateliers des artistes, en passant par le milieu des salons. Amateurs d'art, ils vénèrent les œuvres de la Renaissance italienne, tout spécialement Giotto et Botticelli. Tous deux sont experts dans le domaine pointu des médaillons vénitiens du XVe siècle. L'un et l'autre sont collectionneurs et mécènes des impressionnistes, silhouettes incongrues sous le soleil de la partie de canotage où les a invités un peintre de leurs amis.

Chacun a écrit une monographie sur un artiste : Charles sur Dürer, Swann sur Vermeer. Ils utilisent leur érudition en matière d'art pour conseiller les dames de la haute société sur les peintres à acheter et la décoration de leurs appartements. Ils sont tous les deux dandys et chevaliers de la Légion d'honneur. Leurs histoires ont croisé le *japonisme**, avant qu'ils ne succombent au goût nouveau pour le style Empire. Enfin, ce sont deux dreyfusards qui découvrent que leur vie savamment construite est profondément rivée à leur identité juive.

Proust joue sur l'entrelacement du réel et du fictif. Ses romans mêlent à une galerie de personnages historiques qui apparaissent sans masque – Mme Straus ou la princesse Mathilde – des personnages inventés à partir d'individus identifiables. Elstir, le grand peintre qui dépasse son amour du japonisme pour devenir impressionniste, est inspiré de Renoir et de Whistler, bien qu'il porte en lui une dynamique supplémentaire. Les personnages de Proust côtoient par ailleurs des peintures bien réelles. Proust ne se contente pas d'émailler son texte de références culturelles à Giotto et à Botticelli, à Dürer et à Vermeer, ou à des artistes plus modernes tels que Moreau, Monet et Renoir : l'expérience du spectateur face à l'œuvre imprègne tout le roman de ses réverbérations, à travers l'acte de regarder, de collectionner ou de se remémorer une vision.

À l'instar de Swann, qui compare Odette à un Botticelli et un valet de pied à une figure de Mantegna, Charles se plaît à relever les ressemblances. Je me demande si ma grand-mère, si impeccable, si soignée dans sa raide robe blanche sur les sentiers gravillonnés du Chalet, a jamais compris ce qui poussait Charles à ébouriffer les cheveux de sa jolie cadette et l'appeler sa petite bohémienne de Renoir.

Swann, tout en étant charmant et plein d'humour, a en lui une réserve qui fait penser à un « cabinet fermé ». Il traverse le monde en rendant les autres plus sensibles aux choses qu'il aime. C'est ainsi qu'il accueille avec la plus grande courtoisie le narrateur de la *Recherche*, amoureux de sa fille Gilberte, et lui présente ses magnifiques collections.

Je retrouve là mon parent Charles, qui faisait tant d'efforts pour montrer à Proust et à ses jeunes amis des livres et des tableaux, qui écrivait sur les objets et les statues avec précision et honnêteté, insufflant la vie à l'univers des choses. C'est par lui que j'ai appris à regarder Berthe Morisot, à reculer devant un tableau avant de m'approcher de nouveau. Grâce à lui aussi que j'ai pris la peine d'écouter Massenet ou de regarder les tapis de la Savonnerie, et que j'ai compris que les laques japonais méritaient mon attention. Prenant l'un après l'autre les netsukes de Charles, je l'imagine en train de les choisir. Et je pense alors à sa réserve. Il a beau appartenir à ce brillant monde parisien, il n'en demeure pas moins un citoyen de Russie. Cette contrée secrète, il l'a toujours gardée à l'intérieur de lui-même.

Comme son père, Charles avait le cœur malade. Il n'avait que cinquante ans lorsque Dreyfus revint de l'île du Diable pour un simulacre de procès, en 1899. Sur la délicate gravure exécutée cette année-là par Jean Patricot, il baisse les yeux, le regard tourné vers l'intérieur de lui-même ; sa barbe est toujours bien taillée, une perle est piquée à sa cravate. De plus en plus impliqué dans la vie musicale, il est l'un des patrons de la Société des Grandes Auditions musicales de la comtesse Greffulhe « où ses conseils [sont] très appréciés, et où il s'[emploie] avec ardeur ». Il a quasiment cessé d'acheter des tableaux, sinon une vue de la côte normande à Pourville, par Monet. C'est une très belle peinture des rochers à marée basse, avec sur la mer l'étrange calligraphie des perches des pêcheurs émergeant de l'eau. Elle a, selon moi, quelque chose de japonais.

Il écrit également beaucoup moins, bien qu'il s'acquitte diligemment de son travail à la *Gazette*, décidant du contenu de chaque numéro, respectueux des délais et attentif aux plus infimes détails, toujours perfectionniste, heureux d'accueillir de nouveaux rédacteurs.

Gravure de Charles Ephrussi
par Patricot publiée
avec son faire-part de décès
dans la *Gazette des beaux-arts*, 1905

Louise, pour sa part, a un nouvel amant. Charles a été évincé par le prince héritier d'Espagne, Alphonse, son cadet de trente ans. Il manque un peu de caractère, mais il n'en est pas moins appelé à régner.

En cette aube du nouveau siècle, le cousin viennois de Charles est sur le point de se marier. Charles connaît Viktor von Ephrussi depuis l'enfance, depuis l'époque où toutes les générations de la famille vivaient sous le même toit et passaient les soirées à organiser l'installation à Paris. Viktor était ce petit garçon à l'air morose, le plus jeune des cousins, pour qui Charles dessinait des caricatures des domestiques. Le clan était très soudé, et les cousins se voyaient fréquemment dans des fêtes à Paris ou à Vienne, pendant les séjours à Vichy et à Saint-Moritz, ou lors des rassemblements d'été au chalet de Fanny. Et ils avaient aussi Odessa en commun, le lieu de naissance, la ville des débuts dont personne ne parlait.

Les trois frères installés à Paris envoient chacun un cadeau de mariage à Viktor et à la jeune épousée, Emmy Schey von Koromla. Le couple doit commencer sa nouvelle vie dans le monumental palais Ephrussi situé sur le Ring, à Vienne.

Jules et Fanny offrent un beau bureau marqueté Louis XVI, dont les pieds fuselés se terminent par de délicats sabots dorés.

Ignace leur fait cadeau d'une peinture d'un maître hollandais, figurant deux navires dans la tempête. Peut-être une plaisanterie codée, de la part de ce célibataire convaincu.

Charles, lui, leur destine un présent original, un spectaculaire souvenir de Paris : une vitrine noire aux étagères habillées de velours vert, dont le fond en miroir reflète 264 netsukes.

Deuxième partie

VIENNE

1899-1938

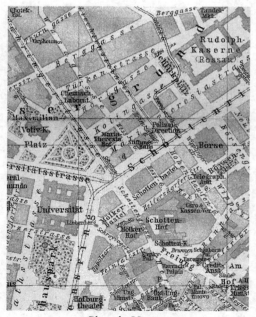

Plan de Vienne

12.

La Cité Potemkine

Un jour de mars 1899, le beau cadeau de noces que Charles destine à Viktor et Emmy est emballé avec soin et quitte pour toujours l'avenue d'Iéna, son tapis aux fils d'or, ses *fauteuils** Empire et ses toiles de Gustave Moreau. Après un voyage à travers l'Europe, il est déposé au palais Ephrussi de Vienne, à l'angle du Ring et de la Schottengasse.

Le moment est venu pour moi de me séparer de Charles et des revues parisiennes d'arts décoratifs pour me pencher sur la *Neue Freie Presse* et m'intéresser à la vie des rues viennoises en ce tournant du siècle. Nous sommes déjà en octobre, et je m'aperçois que j'ai passé près d'une année en compagnie de Charles – bien plus longtemps que je ne l'avais envisagé. Les lectures sur l'affaire Dreyfus ont largement empiété sur mon emploi du temps. À la bibliothèque, je n'ai pas besoin de me déplacer dans les étages : la section de littérature française se trouve à côté de celle de la littérature allemande.

Curieux de découvrir où se rendent mon loup en buis et mon tigre d'ivoire, je réserve un billet pour Vienne et je me mets en route pour le palais Ephrussi.

Avec ses dimensions insensées, le nouveau foyer des netsukes me fait penser à un manuel d'architecture

153

classique. En comparaison, les résidences parisiennes de la famille ont un air de sobriété. Pilastres corinthiens et colonnes doriques, quatre tourelles aux angles, des rangées de caryatides pour soutenir le toit – voilà comment se présente le palais. Les deux premiers étages, savamment rustiqués, sont surmontés de deux niveaux en briques rosées, tandis que les caryatides du cinquième étage se détachent sur un fond de pierre. Ces jeunes Grecques imposantes, d'une patience infinie dans leur léger drapé, sont tellement nombreuses – treize sur le côté qui donne sur la Schottengasse, six sur la façade principale, au bord du Ring – qu'elles semblent alignées le long d'un mur pendant un bal raté. Impossible d'éviter les dorures : il y en a sur les balcons et sur les chapiteaux, et l'on voit même un nom scintiller sur la façade, encore qu'il soit nettement plus récent. Le palais est actuellement le siège de Casinos Austria.

Encore une fois, je me livre à mon observation architecturale. Ce n'est guère facile, à vrai dire, car le palais fait face aujourd'hui à un arrêt de tram situé au-dessus d'une station de métro dont la foule dégorge en un flot continu. Je ne trouve pas d'endroit où m'appuyer et prendre le temps de regarder le bâtiment. En voulant contempler l'effet de sa silhouette sur le ciel hivernal, je manque me faire renverser par un tram. Là-dessus, un barbu en cagoule, emmitouflé sous trois couches de vêtements, vient me reprocher mon imprudence, et je me débarrasse de lui en me délestant de quelques pièces. Face au palais, devant le bâtiment principal de l'université de Vienne, trois groupes de militants rivalisent de bruit pour réclamer un soutien à leurs campagnes respectives – contre la politique américaine, les émissions de carbone et le coût des inscriptions. Pas moyen de trouver un coin tranquille.

La bâtisse est trop grande pour que mon regard l'assimile, elle occupe trop de place, couvre trop de ciel. Elle tient plus de la forteresse ou de la tour de garde que de l'habitation. Je fais de mon mieux pour m'ajuster à ses dimensions. Ce n'est pas là la demeure d'un juif errant. C'est alors que je laisse tomber mes lunettes, cassant une des branches, ce qui m'oblige à la tenir pincée entre le pouce et l'index pour pouvoir y voir.

Je suis à Vienne, à quatre cents mètres de la maison où vivait Freud, de l'autre côté du parc, je me tiens à deux pas de la résidence familiale, et voilà que j'ai la *vue trouble*. Tout un symbole, marmonné-je en maintenant les verres devant mes yeux pour mieux voir le monolithe rose. J'en déduis que cette partie de mon périple n'ira pas sans difficultés. Je suis déjà dans le flou.

Autant aller faire un tour. Me frayant un chemin parmi les étudiants, je m'engage sur le Ring, où je peux enfin bouger et respirer.

Tout de même, la rue ne manque pas d'ambition dans ses multiples méandres, et sa stature impériale a de quoi couper le souffle. Elle est si grande qu'à l'époque de son percement, un critique a écrit qu'elle était en train d'engendrer une névrose inédite, l'agoraphobie. Il fallait bien que les Viennois inventent une névrose en l'honneur de leur ville.

L'empereur François-Joseph avait commandé la construction d'une métropole moderne en périphérie de Vienne. Les remparts médiévaux étaient voués à la démolition, les anciennes douves devaient être comblées, et l'on prévoyait de créer une vaste ceinture de nouveaux immeubles, un Hôtel de Ville, un Parlement, un Opéra, un théâtre, des musées et une université. Le Ring serait adossé à la vieille ville tout en ayant vue sur l'avenir. Il deviendrait la couronne d'une Vienne somptueuse, au faîte de la culture et de la civilisation, une nouvelle Athènes, une floraison idéale de *Prachtbauten* – des édifices splendides.

Le palais Ephrussi, la Schottengasse et la Votivkirche, Vienne, 1881

Ces réalisations mêleraient différents styles architecturaux, mais le plan d'ensemble saurait unifier ces éléments hétérogènes au sein du plus remarquable espace public d'Europe, un cercle de parcs et d'espaces dégagés. La Heldenplaz, le Burggarten et le Volksgarten

156

seraient ornés de statues célébrant le triomphe de la musique, de la poésie et du théâtre.

La production d'un spectacle de cette envergure exigeait une logistique colossale. Pendant vingt ans, on ne vit que la poussière. « On embellit Vienne en la démolissant », disait à l'époque l'écrivain Karl Kraus.

D'un bout à l'autre de l'empire, tous les citoyens de l'empereur – Magyars, Hongrois, Polonais, Tchèques, juifs de Galicie et de Trieste, soit douze nationalités, six langues officielles et cinq religions – allaient connaître cette civilisation impériale et royale (*Kaiserlich-königlich*).

Et je m'aperçois que ça marche : il est étrangement difficile de faire halte sur le Ring, avec sa promesse toujours différée que l'on pourra enfin l'embrasser dans son entier. Aucun immeuble en particulier ne domine cette avenue, la progression ne va pas crescendo vers un palais ou une cathédrale. En revanche, elle ne cesse de nous entraîner triomphalement d'un fleuron de la civilisation à un autre. Je continue de me dire que je finirai par découvrir *la* vue entre ces arbres dépouillés par l'hiver, qu'une image décisive m'apparaîtra à travers mes lunettes cassées, mais le vent me pousse toujours.

Je m'éloigne de l'université néo-Renaissance, dont les larges marches mènent à un imposant portique flanqué de fenêtres cintrées, avec ses bustes d'érudits au fond de leurs niches, ses sentinelles aux lignes classiques perchées sur les toits et ses cartouches à la mémoire de poètes, d'anatomistes et de philosophes.

Je passe devant l'Hôtel de Ville « faux gothique » pour me diriger vers le bâtiment massif de l'Opéra, puis je longe les musées et le Parlement, le Reichsrat conçu par Theophilus Hansen, architecte fameux de l'époque. D'origine danoise, il avait établi sa réputation en étudiant l'archéologie à Athènes, dont il avait dessiné l'Académie. Sur le Ring, il fit construire le palais de l'archiduc Guillaume, puis le Musikverein, l'Académie des beaux-arts et la Bourse de Vienne. Et aussi le palais Ephrussi. Dans les années 1880, il accumulait tellement de commandes que ses confrères le soupçonnèrent de conspirer avec « ses vassaux [...] les juifs ».

Il n'y avait pas de complot, cependant. Hansen s'entendait seulement à fournir à sa clientèle ce à quoi elle aspirait. Son Reichsrat multiplie les références à la Grèce, et le portique semble proclamer « Ici est née la démocratie ». Je protège la cité, déclare pour sa part la statue d'Athéna. Où que l'on porte son regard, on trouvera un petit détail capable de flatter les Viennois. Je note qu'il y a des chars sur les toits.

En fait, je remarque en levant les yeux que le ciel est peuplé de silhouettes.

Je poursuis mon chemin au milieu de bâtiments qui ressemblent à une séquence musicale, séparés par un parc ici, ponctués là par un groupe de statues. Son rythme s'accorde à son propos. Depuis le jour de son inauguration officielle, le 1er mai 1865, par un défilé de l'empereur et de l'impératrice, le lieu reste dévolu aux cortèges et au spectacle. La cour des Habsbourg respectait le strict cérémonial de la noblesse espagnole, et les occasions ne manquaient pas d'organiser de grandes processions. En outre, on assistait au défilé quotidien du régiment de la Ville de Vienne, et à celui des Gardes hongrois les jours de fête, sans compter la célébration de l'anniversaire de l'empire, les jubilés, les gardes d'honneur pour l'arrivée d'une princesse héritière, et les funérailles. Les gardes avaient chacune leur uniforme, une débauche de ceintures, de ganses en fourrure, d'épaulettes et de chapeaux empanachés. On ne pouvait pas se promener sur le Ring sans surprendre les accents d'une fanfare, sans entendre le martèlement des pas. Les régiments des Habsbourg formaient l'armée « la mieux vêtue au monde », et ils évoluaient dans un décor à leur mesure.

Je me rends compte que j'avance trop vite, comme si je me dirigeais vers un but, alors que je ne suis qu'à mon point de départ. Il ne faut pas oublier que cette avenue était destinée au mouvement plus posé du « Corso » quotidien, flânerie ritualisée du beau monde le long du Kärntner Ring. L'endroit où l'on doit être vu, où l'on échange œillades et potins. Dans les gazettes à scandales qui proliféraient à l'époque où Viktor épousa Emmy, bon nombre d'illustrations mettaient en scène *Ein Corso Abenteuer*, « une aventure sur le Corso », avances des messieurs à canne et moustache, ou œillades des *demi-mondaines**. Selon Felix Salten, on rencontrait « fréquemment un embouteillage » causé « par les chevaliers de l'élégance, les seigneurs du monocle et la brigade du pantalon sans faux pli ».

Les gens s'habillaient avant d'y paraître. En réalité, il n'y avait pas à Vienne de scène plus riche pour contempler la mode viennoise. En 1879, vingt ans avant le mariage de Viktor et Emmy et l'arrivée des netsukes, le peintre Hans Makart, dont les fresques de fantaisie historique suscitaient un immense engouement, organisa un défilé d'artisans en l'honneur des vingt-cinq ans de mariage de l'empereur. Les artisans viennois se déployèrent en quarante-trois guildes, chacune avec son propre char orné de motifs allégoriques. Une nuée de musiciens, de hérauts, de piquiers et de porte-drapeaux accompagnait la cavalcade. Monté sur un blanc destrier et coiffé d'un chapeau à large bord, Makart en personne avait pris la tête de ce rutilant cortège en costumes Renaissance. J'ai l'impression que ce mélange – une note de classicisme, une touche de Rubens, un brin de Renaissance – convient on ne peut mieux au Ring.

Il y a là un sens concerté du grandiose, à quoi s'ajoute un côté Cecil B. DeMille. J'avoue que je suis mauvais public, en l'occurrence. Un jeune étudiant en peinture et architecture, Adolf Hitler, manifesta quant à lui une réaction viscérale autant qu'appropriée. « Du matin jusque tard dans la soirée, je ne cessai de courir d'une chose intéressante à une autre, mais c'est toujours aux bâtiments que revenait en priorité mon attention. Je pouvais rester des heures face à l'Opéra, ou à contempler le Parlement. À mes yeux, tout le Ring évoquait une vision enchanteresse tirée des *Mille et Une Nuits*. » Hitler réalisa d'ailleurs des peintures des bâtiments les plus notables du Ring, le Burgtheater, le Parlement de Hansen, les deux grands immeubles situés face au palais Ephrussi, l'université et la Votivkirche. Il sut évaluer le potentiel spectaculaire de l'artère. Pour lui, cette profusion d'ornements prenait un sens différent : elle incarnait les « valeurs éternelles ».

Pour financer ces merveilles, on vendit des parcelles constructibles aux financiers et aux industriels, qui connaissaient alors une ascension rapide. Il en fallut beaucoup pour bâtir le palais sur le Ring, dont l'impressionnante façade cachait un ensemble d'appartements. Ainsi, il était possible de donner la prestigieuse adresse du palais, de profiter du grand porche et des balcons avec vue sur le Ring, de l'entrée en marbre et du salon au plafond peint, tout en n'occupant qu'un seul étage. L'agencement du *Nobelstock*, l'étage noble, était centré sur une spacieuse salle de bal, autour de laquelle rayonnaient les autres pièces. On reconnaît aisément l'étage noble aux fioritures qui encadrent les fenêtres.

Dans la mesure où ce genre de palais abritait des familles nouvellement enrichies, on ne s'étonnera pas qu'ils aient accueilli une majorité de juifs. M'éloignant du palais des Ephrussi, je rencontre ceux des Liebens, des Todesco, des Königswater, des Wertheim, des Gutmann, des Epstein et des Schey von Koromla. À ce feu d'artifice architectural correspondait un réseau de familles juives unies par des mariages intracommunautaires et l'exhibition d'une prospérité pleine d'assurance, où l'identité juive et le sens du décor étaient intimement liés.

Tandis que je poursuis mon chemin, le vent dans le dos, je repense à mes « vagabondages » autour de la rue de Monceau, et au personnage de Saccard, le rapace de Zola dans son hôtel à l'opulence vulgaire et envahissante. Ici, à Vienne, l'opinion diffère légèrement de celle de Paris quand il s'agit des juifs de Zionstrasse derrière les formidables façades de leurs palais. Selon une idée répandue à l'époque, l'assimilation des juifs avait été si complète, ils avaient si bien imité leurs voisins non juifs qu'ils s'étaient fondus dans le tissu urbain au point de tromper les Viennois eux-mêmes.

Dans le roman de Robert Musil *L'Homme sans qualités*, le vieux comte Leinsdorf médite sur cette « disparition volontaire ». En renonçant au pittoresque de leurs origines, les juifs ont contribué à brouiller la vie sociale viennoise.

> Ce qu'on appelle la Question juive s'effacerait définitivement si seulement les juifs se décidaient à parler hébreu, à reprendre leurs anciens patronymes et leur costume oriental [...]. Honnêtement, un juif de Galicie qui vient tout juste de faire fortune à Vienne a l'air tout à fait déplacé sur l'Esplanade d'Ischl, vêtu d'un costume tyrolien avec une plume au chapeau. Alors que s'il portait une longue tunique vague... [...]. Imaginez-les flânant sur le Ring, le seul endroit au monde où la fine fleur de l'élégance d'Europe occidentale côtoie le mahométan coiffé d'un fez écarlate, un Slovaque en peau de mouton ou un Tyrolien en culotte courte.

Il suffisait cependant de visiter les bas-fonds de Vienne, Leopoldstadt, pour rencontrer des juifs conformes à ce qu'ils devaient être : douze par pièce, pas d'eau potable, bruyants dans la rue, portant le costume adéquat et employant l'argot attendu. En 1863, alors qu'un Viktor âgé de trois ans quittait Odessa pour Vienne, la ville ne comptait même pas huit mille juifs. En 1867, l'empereur leur accorda l'égalité des droits civiques, écartant les derniers obstacles à leur accès à l'enseignement et à la propriété. En 1890, quand Viktor avait trente ans, le nombre des juifs de Vienne était monté à cent dix-huit mille, avec l'afflux, notamment, de ces *Ostjuden* chassés de

Galicie par l'horreur des pogroms qui s'étaient déchaînés pendant la décennie précédente. Beaucoup de juifs avaient fui également les conditions de vie abjectes des petits villages, les shtetls de Bohême, de Moravie et de Hongrie. Ils parlaient yiddish, certains portaient le caftan, et tous baignaient dans la tradition talmudique. À en croire la presse populaire viennoise, ces *nouveaux venus* qui vendaient des fripes et colportaient leurs marchandises dans de drôles de hottes risquaient fort de pratiquer le meurtre rituel et étaient sans aucun doute impliqués dans la prostitution.

À l'époque du mariage de Viktor et Emmy, en 1899, les juifs de Vienne étaient cent quarante-cinq mille, et en 1910, seules Varsovie et Budapest comptaient une population juive plus élevée en Europe – la plus forte communauté juive au monde se trouvant à New York. Cette communauté n'était comparable à aucune autre. Dès la deuxième génération, les immigrants avaient réalisé des choses remarquables. Au tournant du siècle, Jakob Wassermann observait qu'à Vienne, « la vie publique était dominée par les juifs. Les banques. La presse, le théâtre, la littérature, les organisations sociales, tout reposait dans les mains des juifs [...]. J'étais ébahi par la quantité de juifs médecins, avocats, membres de clubs, snobs, dandys, prolétaires, acteurs, journalistes et poètes ». En fait, 71 % des financiers étaient juifs, et la proportion était de 65 % chez les avocats, 59 % chez les médecins et 50 % chez les journalistes. La *Neue Freie Presse* était « possédée, dirigée et rédigée par des juifs », notait Wickham Steed dans son ouvrage aux relents d'antisémitisme sur l'empire des Habsbourg.

Et ces juifs disposaient d'une façade irréprochable : ils disparaissaient, tout simplement. Habitants « potemkinesques » d'une cité Potemkine. Comme l'écrivait l'architecte frondeur Adolf Loos, le Ring n'était qu'un gigantesque leurre, à l'image de cette ville de bois et de plâtre improvisée par un général russe pour éblouir la Grande Catherine en visite. *Potemkinisch*, voilà ce qu'elle était. Les façades n'étaient pas en rapport avec les bâtiments. La pierre n'était que du stuc, une parure de parvenus. Les Viennois devaient cesser de vivre dans ce décor de théâtre « en espérant que personne ne remarquerait le simulacre ». Le satiriste Karl Kraus allait dans le même sens, dénonçant « la dégradation de la vie pratique par l'ornementation ». Plus grave, cette détérioration touchait aussi le langage, contaminé à son tour par cette « confusion catastrophique. La phraséologie est l'ornement de l'esprit ». Les édifices et leur disposition, et la vie qui allait avec – tout était soumis à l'ornement. Vienne s'était boursouflée.

En m'en retournant vers le palais Ephrussi à la tombée du jour, un peu apaisé, je me dis que les netsukes sont arrivés dans un lieu complexe. Complexe, parce que je ne suis pas bien sûr de saisir le sens de cette surenchère décorative. Les netsukes sont faits d'une matière ou d'une autre, en bois ou en ivoire. Leur densité est sans faille. Ils ne sont pas *potemkinisch*, composés de stuc et de plâtre. Ces drôles de petits objets, je les vois mal subsister dans cette ville à la grandiloquence assumée.

Toutefois, on ne peut pas leur reprocher d'être purement utilitaires. Ils ont certainement une dimension décorative, un aspect magique. Je m'interroge sur la pertinence du cadeau de mariage que Charles a envoyé à Vienne.

13.

Zionstrasse

Lorsque les netsukes arrivèrent au palais, le bâtiment, à peu près contemporain de l'hôtel Ephrussi de la rue de Monceau, datait d'une trentaine d'années. L'édifice construit par le père de Viktor, mon aïeul Ignace, était en lui-même un spectacle, un prodige propre à arrêter le passant.

Dans cette histoire, trois personnes appartenant à trois générations différentes portent le nom d'Ignace. Le plus jeune est mon grand-oncle Iggie, de Tokyo. Il y a aussi le frère de Charles, ce Parisien porté sur les duels et les intrigues amoureuses. Et enfin, nous rencontrons ici à Vienne le baron Ignace von Ephrussi, récompensé par la croix de fer, anobli pour services rendus à l'empereur, chevalier de l'ordre de Saint-Olaf, conseiller impérial, consul honoraire auprès du roi de Suède et de Norvège, membre de l'ordre de la Toison d'or et de l'ordre du Laurier.

Ignace, deuxième banquier le plus riche de Vienne, était propriétaire d'un autre bâtiment colossal sur le Ring, et de tout un pâté d'immeubles hébergeant les activités de la banque. Et je ne parle là que de Vienne. Je tombe sur un bilan de 1899 qui fait état d'un actif de 3 308 319 florins dans la ville, soit l'équivalent de

200 millions de dollars actuels, répartis ainsi : 70 %
en actions, 23 % en biens immobiliers, 5 % en
œuvres d'art et bijoux et 2 % en or. Cela devait faire
une belle quantité d'or, à mon sens, et ses titres hono-
rifiques un peu désuets ne manquent pas de panache.
Pour se montrer digne de tout cela, il fallait bien un
surcroît de dorures et de caryatides en façade.

Le baron Ignace von Ephrussi, 1871

Ignace fut un *Gründer*, un père fondateur des
premiers temps de la modernité autrichienne, le
Gründerzeit. Il était parti d'Odessa avec ses parents
et son frère aîné Léon pour s'installer à Vienne. Lors
des crues dévastatrices du Danube, en 1862, quand
les eaux vinrent lécher le pied de l'autel de la cathédrale Saint-Étienne, ce fut la famille Ephrussi qui

consentit un prêt au gouvernement pour la construction de digues et de nouveaux ponts.

J'ai en ma possession un portrait d'Ignace. Sur ce dessin, il doit avoir une cinquantaine d'années, et porte un assez joli veston à larges revers et une lavallière à l'épingle ornée d'une perle fine. Barbu, ses cheveux noirs lissés en arrière, Ignace braque sur moi un regard critique, un jugement affleurant sur ses lèvres.

Je possède également un portrait de son épouse Émilie, une femme aux yeux gris dont la robe en soie noire est relevée de plusieurs rangs de perles. Elle aussi affiche une expression réprobatrice, si bien que chaque fois que j'ai voulu accrocher ce tableau chez moi, le regard dubitatif qu'elle portait sur ma vie familiale m'a poussé à le retirer. Dans la famille, elle avait reçu le surnom de « Crocodile », à cause de son sourire engageant – les rares fois où elle souriait. Sachant que son mari a été l'amant de ses deux sœurs, en plus de toute une série de maîtresses, je m'étonne même qu'elle ait réussi à sourire de temps en temps.

Quelque chose me dit que ce fut Ignace qui choisit d'engager Hansen : il était rompu à la manipulation des symboles. Ce que désirait ce riche banquier juif, c'était un immeuble capable de mettre en scène son ascension sociale, une demeure digne de s'aligner près des fameuses institutions du Ring.

Un contrat fut signé entre les deux hommes le 12 mai 1869, et la municipalité délivra le permis de construire à la fin août. À l'époque où il travaillait sur le palais Ephrussi, Theophilus Hansen avait déjà été anobli et se faisait appeler Theophil Freiherr von Hansen, tandis que son client, promu chevalier, portait le nom d'Ignace Ritter von Ephrussi. Pour commencer, Ignace et Hansen eurent un désaccord sur l'échelle de l'élévation : les plans furent modifiés un nombre incalculable de fois pendant que ces deux personnalités obstinées cherchaient à tirer le meilleur parti de ce site spectaculaire. Ignace exigeait des écuries pour quatre chevaux, ainsi qu'une remise pouvant abriter deux ou trois voitures. Sa requête principale concernait la construction d'un escalier à usage strictement personnel, que les autres occupants de la maison ne pourraient pas emprunter. Tout cela figure dans un article de la revue d'architecture *Allgemeine Bauzeitung,* paru en 1871 et illustré de plans et d'élévations magnifiques. Le palais serait comme une tribune sur Vienne : ses balcons domineraient la ville, et la ville défilerait devant ses lourdes portes en chêne.

Je me tiens devant le palais. C'est l'ultime instant où je peux encore décider de lui tourner le dos et de monter dans le tram, abandonnant pour toujours cette demeure, son histoire et la dynastie qui l'a habitée. Prenant mon souffle, je pousse la petite porte sur la gauche, ménagée dans le colossal portail en chêne, et je me retrouve dans un long passage haut et sombre, avec au-dessus de ma tête un plafond à caissons dorés. Je m'avance dans une cour protégée par une verrière, bordée par un bâtiment de cinq étages, un espace immense ponctué de balcons intérieurs. Devant moi, sur son piédestal, un Apollon grandeur nature et tout en muscles pince négligemment les cordes de sa lyre.

Au comptoir de la réception encadré d'arbres en pots, j'explique maladroitement qui je suis, qu'il s'agit de ma maison de famille, et que j'aimerais la visiter si cela ne dérange pas trop. Aucun problème. Un monsieur affable fait son apparition et me demande ce que je souhaite voir.

Dans un premier temps, je ne vois que du marbre. Cela ne me dit pas grand-chose. Le marbre est partout : les sols, les marches et la cage d'escalier, les pilastres, les plafonds et les moulures. Sur ma gauche, je gravis un escalier en marbre, aux marches basses, qui me mène dans un nouveau hall d'entrée. Les initiales du patriarche sont gravées sur le sol de marbre : JE (Joachim Ephrussi), surmontées d'une couronne. L'escalier principal est flanqué de deux torchères plus hautes que moi. Les volées de marches n'en finissent pas, trop basses pour être pratiques. Les larges portes à double battant, noir et or, sont encadrées de marbre noir. Je pousse le panneau, et me voici entré dans le monde d'Ignace Ephrussi.

Pour des pièces couvertes de dorures, il règne une pénombre profonde. Les murs divisés en panneaux sont rehaussés de guirlandes dorées. Les cheminées de marbre imposent leur présence massive. Un parquet aux motifs complexes habille les sols. Au plafond, un entrelacs compliqué de lourdes moulures dorées sépare de ses arabesques néoclassiques les caissons ovales, triangulaires ou en losange. Des guirlandes et des feuilles d'acanthe couronnent cette entêtante profusion. Les panneaux muraux ont tous été peints par Christian Griepenkerl, le célèbre décorateur des plafonds de l'auditorium de l'Opéra. Chaque pièce rend hommage à des thèmes classiques : les conquêtes de Zeus dans la salle de billard, où Léda, Antiope, Danaé et Europe sont voilées d'un pan de velours par les putti qui les entourent. Des allégories des muses s'exposent dans le salon de musique, tandis qu'un aréopage de déesses éparpille des fleurs dans le salon. Comme de juste, des nymphes versent du vin dans la salle à manger, drapées de feuilles de vigne ou chargées de gibier. Pour une raison qui m'échappe, les linteaux des portes sont surmontés de putti.

Je me rends compte à quel point tout est brillant, ici. Ces surfaces de marbre n'offrent rien à quoi s'accrocher. J'éprouve une bouffée de panique face à cette difficulté de contact. Quand je touche les murs, ma main enregistre une légère sensation de froid humide. Je croyais avoir tout connu de la décoration Belle Époque à Paris quand je tordais le cou pour observer les peintures de Baudry sur le plafond de l'Opéra. Mais ici l'expérience est beaucoup plus proche, beaucoup plus intime. Ces dorures, ce manque d'aspérités me font l'effet d'une agression. Quel était donc le but d'Ignace ? Asphyxier ses détracteurs ?

Dans la salle de bal dont les trois larges ouvertures donnent sur la Votivkirche, de l'autre côté de la place, Ignace se trahit brusquement. Alors que les autres palais du Ring exhibent probablement des scènes olympiennes, les plafonds de celui-ci ont puisé leur inspiration dans le Livre d'Esther : Esther couronnée reine d'Israël, à genoux devant le grand prêtre en tenue de rabbin qui la bénit au milieu de ses serviteurs agenouillés. On y voit aussi la destruction des fils d'Haman, ennemis des juifs, par les soldats d'Israël.

Une réussite. C'était là une façon durable et implicite d'affirmer son identité. Dans une demeure juive, si somptueuse et si riche fût-elle, la salle de bal restait le seul lieu visible par les hôtes non juifs. Nous avons ici l'unique peinture hébraïque de tout le Ring. Un petit fragment de Sion s'est glissé dans la Zionstrasse.

14.

Les détours de l'histoire

C'est dans cet implacable palais de marbre que furent élevés les trois descendants d'Ignace. Parmi les vieilles photos que m'a confiées mon père, figure un portrait des enfants, figés entre des draperies de velours et un palmier en pot. L'aîné, Stefan, est un garçon séduisant à l'expression un peu anxieuse. Il travaille aux côtés de son père et apprend tout ce qu'il y a à savoir sur les céréales. Anna, une jeune fille aux yeux immenses, au visage allongé couronné d'une masse de boucles, affiche un air d'ennui absolu et manque laisser tomber son livre illustré. À quinze ans, elle partage son temps entre les leçons de danse et une succession de sauteries mondaines où elle escorte sa glaciale mère. Il y a enfin mon arrière-grand-père Viktor, le benjamin que la famille appelle de son nom russe Tascha, vêtu d'un costume de velours, une canne et un chapeau à la main. Il a des cheveux bruns, ondulés et brillants, et on croirait à le voir qu'on lui a promis une récompense en échange de cette longue après-midi de pose, loin de son pupitre.

Une des fenêtres de sa salle d'étude donne sur le chantier de l'université, dont les colonnes rationnellement alignées clament aux Viennois que le savoir est à la fois moderne et séculaire. Pendant des années, gravats et nuages de poussière furent tout ce que l'on pouvait voir des fenêtres de cette maison. Pendant que Charles disserte sur Bizet avec Mme Lemaire dans un salon parisien, Viktor se tient dans la salle d'étude du palais Ephrussi avec son répétiteur prussien, Herr Wessel. Celui-ci lui fait traduire en allemand des passages de l'*Histoire du déclin et de la chute de l'Empire romain*, d'Edward Gibbon, et lui enseigne les rouages de l'histoire à travers l'œuvre du célèbre historien allemand Leopold von Ranke, « *wie es eigentich gewesen ist* ». L'histoire telle qu'elle s'est vraiment passée. L'histoire est en train de se dérouler, apprend Viktor ; l'histoire souffle comme le vent sur les blés depuis le temps d'Hérodote, de Cicéron, de Pline et de Tacite, traversant les empires, passant sur l'Autriche-Hongrie et poursuivant sa route vers Bismarck et la nouvelle Allemagne.

Pour comprendre l'histoire, soutient Herr Wessel, il faut lire Ovide et Virgile, et la vie des héros qui ont connu l'exil, la défaite et le retour. Après les cours d'histoire, Viktor doit apprendre par cœur des extraits de l'*Énéide*. Puis, certainement en guise de récréation, Herr Wessel lui parle de Goethe, de Schiller et de Humboldt. Viktor découvre qu'aimer l'Allemagne passe par l'amour des Lumières. Et l'Allemagne est synonyme d'émancipation, de *Bildung*, de culture et de savoir – un cheminement vers l'expérience. La notion de *Bildung*, est-il tacitement admis, recouvre le passage de la langue russe à l'allemande, le voyage d'Odessa à Vienne, la transition entre le commerce du grain et la lecture de Schiller. Viktor commence à acheter ses propres livres.

La famille s'accorde à voir en Viktor l'enfant le plus doué, auquel il convient d'assurer ce genre d'éducation. À l'instar de Charles, il représente le fils supplémentaire, celui qui pourra esquiver la banque, alors que Stefan, comme l'aîné de Léon, Jules, a été formé pour cette carrière. Sur un cliché un peu plus tardif, Viktor, âgé de vingt et un ans, a toute l'apparence d'un lettré juif avec sa barbe bien taillée, accusant un léger embonpoint dans sa veste noire et son haut col blanc. Il a le nez des Ephrussi, bien entendu, mais le détail le plus frappant de sa personne est son pince-nez, qui dénote son ambition de devenir historien. En effet, dans « son » café, Viktor est capable de discourir sans fin, comme le lui a enseigné son précepteur, sur le moment présent et la nature des forces de la réaction dans le contexte du progrès.

Tous les jeunes gens ont leur café attitré, qui possède des particularités subtiles. Viktor est un habitué du Griensteidl, situé près de la Hofburg dans le palais Heberstein. C'est un repaire de jeunes écrivains, de la Jeune Vienne du poète Hugo von Hofmannsthal au dramaturge Arthur Schnitzler. Le poète Peter Altenberg s'y fait livrer son courrier. On y trouve des montagnes de journaux, ainsi que tous les volumes du *Meyers Konversations-Lexicon*, réponse allemande à l'*Encyclopaedia Britannica*, propre à étayer un échange de vues ou à nourrir la prose des journalistes. On peut y passer la journée entière en sirotant une simple tasse de café, sous les hauts plafonds voûtés, occupé ou non à écrire, ou à lire le journal du matin – *Die Neue Freie Presse* – en attendant la livraison de l'après-midi. Theodor Herzl, correspondant à Paris du quotidien et domicilié rue de Monceau, a coutume de venir écrire ici et de soutenir son absurde théorie d'un État juif. On dit que même les serveurs participaient aux discussions autour des grandes tables rondes. Pour citer l'expression mémorable de Karl Kraus, il s'agissait d'une « station expérimentale pour la fin du monde ».

Dans un café, on peut toujours adopter la pose de l'isolement mélancolique. C'est l'attitude choisie par bon nombre des amis de Viktor, descendants comme lui de riches banquiers et industriels juifs, représentants de cette génération qui a grandi dans les palais du Ring. Leurs pères ont financé des villes et des chemins de fer, amassé des fortunes et entraîné leur famille d'un pays à un autre. Il semble si difficile d'égaler ces *Gründer* qu'on préfère se rabattre sur l'art de la conversation.

Ces fils de famille partagent une certaine angoisse face à leur avenir tout tracé, poussés qu'ils sont par les attentes familiales. Ils sont destinés à vivre sous les plafonds dorés de la demeure parentale, à épouser la fille d'un financier et à fréquenter bal après bal, tandis qu'une carrière d'homme d'affaires se déploie devant eux. Destinés au *Ringstrassenstil* : la pompe et l'excès de confiance du parvenu. Ce qui signifie jouer au billard après dîner avec les amis de son père, une vie emmurée dans le marbre, sous l'œil vigilant des putti.

Ces jeunes gens étaient perçus soit comme juifs, soit comme viennois. Peu importait qu'ils aient vu le jour dans cette ville : les juifs possédaient un avantage injuste sur les *Viennois de souche,* qui avaient accordé la liberté à ces nouveaux venus sémitiques.

Comme l'exprimait l'écrivain britannique Henry Wickham Steed :

> La liberté est donnée au juif intelligent, vif et infatigable de s'emparer d'un univers public et politique totalement privé des moyens de se défendre de lui ou de le concurrencer. À peine sorti du Talmud et de la synagogue, et rompu par conséquent à l'intrigue et à la manipulation de la loi, l'envahisseur sémite arrive de Galicie ou de Hongrie en ayant tout prévu. Inconnu de l'opinion publique et échappant par là même à sa surveillance, n'ayant aucun ancrage dans le pays, ce qui le rend plus hardi, il s'emploie uniquement à assouvir son désir insatiable de pouvoir et de richesses.

L'insatiabilité des juifs était un poncif de l'époque. Seules ses limites restaient indéfinies. L'antisémitisme faisait partie de l'existence quotidienne, encore que celui de Paris eût un accent différent de celui de Vienne. Dans les deux cas, il pouvait se manifester de façon explicite ou larvée, mais à Vienne on devait s'attendre à ce qu'un passant fasse tomber votre chapeau sur le Ring parce que vous aviez l'air d'un juif (comme Ehrenberg dans *Vienne au crépuscule* de Schnitzler, ou le père de Freud dans *L'Interprétation des rêves*), à ce qu'on vous traite de sale juif pour avoir ouvert la fenêtre dans un train (Freud), ou qu'on vous ignore lors de la réunion d'une association de bienfaisance (Émilie Ephrussi). Ou même à ce que vos cours à l'université soient interrompus par les cris de « *Juden hinaus* » (« les juifs dehors »), jusqu'à ce que tous les étudiants juifs rassemblent leurs livres et quittent la salle.

Toutes les insultes n'étaient pas aussi personnelles. Ainsi, vous pouviez lire les dernières déclarations de Georg von Schönerer, version viennoise du Parisien Drumont, ou entendre ses brutales manifestations marteler le Ring, juste sous vos fenêtres. Schönerer acquit une certaine notoriété grâce à la fondation du Comité de Réforme autrichien, qui vilipendait « le juif, ce vampire assoiffé [...] qui frappe à l'étroite fenêtre de la maison du fermier et de l'artisan allemand ». Il promit au Reichsrat que si son mouvement n'obtenait pas gain de cause, « les vengeurs surgiraient de nos propres os » et appliqueraient la « loi du Talion » envers « l'oppresseur sémitique et ses sbires ». Prendre sa revanche sur l'iniquité des juifs – qui connaissaient succès et prospérité – était une idée très populaire parmi les étudiants et les artisans.

L'université de Vienne constitua un foyer spécialement virulent de nationalisme et d'antisémitisme, sous la houlette d'associations étudiantes (les *Burschenschaften*) qui s'étaient juré d'exclure les juifs de la faculté. Ce fut là une des raisons qui poussa les jeunes juifs à devenir des duellistes redoutables. Alarmées, ces associations instaurèrent alors le principe de Waidhofen, qui interdisait d'affronter un juif en duel, sous prétexte qu'il n'avait pas le sens de l'honneur et devait être traité en conséquence. « Il est impossible d'insulter un juif. C'est pourquoi le juif ne saurait exiger réparation d'un affront qui lui aurait été fait. » Restait toujours la solution du passage à tabac, naturellement.

Mais le plus grand danger se situait du côté du Dr Karl Lueger, fondateur du Parti social-chrétien, avec ses manières affables, son dialecte viennois et ses adeptes arborant un œillet blanc à la boutonnière. En effet, il répandait un antisémitisme plus mesuré et moins bassement démagogique. Il jouait son numéro par nécessité plus que par conviction. « Le loup, la panthère et le tigre sont pleins d'humanité comparés à ces prédateurs d'apparence humaine [...]. Nous refusons de voir le vieil empire autrichien chrétien céder la place à un empire juif. Notre haine n'est pas dirigée contre l'individu, contre le petit juif sans fortune. La seule chose que nous haïssions, messieurs, c'est l'oppression du grand capital tenu par les juifs. » C'étaient les *Bankjuden* – les Rothschild et les Ephrussi – qu'il voulait renverser.

Grâce à sa popularité croissante, Lueger finit par occuper les fonctions de maire en 1897, et il nota avec satisfaction que « la chasse aux juifs était un excellent vecteur de propagande et de réussite politique ». Il opta alors pour un compromis avec ces juifs qu'il avait si souvent attaqués lors de sa campagne, déclarant d'un air faraud qu'il « lui appartenait de définir qui était juif et qui ne l'était pas ». Toutefois, les inquiétudes de la communauté juive n'étaient pas apaisées. « N'est-il pas préjudiciable à la renommée et aux intérêts de Vienne qu'elle soit la seule grande ville au monde à être administrée par un agitateur antisémite ? » Malgré l'absence de lois antisémites, deux décennies de la rhétorique de Lueger contribuèrent à légitimer les préjugés.

En 1899, l'année où les netsukes arrivèrent à Vienne, un député du Reichsrat pouvait se permettre de promettre une récompense – *Schussgeld* – à quiconque abattrait un juif. Face aux discours les plus scandaleux, les juifs assimilés de Vienne estimèrent que la discrétion restait la voie la plus sage.

J'ai la nette impression que je vais consacrer un hiver de plus à lire des textes antisémites.

Ce fut l'empereur lui-même qui intervint pour calmer le jeu. « Je ne tolérerai pas de *Judenhetze* [traque des juifs] au sein de mon empire, déclara-t-il. Je suis pleinement convaincu de la fidélité et de la loyauté des israélites, et ils pourront toujours compter sur ma protection. » Adolf Jellinek, le plus fameux prédicateur juif de son temps, affirma que les « juifs étaient tout à fait fidèles à l'empereur, loyalistes et autrichiens. L'aigle à deux têtes est à leurs yeux un symbole de rédemption et les couleurs de l'Autriche ornent la bannière de leur liberté ».

Cependant, les jeunes juifs dans leurs cafés ne voyaient pas la situation de la même manière. Ils vivaient en Autriche et faisaient donc partie d'un empire dynastique, soumis à une bureaucratie étouffante qui différait systématiquement toute prise de décision, où toute chose tendait à se conformer au « *Kaiserlich-königlich* ». Partout dans Vienne, on voyait s'afficher l'aigle des Habsbourg ou l'effigie de l'empereur François-Joseph, avec sa moustache, ses favoris et sa collection de médailles, vous surveillant d'un regard de grand-père depuis la vitrine de votre marchand de tabac, ou du petit bureau du maître d'hôtel au restaurant. Et si vous étiez jeune, juif et riche, vous ne pouviez pas circuler dans Vienne sans être observé par un des membres de votre prolifique lignée. Le moindre de vos faits et gestes risquait d'apparaître dans un journal satirique. En résumé,

Vienne fourmillait de commérages, de caricaturistes... et de cousins.

L'essence de l'époque était un sujet très prisé de ces jeunes gens sérieux assis aux tables en marbre des cafés. Hofmannsthal, fils d'un financier juif, prétendait qu'elle résidait dans « la multiplicité et l'indétermination ». Son seul point d'appui était « *das Gleitende* », mouvant, fuyant, glissant : « Ce que les générations passées tenaient pour solide était en fait *das Gleitende*. » La nature du temps était le changement lui-même, une réalité qui trouvait son mode d'expression privilégié dans l'incomplet et le fragmentaire, la mélancolie et le lyrisme, et non plus dans les accords grandioses et assurés du *Gründerzeit* et du Ring. « La sécurité n'existe nulle part », déclara Schnitzler, fils d'un laryngologue juif aisé.

La mélancolie se reflétait dans l'éternelle chute du final de l'*Abschied* de Schubert. Adieu. Le *Liebestod* (« mort d'amour ») était une réponse possible. Le suicide devint une réalité tristement répandue parmi les connaissances de Viktor. La fille de Schnitzler, le fils de Hofmannsthal, trois des frères de Wittgenstein et le frère de Mahler devaient se donner la mort. À travers la mort, on rompait tout lien avec le prosaïsme de l'existence, avec le snobisme, les intrigues et les on-dit, pour se laisser glisser vers *das Gleitende*. Dans *Vienne au crépuscule*, Schnitzler propose une liste des raisons qui peuvent pousser quelqu'un au suicide : « La grâce, les dettes, la lassitude de la vie, ou seulement l'affectation. » Le 30 janvier 1889, lorsque l'archiduc Rodolphe, prince héritier, se donna la mort après avoir tué sa jeune maîtresse, Marie Vetsera, le suicide gagna ses lettres de noblesse.

Il était bien entendu que les enfants Ephrussi étaient trop sensés pour en arriver à de telles extrémités. La mélancolie avait son domaine réservé : le café. Et il était interdit de l'introduire dans la maison.

Certaines choses, en revanche, parvenaient à s'immiscer entre ses murs.

Le 25 juin 1889, la sœur de Viktor, Anna la *belle laide** à la longue figure, se convertit au catholicisme afin d'épouser Paul Herz von Hertenried. Parmi la pléthore de partis envisageables, elle avait porté son choix sur un baron banquier issu de la meilleure des familles, quoique de confession catholique. Les Hertenried *parlaient toujours français*, un détail qui comblait ma grand-mère. À cette époque, la conversion n'était pas chose rare. Je passe une journée à compulser les registres du rabbinat de Vienne, dans le bâtiment des Archives de la communauté juive situé près de la synagogue de la Judengasse. Tous les juifs nés, mariés ou inhumés à Vienne y sont recensés. Je cherche le nom d'Anna lorsqu'une des archivistes me signale : « Je me souviens de sa date de mariage. 1889. Elle avait une signature très ferme, assurée. La plume a failli traverser le papier. »

Cela ne me surprend guère. Anna semble avoir eu le talent de semer le trouble partout où elle passait. Sur l'arbre généalogique que ma grand-mère a tracé pour mon père dans les années 1970, des annotations au crayon ont été portées. Anna a eu deux enfants, a-t-elle écrit, une fille très jolie qui s'est mariée avant de s'enfuir vers l'Est avec son amant, et un fils qui ne s'est pas marié, qui n'a rien fait de spécial. « Anna, la sorcière », a-t-elle conclu.

Onze jours après les noces d'Anna et de son banquier, Stefan, l'héritier présumé – formé pour une carrière dans la banque, et affublé d'invraisemblables moustaches cirées – s'éclipse en compagnie de la maîtresse de son père, une juive de Russie nommée Estiha. Comme le précisent les notes de l'arbre généalogique, Estiha ne parlait que le russe et un *très mauvais allemand*.

Stefan est déshérité séance tenante. Il ne recevra pas de pension, et il lui est interdit d'occuper une des propriétés familiales ou de communiquer avec un des membres de la famille. Un bannissement digne de l'Ancien Testament, conjugué au scénario typiquement viennois d'une union avec l'amie de son père. Stefan accumulait les péchés : trahison et manquement aux devoirs filiaux, sans oublier l'incompétence linguistique de sa maîtresse. Je ne sais quelle interprétation donner à cette affaire. Donne-t-elle une mauvaise opinion du fils ou plutôt du père ? Ou des deux à la fois ?

Le couple isolé se rend d'abord à Odessa, où ils ont encore des amis et un nom qui signifie quelque chose. Ensuite ils séjournent à Nice et dans une série de stations balnéaires de la Côte d'Azur, toujours moins sélectes à mesure que leurs économies s'amenuisent. En 1893, un journal d'Odessa signale que le baron Stefan von Ephrussi a embrassé la foi évangélique luthérienne. En 1897, on le retrouve employé au guichet d'une banque russe spécialisée dans les investissements à l'étranger. Une lettre arrive de Paris en 1898, d'un hôtel miteux du 10e arrondissement. Le couple n'a pas d'enfants, pas d'héritiers susceptibles de compromettre les projets d'Ignace. Je me demande en passant si, dans son déclin, Stefan a conservé sa fringante moustache, alors qu'il loge dans des hôtels minables tout en espérant un courrier de Vienne.

Pour Viktor, tout un monde s'effondre comme un livre qui se referme.

Quel que soit son goût pour les cafés, il va brusquement se trouver à la tête d'une entreprise complexe, aux activités internationales. Il sera initié à la gestion des capitaux et à l'acheminement des marchandises, dépêché à Saint-Pétersbourg, Odessa, Paris et Francfort. On a gaspillé un temps précieux avec le fils aîné, et Viktor devra assimiler rapidement ce que l'on attend de lui. Et ce n'est qu'un début. Viktor devra aussi prendre une épouse et avoir des enfants ; un fils, plus précisément. Son rêve d'écrire une histoire monumentale de Byzance vient de s'envoler. Il est devenu l'héritier.

Je pense que c'est à ce moment-là qu'il acquit le tic nerveux qui lui faisait ôter son pince-nez pour se passer la main sur tout le visage. Par ce mouvement réflexe, il semblait remettre de l'ordre dans ses idées, ou se composer un visage pour la galerie. À moins qu'il n'ait voulu effacer de sa propre main sa personnalité authentique.

Dès les dix-sept ans de la jeune fille, Viktor demanda en mariage la baronne Emmy Schey von Koromla, qu'il connaissait depuis son enfance. Ses parents, le baron Paul Schey von Koromla, et son épouse Evelina née Landauer, d'origine anglaise, étaient à la fois des amis de sa famille, des partenaires en affaires, et des voisins du Ring. Viktor et Evelina, qui avaient le même âge, étaient liés par une longue amitié. Ils partageaient la passion de la poésie, dansaient ensemble à l'occasion des bals et chassaient sur le domaine des Schey à Kövesces, en Tchécoslovaquie.

Un jeune érudit :
Viktor à vingt-deux ans, 1882

Viktor et Emmy se marièrent le 7 mars 1899 à la synagogue de Vienne. Un homme amoureux de trente-neuf ans, et une jeune fille amoureuse qui en avait dix-huit. Mais si Viktor était amoureux d'Emmy, elle-même destinait ses sentiments à quelqu'un d'autre : un artiste et play-boy qui n'avait pas la moindre intention d'épouser qui que ce soit, surtout pas cette jeune créature décorative. Emmy n'aimait pas Viktor.

En plus des présents dûment envoyés de toute l'Europe et exposés dans la bibliothèque le matin du mariage, on trouvait un fameux rang de perles venu d'une des grands-mères, le bureau Louis XVI de Jules et Fanny, les deux bateaux dans la tempête offerts par le cousin Ignace, une Vierge à l'Enfant *nach* Bellini dans un imposant cadre doré de la part d'oncle Maurice et tante Béatrice, et un diamant de belle taille dont j'ignore la provenance. Et Charles, on le sait, avait envoyé la vitrine contenant les netsukes alignés sur des étagères drapées de velours vert.

Ignace mourut le 3 juin, dix semaines après le mariage. Son décès survint brutalement, il n'avait jamais été du genre maladif. D'après ma grand-mère, il s'éteignit au palais Ephrussi, une main dans celle d'Émilie, l'autre dans celle de sa maîtresse. Encore une autre maîtresse, certainement, qui n'était ni sa belle-sœur ni l'une de ses belles-filles.

Sur la photographie prise sur son lit de mort, Ignace a encore les lèvres serrées en un pli résolu. On l'inhuma dans le mausolée familial, un petit temple dorique qu'il avait fait ériger avec sa prévoyance légendaire, afin que le clan Ephrussi puisse reposer dans la section hébraïque du cimetière de Vienne. Il y avait déjà fait transférer la dépouille du patriarche Joachim, son père. Une attitude très biblique, selon moi, que de se faire ensevelir près de son propre père tout en réservant une place pour ses fils. Dans son testament, il léguait un pécule à dix-sept d'entre ses domestiques, dont 1 380 couronnes à son valet Sigmund Donnebaum, 720 au majordome Josef, 480 au portier Alois, et 140 aux bonnes Adelheid et Emma. Il priait Viktor de sélectionner parmi sa collection de peintures un tableau à l'intention de Charles. Je vois là un geste de tendresse, le souvenir d'un neveu érudit et de ses carnets de notes vieux de quarante ans. Je me demande ce que Viktor a trouvé au milieu des lourds cadres dorés.

C'est ainsi que Viktor et sa jeune épouse reçurent en héritage la banque Ephrussi et les responsabilités qui allaient avec, un réseau d'affaires qui reliait Vienne à Odessa, Saint-Pétersbourg, Londres et Paris. L'héritage comprenait par ailleurs le palais Ephrussi, plusieurs immeubles viennois, une impressionnante collection d'œuvres d'art, un service de table en or frappé du monogramme des Ephrussi, et la direction des dix-sept domestiques employés au palais.

Viktor fit visiter à Emmy son nouvel appartement à l'étage noble, le *Nobelstock*, et elle lança un commentaire tout à fait pertinent : « On se croirait au foyer de l'Opéra. » Le couple décida de prendre ses quartiers au deuxième niveau, où les marbres et les plafonds peints étaient moins nombreux. Ils conservèrent l'étage d'Ignace à l'usage des réceptions.

Mes arrière-grands-parents avaient un balcon sur le Ring, une vue sur le prochain siècle. Quant aux netsukes – mon moine endormi sur sa sébile, mon cerf qui se gratte l'oreille –, ils venaient de trouver un nouveau foyer.

15.

« Une grande boîte carrée
comme en dessinent les enfants »

Il faut trouver une place pour la vitrine. Le couple a choisi de faire du *Nobelstock* un monument à Ignace, tandis que la mère de Viktor, Émilie, a décidé, Dieu merci, de retourner prendre les eaux à Vichy dans son hôtel de luxe, où elle pourra tyranniser ses domestiques. Ils ont donc un étage entier du palais à leur disposition. Naturellement, il regorge déjà de meubles et de tableaux, et la domesticité est là – notamment la nouvelle bonne d'Emmy, une Viennoise nommée Anna –, mais ils y sont chez eux.

Après un voyage de noces prolongé à Venise, quelques décisions s'imposent. Les netsukes doivent-ils être placés dans le salon ? Le bureau de Viktor est trop petit pour les accueillir. La bibliothèque, éventuellement ? Viktor oppose son veto. Dans la salle à manger, alors, près de la commode Boulle ? Chaque proposition présente des inconvénients. Cet appartement n'est pas décoré dans un pur style Empire, comme le délicat assortiment d'objets et de peintures composé par Charles à Paris. C'est plutôt une accumulation de choses, résultat de quatre décennies de coûteux achats.

Pour Viktor, cette immense vitrine de verre garnie d'objets ravissants pose un autre problème : elle vient de Paris, et il ne veut pas que sa présence lui rappelle la possibilité d'une autre vie, d'un ailleurs. Pour dire la vérité, Viktor et Emmy s'interrogent sur le cadeau de Charles. Bien sûr, ces petites statuettes sont délicieuses, amusantes et raffinées, et Viktor ne met pas en doute la générosité de son cousin favori. Pourtant, l'horloge en malachite rehaussée d'or et les globes offerts par les cousins de Berlin de même que la Vierge à l'Enfant trouvent naturellement leur place dans le salon, la bibliothèque ou la salle à manger, tandis que cette encombrante vitrine peine à s'intégrer. Trop particulière, trop biscornue, trop grande.

À dix-huit ans, la superbe et follement élégante Emmy a des idées bien arrêtées. Viktor s'en remet à elle pour la disposition des cadeaux de noces.

C'est une jeune femme très mince, à la chevelure châtain clair et aux beaux yeux gris. Il émane d'elle une espèce de rayonnement, une qualité rare qui lui vient de la grâce de ses mouvements. Elle a une silhouette harmonieuse, et porte des robes qui mettent en valeur la finesse de sa taille.

Baronne doublée d'une jeune beauté, Emmy a tous les atouts en main pour une vie mondaine brillante : élevée à la ville et à la campagne, elle se montre très à l'aise dans les deux contextes. Son enfance viennoise s'est déroulée au palais Schey, austère spécimen de néoclassicisme situé à dix minutes à pied de sa nouvelle résidence, qui donne sur l'Opéra et une statue de Goethe à l'expression courroucée. Elle a un charmant jeune frère nommé Philippe et surnommé Pips, et deux petites sœurs encore enfants, Eva et Gerty.

Jusqu'à l'âge de treize ans, Emmy a eu une gouvernante anglaise timide et docile, dont le plus grand talent consistait à maintenir la paix dans la salle d'étude. Et ce fut tout pour son éducation, ce qui laissait dans sa culture de vastes pans de terra incognita. Des zones entières, l'histoire, par exemple, sont restées en friche, et elle a un rire bien à elle quand de tels sujets sont abordés.

En revanche, elle peut se prévaloir d'une bonne connaissance des langues. Son français et son anglais, qu'elle emploie indifféremment quand elle parle avec ses parents, sont tous les deux excellents. Elle connaît une foule de poèmes enfantins dans les deux langues, et peut réciter de longs passages de *La Chasse au Snark* et de *Jabberwock*. Sans parler de l'allemand, bien entendu.

Depuis l'âge de huit ans, elle pratique une heure de danse toutes les après-midi, si bien qu'elle est devenue une danseuse accomplie, cavalière favorite des sémillants jeunes gens séduits par sa taille fine soulignée d'une ceinture de soie colorée. Elle est tout aussi remarquable pour le patinage. Et elle a appris à composer un sourire plein d'attention quand les amis de ses parents causent théâtre ou opéra lors des soupers qu'ils ont coutume de donner. Dans cette maison, on proscrit les discussions d'affaires. Un grand nombre de cousins gravite autour d'eux, certains, comme le jeune écrivain Schnitzler, se réclamant de l'avant-garde.

Emmy sait comment paraître enthousiaste devant un interlocuteur, elle sent le bon moment pour poser une question ou se mettre à rire, ou pour se détourner avec un petit mouvement de tête vers un autre invité, laissant au précédent une vue sur sa nuque. Elle attire une nuée d'admirateurs, dont plusieurs ont déjà fait l'expérience de ses colères. Car Emmy ne manque pas de caractère.

L'élégance est un aspect important de sa vie à Vienne. Sa mère Evelina, qui n'a que dix-huit ans de plus qu'elle, est toujours vêtue de manière impeccable, uniquement en blanc tout au long de l'année – de son chapeau à ses bottines, dont elle change trois fois par jour en été à cause de la poussière. La toilette est pour Emmy une passion que ses parents lui ont autorisée, en partie à cause de ses dispositions pour la parure. Disposition est un mot trop faible, d'ailleurs. Il y a chez elle un véritable engouement, une vocation qui fait qu'elle sait donner une touche personnelle à ce qu'elle porte, et qui la rend unique.

Dans la jeunesse d'Emmy, les bals costumés étaient fréquents. J'ai trouvé un album contenant les photos d'une fête où les filles incarnent des personnages de tableaux classiques. Emmy porte les velours et les fourrures de l'Isabelle d'Este du Titien, tandis que ses cousines jouent les jolies servantes de Chardin ou Pieter de Hooch. Je remarque la supériorité sociale du costume d'Emmy. Sur une autre photographie de bal masqué, Emmy adolescente et le charmant jeune Hofmannsthal sont déguisés en Vénitiens de la Renaissance. Il y eut aussi une fête dont tous les invités jouaient les personnages d'un tableau de Hans Makart, à grand renfort de larges chapeaux à plume.

Avant et après son mariage, Emmy se partage entre Vienne et la Tchécoslovaquie, dans la résidence campagnarde des Schey à Kövesces, à deux heures de train de Vienne. C'est une vaste maison toute simple (« une grande boîte carrée comme en dessinent les enfants », selon les mots de ma grand-mère), au milieu d'un paysage de champs plats ceinturé de saules, de forêts de bouleaux et de cours d'eau. Une grande rivière, la Vah, forme l'une des frontières du domaine. On peut y voir passer des orages sans même en entendre l'écho. Il y a un lac où l'on peut se baigner, avec ses cabines aux lignes mauresques, et aussi une foule de chevaux et de chiens. La mère d'Emmy possède plusieurs setters Gordon – la première chienne a débarqué de l'*Orient-Express* dans une caisse en bois, car le train fait une courte halte en bordure de la propriété. Quant à son père, il élève des pointers allemands pour la chasse au lièvre et aux perdrix. Evelina est aussi férue de chasse, et quand elle approchait de la fin d'une grossesse, elle partait en compagnie de son garde-chasse et de sa sage-femme.

À Kövesces, Emmy monte beaucoup à cheval. Elle aime chasser le cerf et se promener avec ses chiens. J'ai un peu de mal à recoller ensemble les deux parties de sa vie. Mon image de la communauté juive dans la Vienne *fin-de-siècle** a de belles teintes sépia, et j'y vois essentiellement Freud et les acides débats d'intellectuels dans les cafés. Je suis très attaché au cliché de la « Vienne, creuset du XXᵉ siècle », comme le sont bon nombre de conservateurs et d'universitaires. Plongé dans la partie viennoise de l'histoire, j'écoute Mahler, je lis Schnitzler et Loos, et je me reconnais dans mes racines juives.

En revanche, ma conception de cette période peine à intégrer la chasse au cerf ou les mérites respectifs des diverses races de chiens en fonction du gibier. Je suis en voyage lorsque mon père me prévient qu'il a découvert quelque chose à ajouter à ma collection de photos. Je devine qu'il est assez content de sa trouvaille et de ses propres recherches sur le sujet. Venu déjeuner à mon studio, il tire d'un sac de supermarché un petit livre blanc. « Je ne sais pas au juste de quoi il s'agit, me dit-il, mais je crois qu'il devrait figurer dans tes "archives". »

Le volume au dos usé a une reliure de suède blanc très doux, un peu abîmée par le soleil. Les dates « 1878-1903 » sont inscrites sur la couverture. Nous dénouons le ruban de soie jaune qui ferme le livre.

À l'intérieur, nous découvrons une série de douze cartes ravissantes, à l'encre et au crayon, qui représentent les membres de la famille. Chacune est entourée d'un cadre raffiné dans le style Sécession viennoise, et porte un extrait de partition et des fragments sibyllins de poèmes ou de chansons en allemand, latin ou anglais. Il s'agit probablement, d'après nos calculs, d'un cadeau d'Emmy et de son frère Pips pour les noces d'argent du baron Paul et d'Evelina. Le suède blanc est une attention envers leur mère qui aimait tant cette couleur – pour ses chapeaux, ses robes, ses perles et ses bottines.

Sur l'une des cartes d'anniversaire, Pips joue du Schubert au piano, vêtu de son uniforme : il a bénéficié de l'éducation qui a manqué à Emmy, sous l'égide de professeurs qualifiés. Pips évolue dans un large cénacle d'artistes et de dramaturges, et s'est fait une place dans les cercles mondains de plusieurs capitales. Il rivalise d'élégance avec sa sœur. Mon grand-oncle Iggie se rappelait avoir vu le dressing de Pips dans sa chambre d'un hôtel de Biarritz où ils passaient les vacances d'été. Par la porte ouverte de la penderie, il avait aperçu huit complets identiques accrochés à la tringle. Tous étaient blancs : ce fut pour lui une épiphanie, une vision paradisiaque.

Le romancier juif allemand Jakob Wassermann s'inspira de Pips pour le protagoniste de son roman à succès, un équivalent Mitteleuropa de Richard Hannay dans *Les Trente-Neuf Marches*, de Buchan. Notre héros esthète est l'intime des archiducs et parvient à déjouer les menées anarchistes. Les incunables et l'art de la Renaissance n'ont pas de secret pour lui, il sauve des joyaux inestimables et se fait apprécier de tous. Le livre exsude la complaisance.

Sur une autre image de l'album, Emmy est au bal, et s'incline en arrière dans les bras de son svelte cavalier. Un cousin, certainement, car cette silhouette déliée ne peut être celle de Viktor. Paul Schey apparaît sur l'un des dessins, en partie camouflé par un numéro de la *Neue Freie Presse*, une chouette impassible perchée sur sa chaise. Il y a aussi Evelina en train de patiner, et puis une paire de jambes dans un maillot rayé plongeant dans le lac de Kövesces. Chaque image comprend également une petite bouteille d'eau-de-vie, de vin ou de schnaps, et quelques notes de musique.

Elles sont l'œuvre de Josef Olbrich, un des piliers de la Sécession et concepteur de son Pavillon viennois, avec sa chouette en relief et sa coupole de feuilles de laurier dorée, un havre de paix et d'harmonie dont les murs étaient, selon ses propres termes, « blancs et lumineux, sacrés et purs ». Mais comme nous sommes à Vienne, où toute chose est passée au crible, son œuvre essuie aussi des critiques au vitriol. On dirait un tombeau hindou, persiflent les esprits fins, un crématorium. Quant au dôme filigrané, il évoque une « tête de chou ». J'examine l'album d'Olbrich avec toute l'attention requise, mais il me fait l'effet d'un indéchiffrable rébus, dont le sens s'est

Pips au piano.
Image de l'album sécessionniste
de Joseph Olbrich, 1903

définitivement perdu. Que signifient l'eau-de-vie, par exemple, et cet air de musique en particulier ? Tout cela est typiquement viennois, une interprétation urbaine de la vie campagnarde à Kövesces. C'est une fenêtre qui ouvre sur l'univers d'Emmy, un monde chaleureux et familial plein de plaisanteries partagées.

Je m'étonne que mon père n'ait pas su ce qu'il avait en sa possession. Que peut-il bien garder encore dans la valise rangée sous son lit ?

16.

« Liberty Hall »

Je ne doute pas que la vie d'épouse d'Emmy von Ephrussi à Vienne recèlera moins de mystères. Elle mène là une existence citadine au sein d'une famille très différente, qui obéit à un rythme immuable et personnel, à dix minutes à peine de la maison de son enfance – un autre palais.

La nouvelle routine s'installe peu après leur retour de voyage de noces, alors qu'Emmy découvre qu'elle attend un enfant. Ma grand-mère Elisabeth vient au monde neuf mois après le mariage. La mère de Viktor, Émilie – suave et implacable sur le portrait que j'ai d'elle –, s'éteint bientôt à Vichy, à l'âge de soixante-quatre ans. Elle est inhumée sur place au lieu d'être transportée dans le grandiose mausolée d'Ignace, et je me demande si cette séparation définitive a été sa propre décision.

Trois ans après Elisabeth naît Gisela, suivie d'Ignace – Iggie. Ces prénoms viennois soigneusement sélectionnés ont été un choix très réfléchi de la part de leurs parents juifs. Elisabeth est un hommage à la bien-aimée impératrice disparue, Gisela est le prénom de l'archiduchesse, fille de l'empereur. Quant à Iggie, il est le seul fils, et son prénom Ignace Léon parle tout seul : il fait à la fois référence à son grand-père décédé, à son oncle parisien, le riche duelliste sans descendance, et à son grand-oncle Léon, disparu lui aussi. La branche parisienne n'a eu que des filles. Dieu merci, les Ephrussi ont enfin un fils, et le palais est heureusement assez vaste pour accueillir une nursery et une salle de classe hors de portée d'oreilles.

Le palais a son rythme diurne, avec ses pauses et ses accélérations dans l'activité des domestiques. Ce sont des allées et venues incessantes dans les couloirs pour transporter ceci ou cela. De l'eau chaude dans la garde-robe, du charbon dans le bureau, le petit-déjeuner dans le salon, le journal du matin dans le bureau, et puis les plats sous cloche, le linge à laver, les télégrammes, les trois livraisons de courrier quotidiennes, les messages, les bougies pour le dîner, l'édition du soir déposée dans le dressing de Viktor.

Anna, la femme de chambre d'Emmy, a elle aussi des journées bien réglées. Elles débutent à sept heures et demie, quand elle apporte l'eau tiède et le thé anglais dans sa chambre, et ne se terminent que tard dans la soirée, lorsqu'elle a brossé les cheveux d'Emmy et qu'elle lui a servi un verre d'eau et une assiette de biscuits au charbon.

Dans la cour du palais, un fiacre se tient prêt tout au long de la journée, flanqué de son cocher en livrée. Il est attelé à deux juments noires, Rinalda et Arabella. Une deuxième voiture est mise à la disposition des enfants pour les promenades au Prater et à Schönbrunn. Les cochers attendent. Le portier Alois monte la garde devant les lourdes portes donnant sur le Ring.

Les grands dîners sont indissociables de la vie à Vienne. Ils donnent lieu à des discussions sans fin sur le placement des convives. Chaque après-midi, le majordome, assisté d'un valet, dresse la table à l'aide d'un mètre à ruban. On se demande si l'on recevra à temps les canards commandés à Paris, transportés dans des caisses à bord de l'*Orient-Express*. Les fleuristes aussi sont mis à contribution, et lors d'une de ces réceptions, on installe une rangée de petits orangers en pot, dont les fruits évidés ont été garnis de crème glacée. Les enfants ont le droit d'observer discrètement l'arrivée des invités.

On reçoit également à l'heure du thé, où le samovar d'argent fume sur son grand plateau chargé d'une théière, d'un pot de crème et d'un sucrier, près des plats de sandwichs et des gâteaux glacés de chez Demel, le roi de la pâtisserie situé sur Kohlmarkt, près de la Hofburg. Les dames laissent leurs fourrures dans le hall et les officiers y déposent épées et képis, tandis que les messieurs gardent leurs gants et leur haut-de-forme, qu'ils rangent près de leur chaise, sur le parquet.

Le déroulement de l'année obéit lui aussi à des cycles bien définis.

Janvier offre à Emmy l'occasion de fuir les frimas de Vienne à Nice ou à Monte-Carlo avec Viktor. Les enfants restent à la maison. Le couple rend visite à l'oncle Maurice et à la tante Béatrice, dans leur nouvelle villa Île-de-France au Cap Ferrat – devenue plus tard la villa Ephrussi-Rothschild. Ils y admirent la collection de peintures françaises, le mobilier français Empire, les porcelaines françaises. Ils s'extasient sur les aménagements des jardins, où l'on a aplani des collines et creusé un canal pour imiter l'Alhambra. Les vingt jardiniers portent un uniforme blanc.

Au mois d'avril, c'est Paris avec Viktor. Là non plus les enfants ne suivent pas, confiés à la garde de Fanny à l'hôtel Ephrussi de l'avenue d'Iéna. Emmy fait les boutiques, tandis que Viktor se rend dans les bureaux d'Ephrussi et Cie. Paris n'est plus le même.

Charles Ephrussi, propriétaire très estimé de la *Gazette*, chevalier de la Légion d'honneur, mécène et ami des poètes, collectionneur de netsukes et cousin favori de Viktor, s'est éteint à l'âge de cinquante-cinq ans, le 30 septembre 1905.

Le faire-part de décès paru dans la presse prie de ne point assister aux obsèques ceux qui n'y ont pas été conviés. Les porteurs du cercueil – ses frères, Théodore Reinach et le marquis de Chennevières – sont en larmes. De nombreuses notices nécrologiques ont loué sa « *délicatesse naturelle** », sa droiture et son sens de la bienséance. La *Gazette* publiait une notice encadrée de noir et ainsi tournée :

Ce fut, pour tous ceux qui le connaissaient, une stupeur et un chagrin profonds que d'apprendre, vers la fin du mois de septembre dernier, la maladie soudaine, puis la mort de l'homme aimable et bon, de l'intelligence d'élite qu'était Charles Ephrussi. Il avait réuni dans la société parisienne, surtout dans le monde des arts et des lettres, des amitiés nombreuses, tout naturellement suscitées par le charme et la sûreté de son commerce, l'élévation de son esprit, la délicatesse de son cœur. Il suffisait de l'approcher pour être séduit par la distinction de ses manières, conquis par son affabilité, l'attrait de sa conversation fine et instructive, son caractère généreux et enthousiaste, et,

202

par-dessus tout, cette infinie bonté qui restera le trait distinctif de sa physionomie et qui le faisait se dévouer avec tant d'abnégation à ceux qu'il aimait.

Proust envoie un message de condoléances au responsable de la rubrique nécrologique. Grâce à l'hommage rendu par la *Gazette*, ceux qui ne connaissaient pas M. Ephrussi seraient amenés à l'aimer, et ceux qui le connaissaient pourraient évoquer son souvenir. Par testament, Charles lègue un collier en or à Emmy, un rang de perles à Louise et sa résidence à Fanny Reinach, épouse de l'helléniste distingué.

À ce décès s'ajoute l'affligeante disparition d'Ignace Ephrussi, frère de Charles, *mondain**, duelliste et *amateur de femmes**, emporté à l'âge de soixante ans par une crise cardiaque. On se souviendra de lui comme d'un cavalier émérite, que l'on voyait le matin dans les allées du bois de Boulogne, sur son cheval gris sellé *à la russe**. Généreux et précis, il a légué à chacun des trois enfants Ephrussi, Elisabeth, Gisela et Iggie, la somme de 30 000 francs, et il a même laissé quelque chose aux jeunes sœurs d'Emmy, Eva et Gerty. Les deux frères ont été inhumés dans le caveau familial de Montmartre, au côté de leurs parents et de leur chère sœur.

Après le séjour à Paris, moins animé qu'autrefois en l'absence de Charles et d'Ignace, l'été ne tarde pas à arriver. Il commence en juillet chez les Gutmann, financiers et philanthropes juifs, amis proches de Viktor et Emmy. Comme ils ont cinq enfants, Elisabeth, Gisela et Iggie sont invités à passer quelques semaines dans leur maison de campagne, Schloss Jaidhof, à soixante-dix kilomètres de Vienne. Viktor, lui, reste en ville.

Le mois d'août se passe en Suisse au chalet Ephrussi, en compagnie des cousins parisiens Jules et Fanny. Viktor et les enfants font partie du voyage. La vie est très calme, là-bas. On fait en sorte que les enfants se tiennent tranquilles, on prend des nouvelles de Paris. On se promène sur le lac de Lucerne en bateau, et c'est un des valets qui manie les rames. On se rend au concours hippique de Lucerne dans l'automobile de Charles pour assister aux épreuves de saut, avant d'aller déguster une glace chez Hugeni.

En septembre et octobre, on se retrouve à Kövesces avec les enfants, les parents, Pips et une foule de cousins. Viktor les rejoint pour de brefs séjours. On nage, on fait de la marche ou du cheval, on va chasser.

À Kövesces, un groupe hétéroclite est réuni pour veiller à l'éducation de Gerty et Eva, les sœurs d'Emmy, qui ont douze et quinze ans de moins qu'elle. On y trouve une dame de compagnie française, censée leur donner un accent parisien distingué, un précepteur d'un certain âge qui leur enseigne la lecture, l'écriture et le calcul, une gouvernante venue de Trieste responsable des leçons d'italien et d'allemand, et enfin un certain M. Minotti, un pianiste manqué qui leur apprend la musique et les échecs. La mère d'Emmy s'occupe des dictées en anglais et de la lecture de Shakespeare. Il y a aussi le vieux bottier viennois chargé de fabriquer les bottines en suède blanc qui font partie des exigences d'Evelina. Malade, il est venu prendre du repos dans la propriété et n'en est jamais reparti, logé dans une charmante chambre ensoleillée. On ne lui demande que de pourvoir Evelina en chaussures et de prendre soin des chiens.

Le voyageur Patrick Leigh Fermor séjourna à Kövesces dans les années 1930 alors qu'il traversait l'Europe ; il nota que les lieux avaient l'atmosphère d'un presbytère anglais, avec ses piles de livres dans toutes les langues possibles et ses bureaux encombrés de drôles d'objets faits de corne et d'argent. Pips, en le recevant dans la bibliothèque, lui avait dit dans son anglais parfait qu'il était à « Liberty Hall ». Il émanait de Kövesces cette impression d'autosuffisance propre aux grandes maisons peuplées d'enfants. Je trouve dans la chemise bleue de mon père le manuscrit jauni d'une pièce intitulée *Der Grossherzog* (*L'Archiduc*), montée dans le salon par les cousins, l'été qui précéda la Première Guerre mondiale. Les chiens et les bambins de moins de deux ans n'étaient pas admis.

M. Minotti se met au piano tous les soirs après le dîner. Les enfants jouent au jeu de Kim : plusieurs objets – un porte-cartes, un pince-nez, un coquillage, et même, en une effrayante occasion, le revolver de Pips – sont disposés sur un plateau et présentés aux joueurs pendant une trentaine de secondes. On pose un linge par-dessus, et chacun note alors ce dont il se souvient. Elisabeth a la fâcheuse habitude de gagner à chaque fois.

Pips lance des invitations à son cercle d'amis cosmopolite.

En décembre, on fête Noël à Vienne. La famille a beau être juive, on échange de nombreux cadeaux.

La vie d'Emmy semble fixée non dans la pierre, mais dans l'ambre. Je devine les traces des histoires du passé, à la fois banales et précieuses, que je m'étais juré d'éviter quand j'ai commencé mes recherches, il

205

y a un an. Alors que je parcours inlassablement le palais, les netsukes me semblent bien loin.

Je prolonge mon séjour à Vienne, à la Pension Baronesse. L'hôtelier a gentiment rafistolé mes lunettes, mais je continue de voir le monde légèrement de guingois. Je n'arrive pas à lutter contre l'angoisse. Mon oncle de Londres, qui a cherché des informations pour mon compte, a mis au jour douze pages de mémoires rédigées par ma grand-mère Elisabeth, relatant sa jeunesse au palais. Je les ai apportées pour en prendre connaissance *in situ*. Par une matinée glaciale et lumineuse, je les emporte avec moi au Café Central, où le soleil entre à flots par les fenêtres gothiques. Une figurine de l'écrivain Peter Altenberg soutient le menu, tout est propre et bien présenté. Je crois que ce fut le deuxième café de Viktor, avant que les choses ne tournent mal.

Ce café, la rue et Vienne tout entière ressemblent à un parc d'attractions : un décor de cinéma *fin-de-siècle**, avec tous les fastes de l'époque sécessionniste. Des fiacres conduits par des cochers en houppelande. Les serveurs arborant des moustaches d'époque. L'omniprésence de Strauss, qui semble suinter des devantures des chocolatiers. Je m'attends presque à voir entrer Mahler, ou à entendre Klimt lancer une querelle. Un film atroce que j'ai vu autrefois, quand j'étais étudiant, ne cesse de me revenir en mémoire. Il se passait à Paris, et Picasso faisait d'incessantes apparitions, tandis que Gertrude Stein et James Joyce discutaient modernisme devant un verre de Pernod. Je rencontre ici un problème identique, assailli sans arrêt par d'innombrables clichés. Ma Vienne personnelle a perdu sa substance pour devenir la Vienne des autres.

J'ai lu les dix-sept romans de Joseph Roth, l'écrivain juif autrichien, dont l'action se situe parfois dans la Vienne de la fin de l'empire. C'est dans les caisses de l'irréprochable Banque Efrussi que Trotta dépose ses biens dans *La Marche de Radetzky*. Ignace Efrussi en personne apparaît sous les traits d'un riche joaillier dans *La Toile d'araignée* : « Grand et dégingandé, toujours vêtu de noir, avec une redingote à col haut qui ne laissait voir qu'une cravate-foulard en soie noire piquée d'une perle de la taille d'une noisette. » Son épouse, la ravissante Frau Efrussi, est décrite comme « une dame. Juive, certes, mais une dame ». Le héros non juif Theodor, un jeune homme aigri employé comme professeur, souligne à quel point ils ont tous la vie facile : « … les Efrussi encore plus que les autres […]. Le vestibule était orné de peintures dans des cadres dorés, et un valet en livrée vert et or vous escortait après une révérence. »

La réalité s'obstine à me glisser entre les doigts. La vie de ma famille à Vienne se reflète dans les livres de l'époque, tout comme Charles se retrouvait dans le Paris de Proust. Un sentiment récurrent d'antipathie envers les Ephrussi s'exprime dans les romans.

J'avoue que suis désorienté. J'ignore, c'est un fait, ce que cela signifie d'appartenir à une famille juive acculturée et assimilée. Je ne comprends pas, tout simplement. Je sais ce qu'ils ne faisaient pas : ils ne fréquentaient pas la synagogue, par exemple, bien que les naissances et les mariages aient été consignés par le rabbinat. Je sais qu'ils payaient leur part à l'Israelitische Kultusgemeinde, et qu'ils accordaient des dons à certaines œuvres de bienfaisance juives. Je me suis rendu au mausolée de Joachim et Ignace, dans la section hébraïque du cimetière, et je me suis demandé avec inquiétude si je devais faire réparer la grille en fer forgé cassée. Dans la famille, la cause sioniste n'attirait guère de suffrages. Je me rappelle le commentaire discourtois de Herzl, quand sa demande de financement fut rejetée : « les Ephrussi – des spéculateurs ». J'aimerais savoir si leur refus était dû au caractère éminemment juif de l'entreprise et à la peur d'attirer ainsi l'attention. À moins qu'il n'ait été la preuve de la confiance qu'ils avaient mise dans leur nouvelle patrie : la Zionstrasse ici ou la rue de Monceau. Ils ne concevaient pas que certains aspirent à une autre Sion.

L'assimilation les a-t-elle empêchés de se heurter aux préjugés les plus criants ? Ou n'était-elle qu'une façon de cerner les limites de sa sphère sociale, et de ne pas les outrepasser ? Il existe un Jockey Club à Vienne, comme à Paris, et si Viktor en était membre, les juifs n'avaient pas le droit d'y occuper des fonctions officielles. Cela contrariait-il Viktor ? Il était bien admis qu'une épouse non juive ne rendait jamais visite à une famille juive, ne déposait jamais sa carte chez elle et ne venait pas y passer une de ses interminables après-midi. À Vienne, seuls les non-juifs célibataires tels que le comte Mensdorf, le comte Lubienski ou le jeune prince Montenuovo pouvaient laisser leur carte et être reçus en conséquence. Une fois mariés ils ne revenaient plus, quels que fussent la qualité de la chère et le charme de l'hôtesse. Cela avait-il une quelconque importance ? Toutes ces choses me font l'effet d'un subtil réseau d'incivilités.

Je consacre la dernière matinée de ma visite aux Archives de la communauté juive de Vienne, près de la synagogue de la Judengasse. Je note la présence de policiers à proximité. Lors des dernières élections, l'extrême droite a remporté le tiers des voix, et la synagogue pourrait être la cible d'un attentat. Les menaces ont été si nombreuses que je suis obligé de franchir un dispositif de sécurité complexe. Enfin parvenu à l'intérieur, je regarde l'archiviste sortir une série de registres rayés et les déposer sur le pupitre. Naissances, mariages, décès et conversions – c'est toute la Vienne juive qui a été scrupuleusement enregistrée.

En 1899, la communauté juive a implanté à Vienne ses orphelinats et ses hôpitaux, ses écoles et ses bibliothèques, ses quotidiens et ses revues. Le nombre de synagogues s'élève à vingt-deux. Je me rends compte que je n'en connais aucune. Les Ephrussi étaient si parfaitement assimilés qu'ils se sont fondus dans Vienne.

17.

Délicieuses jeunes personnes

Les mémoires d'Elisabeth font l'effet d'un tonique : douze pages écrites à l'intention de ses fils dans les années 1970, et dénuées de tout sentimentalisme. « La maison où je suis née se trouvait, et se trouve encore, extérieurement inchangée, à l'angle du Ring... » Elle donne des détails sur la tenue de la maisonnée et le nom des chevaux, et m'entraîne à travers les salles du palais. Je vais sûrement finir par trouver où Emmy a caché les netsukes.

Si Emmy sort de la nursery et longe le corridor, elle se retrouve côté cour dans les cuisines et arrière-cuisines, l'office et la pièce où l'on range l'argenterie – la lumière y est allumée toute la journée – avant de tomber sur le bureau du majordome et la salle commune des domestiques. Au bout du couloir s'alignent les chambres de bonnes dont les fenêtres ouvrent sur la cour ; un peu de lumière jaune passe à travers la verrière, mais l'air frais n'entre pas. Anna, la bonne d'Emmy, est logée quelque part par là.

Si Emmy tourne à gauche, elle entre dans le salon, dont elle a fait tendre les murs d'un brocart de soie vert pâle. Les tapis sont d'un jaune très clair. L'ameublement est de style Louis XV, avec ses chaises et

211

*fauteuils** marquetés à ornements de bronze et épais coussins en soie rayée. Quelques petites tables sont disposées ici ou là, chacune décorée de son assortiment de bibelots, en plus de la grande table faite pour accueillir la délicate préparation du thé. On trouve aussi un piano à queue dont personne ne joue et un cabinet de la Renaissance italienne à portes accordéon, peint à l'intérieur et doté de minuscules tiroirs qui plaisent beaucoup aux enfants, bien qu'on leur ait interdit d'y toucher. Lorsque Elisabeth posait le doigt entre les deux fines colonnes dorées et torsadées qui encadraient une arche, et poussait vers le haut, un tout petit tiroir secret s'ouvrait avec un léger soupir.

Il y a de la lumière dans ces pièces, reflets tremblants, éclat de l'argent, de la porcelaine et des bois fruitiers cirés, ombres des tilleuls. Au printemps, des fleurs de Kövesces sont livrées chaque semaine. Ce serait l'endroit idéal pour exposer la vitrine des netsukes de Charles, mais ce n'est pas là qu'ils se trouvent.

Du salon on passe dans la bibliothèque, la pièce la plus spacieuse de cet étage du palais. Comme l'appartement d'Ignace à l'étage inférieur, elle est peinte en noir et rouge, dans les mêmes teintes que le tapis d'Orient. D'immenses rayonnages en ébène garnissent les murs, voisinant avec de grands sofas et fauteuils en cuir havane. Une imposante suspension en cuivre surplombe une table en ébène incrustée d'ivoire, flanquée des deux globes reçus pour leur mariage. Ceci est le domaine réservé de Viktor, les murs sont tapissés de ses milliers de livres – histoire grecque et romaine, littérature allemande, poésie et lexiques. Certains rayonnages sont protégés par un grillage et fermés par une clé qu'il attache à sa chaîne de montre. La vitrine n'est pas là non plus.

Nous sommes maintenant dans la salle à manger aux murs habillés de tapisseries des Gobelins, des scènes de chasse achetées à Paris par Ignace. Les fenêtres donnent sur la cour, mais les rideaux toujours tirés maintiennent la pièce dans une pénombre permanente. Voici certainement la table où l'on exhibe le service en or, chaque pièce frappée des emblèmes de la famille Ephrussi, le double E, l'épi de blé et le bateau aux voiles déployées voguant sur une mer dorée.

C'est probablement Ignace qui a eu l'idée de ce service. Ses meubles occupent tout l'espace. Cabinets Renaissance, commodes sculptées de style baroque, un grand bureau Boulle qui n'a pu tenir que dans la salle de bal. Ses tableaux aussi sont partout. Les maîtres de la Renaissance, surtout, une Sainte Famille, une Vierge florentine. Le XVIIe siècle hollandais est bien représenté : Wouvermans, Cuyp, une toile inspirée de Frans Hals. À côté de cela, une cohorte de *Junge Frauen*, certaines signées Makart ; jeunes dames interchangeables dans des tenues tout aussi interchangeables et entourées de « velours, tapis, peaux de panthère, bibelots, plumes de paon, commodes et luths », pour citer les propos sarcastiques de Musil – toutes dans de lourds cadres dorés ou noirs. Pas de vitrine aux netsukes au milieu de cette somptueuse exhibition théâtrale, de cette maison-musée.

Tout ici, tableaux et cabinets pompeux, paraît inamovible dans la lumière qui filtre à travers la verrière de la cour. Musil a bien su capter cette atmosphère.

Les demeures riches et anciennes sont encombrées d'un fatras où de hideuses nouveautés côtoient négligemment de superbes pièces héritées des générations précédentes. Dans les salles de ce palais dévolu à l'ostentation de nouveaux riches, chaque chose se détache trop nettement, « l'espace semble s'élargir imperceptiblement entre deux meubles ou autour d'un tableau que l'on a voulu mettre en valeur – l'écho doux et limpide d'un grand bruit qui s'est éteint ».

Quand je pense à Charles et à ses trésors, je sais que c'est sa passion pour eux qui les mettait en mouvement. Il ne pouvait résister à la séduction du monde des objets : les toucher, les étudier, les acheter, modifier leur disposition… La vitrine offerte à Viktor et Emmy libérait dans son salon une place pour une nouvelle acquisition. Son appartement était en perpétuelle évolution.

Le contraire exact du palais Ephrussi. Sous la verrière grise, la demeure tout entière ressemble à une vitrine à laquelle il est impossible d'échapper.

À chaque extrémité de l'enfilade de pièces se trouvent les appartements respectifs de Viktor et d'Emmy. La garde-robe de Viktor est équipée de vestiaires, de commodes et d'un grand miroir. Il y conserve un buste en plâtre de son ancien précepteur Herr Wessel « qu'il aimait beaucoup. Herr Wessel était un Prussien et un grand admirateur de Bismarck et de tout ce qui se rapporte à l'Allemagne ». Dans la pièce trône également une imposante toile assez malséante représentant *Léda et le cygne*. Elisabeth raconte dans ses mémoires qu'elle la « contemplait longuement – elle était immense – chaque fois qu'elle allait voir [son] père se mettre en tenue de soirée, et qu'elle n'y avait jamais vu aucun mal ». Viktor a déjà fait comprendre qu'il n'y avait pas de place pour les bibelots.

La garde-robe d'Emmy se situe à l'autre bout du couloir, dans une pièce d'angle dont la vue s'étend au-delà de la Votivkirche, jusqu'à la Schottengasse. Elle contient le beau bureau Louis XVI offert par Jules et Fanny, dont les pieds légèrement galbés et rehaussés d'or moulu se terminent par des sabots dorés. Dans les tiroirs tapissés de cuir souple, Emmy range son papier à lettres et son courrier, attaché par des rubans. Afin de se voir correctement lorsqu'elle s'habille, elle a aussi installé un miroir en pied à trois faces qui occupe une bonne partie de l'espace. Il y a encore une table de toilette avec une cuvette en verre à bordure argentée et un broc assorti à couvercle d'argent.

Et c'est ici que nous découvrons enfin le cabinet en laque noire – « aussi grand qu'un homme », d'après les souvenirs d'Iggie – aux étagères tendues de velours vert. Emmy a placé dans sa garde-robe la vitrine de Charles avec son fond en miroir et ses 264 netsukes. Voilà l'endroit où a fini mon loup tacheté.

Cela me paraît à la fois logique et totalement incompréhensible. Qui entre dans cette garde-robe ? Ce n'est pas un lieu de réception, un espace partagé. Si les tortues de buis, le kaki et l'ivoire fendillé de la jeune fille au bain se cachent ici, cela signifie qu'Emmy n'a pas à les commenter devant ses invités de l'après-midi. Et Viktor est totalement dispensé d'en parler. Est-ce un sentiment de gêne qui a conduit la vitrine jusque-là ?

À moins qu'on n'ait délibérément soustrait les net-sukes au regard du public, loin de la grandiloquence des Makart. Était-ce parce qu'ils l'intriguaient qu'Emmy a voulu les garder dans un lieu dédié à son usage personnel ? A-t-elle souhaité les protéger de l'atmosphère délétère du *Ringstrassenstil* ? Parmi cet étalage de meubles dorés et d'or moulu, il y avait peu de choses que l'on désirait garder près de soi. Les netsukes se prêtent par leur nature à l'intimité. Emmy a-t-elle eu envie d'un objet qui ne porte pas l'empreinte de son beau-père Ignace ? A-t-elle été sensible à leur charme parisien ?

Cette pièce lui appartient en propre, et elle y passe beaucoup de temps. Emmy change de tenue trois fois dans la journée, quand ce n'est pas davantage. Avant de se rendre aux courses, il lui faut quarante minutes pour ajuster son chapeau orné de petites boucles fixées une par une sous la large bordure. Et enfiler la robe du soir brodée, avec son boléro à la hussarde garni de brandebourgs, prend un temps infini. Il y a un costume approprié pour chaque occasion – promenades en ville, dîners, visites, sorties à cheval au Prater ou bals. Chaque heure passée dans la garde-robe est consacrée au choix du corset, de la robe, des gants et du chapeau les mieux adaptés à la journée. On se dépouille d'un de ses moi pour se glisser dans un autre. Anna doit coudre certaines robes sur elle, agenouillée à ses pieds, tirant de la poche de son tablier le fil, l'aiguille et le dé. Emmy aime porter de la fourrure, une ganse en zibeline au bas d'une jupe, un renard polaire autour du cou sur une photographie, et sur une autre, une large étole en peau d'ours drapée sur une épaule. Anna passe parfois une heure à lui faire choisir une paire de gants.

Emmy s'habille pour sortir. C'est l'hiver 1906 dans une rue de Vienne, et elle bavarde avec un archiduc. Ils sourient tous les deux tandis qu'elle lui tend un bouquet de primevères. Emmy est vêtue d'un ensemble à fines rayures, une jupe en forme avec un empiècement à raies horizontales, et une veste cintrée « à la zouave ». Il s'agit d'une tenue de promenade. Se préparer à une flânerie sur la Herrengasse a dû lui demander une heure et demie. Sous-vêtements, chemisette en fine batiste ou en crêpe de Chine, le corset qui affine la taille, la jupe à agrafes, les bas, les jarretières et les bottines à boutons, la blouse ou le chemisier sans manches – pour éviter d'épaissir les bras – à col montant et jabot de dentelle, la veste à plastron et le réticule à chaînette, la toque en fourrure dont le nœud en taffetas rayé rappelle l'ensemble, les gants blancs, et enfin les fleurs. Pas de parfum, en revanche. Emmy n'en met jamais.

La vitrine sert de sentinelle au rituel qui se produit deux fois par an, au printemps et à l'automne : choisir une garde-robe pour la saison à venir. Les dames de condition ne se rendent pas chez la couturière pour y étudier les derniers modèles : on les leur apporte à domicile. Le chef d'atelier se déplace à Paris et sélectionne des robes qui arrivent soigneusement emballées dans de grands cartons, sous l'égide de Herr Schuster, un monsieur âgé aux cheveux blancs, toujours vêtu d'un costume noir. On l'installe dans le couloir, près des boîtes empilées, et Anna présente les vêtements un par un à Emmy dans sa garde-robe. Quand elle en a passé un, Herr Schuster est appelé pour donner

Emmy et l'archiduc, Vienne, 1906

son opinion. « Naturellement, il était toujours approbateur, mais si maman s'enthousiasmait pour un modèle au point de vouloir le réessayer, il devenait euphorique et déclarait que la robe "semblait taillée exprès pour Madame la Baronne". » Les enfants, qui attendaient ce moment, s'enfuyaient dans la nursery avec des cris de panique hystériques.

Il existe une photo d'Emmy prise dans le salon, peu après son mariage. Elle est probablement enceinte d'Elisabeth, même si cela ne se voit pas encore. Elle arbore une tenue à la Marie-Antoinette, longue jupe blanche et veste en velours ras, à la fois habillée et décontractée. Ses bouclettes sont conformes à la mode du printemps 1900 : « La coiffure se fait moins sévère, les franges sont exclues. La chevelure est d'abord frisée en grandes boucles, puis ramenée en arrière et attachée en chignon d'une hauteur raisonnable ; on peut laisser quelques mèches boucler librement sur le front », notait un journaliste. Emmy est coiffée d'un chapeau noir rehaussé de plumes. Elle tient une canne dans une main, tandis que l'autre repose sur une commode française à plateau de marbre. Elle doit tout juste descendre de sa garde-robe et s'apprêter à partir au bal. Elle braque sur moi un regard plein d'assurance, consciente de sa grande beauté.

Emmy ne manque pas d'admirateurs – toute une foule, d'après Iggie – et prend autant de plaisir à se parer pour les autres qu'à se dévêtir. Car elle a des amants dès les premiers temps de son mariage.

À Vienne, qui n'est pas tout à fait comme Paris, cela n'a rien d'inhabituel. Les restaurants proposent des *chambres séparées**, où l'on peut manger et séduire dans un même temps, comme dans *La Ronde* de Schnitzler. « Une pièce privée au restaurant "zum Riedhof". Une élégance confortable et feutrée. Le foyer au gaz est allumé. Sur la table, les reliefs d'une collation, gâteaux à la crème, fruits et fromage... Du vin blanc de Hongrie. Le MARI fume un havane, renversé dans un angle du sofa. La DÉLICIEUSE JEUNE PERSONNE est installée près de lui dans un fauteuil, se délectant de crème fouettée à la petite cuillère... » Au tournant du siècle, Vienne voue un culte à la *süsse Mädel*, « jeune fille simple qui ne vit que pour flirter avec les jeunes gens de bonne famille ». Le flirt est une occupation permanente. En 1911, Strauss vient de créer son très populaire *Chevalier à la rose*, sur un texte de Hofmannsthal, dont l'intrigue divertissante repose sur des changements de costume, d'amant et de chapeau. Quant à Schnitzler, il avoue dans son journal érotique qu'il a peine à satisfaire ses deux maîtresses.

Emmy dans une tenue
à la Marie-Antoinette
dans le salon du palais Ephrussi, 1900

À Vienne, le sexe est un sujet incontournable. Les prostituées envahissent les trottoirs et passent des annonces à la dernière page de la *Neue Freie Presse*. Tous les besoins sont pris en charge. Karl Kraus cite dans son journal *Die Fackel* : « Cherche compagnon de voyage, jeune, agréable, chrétien, indépendant. Répondre à "69 à l'envers", Poste restante Habsburger-gasse ». Le sexe est au centre des réflexions de Freud.

Dans son essai culte de 1903, *Sexe et caractère*, Otto Weininger soutient que les femmes sont immorales par nature et ont besoin d'être guidées. Le sexe prend des teintes dorées chez Klimt pour *Judith*, *Danaé* et *Le Baiser*, il devient menaçant avec les corps affalés d'Egon Schiele.

Quand on veut être une Viennoise moderne, *dans le vent**, il est bien entendu que la vie conjugale laisse une certaine latitude. Parmi les tantes et les cousines d'Emmy, plusieurs ont conclu des mariages de convenance. Sa tante Anny von Schey, par exemple. Il est de notoriété publique que le véritable père de ses cousins, les jumeaux Herbert et Witold, est le comte Hans Wiltschek, un homme séduisant et plein de charme, explorateur et commanditaire d'une expédition polaire. Ami intime de feu l'archiduc Rodolphe, il a donné son nom à un archipel.

J'ai repoussé mon retour à Londres, car je suis sur la piste du testament d'Ignace, et je voudrais bien savoir comment il a partagé ses biens. L'association de généalogie Adler, ici à Vienne, n'est ouverte qu'à ses membres et à leurs invités, le mercredi soir après dix-huit heures. Ses bureaux se trouvent au deuxième étage d'une maison où Freud a vécu. Je me faufile par une petite porte et j'emprunte un long couloir dont les murs sont ornés des portraits des maires de Vienne. À gauche se trouvent les fichiers des décès et des notices nécrologiques, à droite l'aristocratie et les éditions du *Debrett* et du *Gotha*. Pour tout le reste, il faut aller plus loin. Je tombe enfin sur des gens plongés dans leurs recherches, transportant des dossiers et copiant des registres. Je n'ai pas une idée très précise des sociétés de généalogie, mais l'ambiance de celle-ci me surprend par ses éclats de rire, ses chercheurs qui s'interpellent d'un bout à l'autre de la salle, réclamant de l'aide pour déchiffrer une écriture difficile.

Aussi délicatement que possible, je me renseigne sur les amitiés de mon arrière-grand-mère Emmy von Ephrussi, née Schey von Koromla, autour de 1900. Des plaisanteries bon enfant saluent mes questions. Ses amitiés vieilles d'un siècle ne sont un secret pour personne, tous ses amants sont bien connus. Quelqu'un fait mention d'un officier de cavalerie, on me parle aussi d'un intrigant hongrois, d'un prince… N'était-ce pas un Ephrussi qui gardait des tenues identiques dans deux maisons différentes, afin de pouvoir décider si elle commençait la journée avec son mari ou avec son amant ? Les commérages demeurent vivaces : aucun secret ne semble à l'abri des Viennois. Par comparaison, je me sens désagréablement britannique.

Je pense alors à Viktor, fils et frère de deux hommes aux appétits insatiables, et je le vois à la table de sa bibliothèque, déchirant avec son coupe-papier en argent l'emballage brun des livres expédiés par son libraire berlinois. Je le vois chercher dans la poche de son gilet les fines allumettes dont il se sert pour ses cigares. Je sens aussi le flux et le reflux d'énergies qui circulent à travers la maison, pareils au ressac de la mer. En revanche, je n'arrive pas à visualiser Viktor dans la garde-robe d'Emmy, regardant la vitrine des netsukes et l'ouvrant pour y choisir une statuette. Je ne suis même pas sûr qu'il soit dans son caractère d'aller s'asseoir près d'Emmy pour bavarder pendant qu'elle s'habille, tandis qu'Anna s'affaire autour d'elle.

Je me demande même de quoi ils pouvaient parler ensemble. De Cicéron ? Des chapeaux à la mode ?

Je le vois se passer la main sur son visage, reprenant contenance avant de partir au bureau. Il sort sur le Ring, puis il tourne à droite avant de prendre encore la première à droite vers la Schottengasse, et ensuite la première à gauche. Le voici arrivé. Il a pris l'habitude d'emmener avec lui son valet Franz, qui s'assied à la réception pour que Viktor puisse lire tranquillement dans son bureau. Dieu merci, il y a des employés capables d'aligner correctement les chiffres dans les livres de comptes, pendant que lui prend des notes historiques, de sa belle écriture penchée. Un juif entre deux âges, amoureux de sa superbe jeune épouse.

La société Adler ne me fournit aucun ragot sur Viktor.

Je me représente Emmy à dix-huit ans, nouvellement établie dans la grandiose demeure-vitrine du Ring, avec son cabinet d'ivoires. Je me souviens d'un passage de Walter Benjamin, qui décrit une dame dans un intérieur du XIXᵉ siècle : « Elle s'insérait si étroitement dans le décor de sa demeure qu'elle évoquait une boussole nichée dans les replis de velours violet d'un coffret, à côté de ses accessoires. »

18.

Il était une fois

Les enfants du palais Ephrussi ont des nourrices et des nurses. Les premières sont d'affables Viennoises, les secondes viennent d'Angleterre. À cause des nurses britanniques, on prend un petit-déjeuner anglais avec toasts et porridge. Un déjeuner copieux est prévu avec du pudding, suivi, l'après-midi, d'un thé accompagné de toasts beurrés, de confiture et de petits gâteaux, puis c'est l'heure du dîner, où l'on sert du lait et des fruits cuits, « bons pour la digestion ».

En quelques occasions particulières, les enfants sont invités à se joindre aux réceptions d'Emmy. Elisabeth et Gisela portent des robes à larges ceintures amidonnées, en mousseline blanche, tandis que ce pauvre Iggie, qui accuse un léger embonpoint, est affublé d'un costume de Petit Lord Fauntleroy à col de dentelle irlandaise. Gisela, avec ses grands yeux bleus, est la favorite des invitées, tandis que Charles, lors d'un séjour au chalet Ephrussi, la surnomme sa petite Bohémienne de Renoir. Elle est si charmante que sa mère, avec un certain manque de tact, a fait faire d'elle une sanguine, et que le baron Albert de Rothschild, photographe amateur, lui a demandé de poser dans son studio. Les enfants font parfois une excursion

225

d'une journée au Prater avec les nurses anglaises, car l'air y est moins poussiéreux que sur le Ring. Un valet de pied les escorte, vêtu d'une houppelande beige et coiffé d'un haut-de-forme à l'emblème de la famille Ephrussi.

Il est convenu que les enfants et leur mère se rencontrent en deux occasions bien définies : pendant qu'elle s'habille pour le dîner et le dimanche matin. Tous les dimanches à dix heures et demie, la nurse et la gouvernante anglaises vont assister à l'office de l'église anglicane, pendant que maman se rend à la nursery. Dans ses brefs Mémoires, Elisabeth évoque « ces deux heures merveilleuses du dimanche matin [...]. Ce jour-là elle avait hâté sa toilette et portait une jupe noire toute simple, longue jusqu'au sol, bien entendu, et un corsage vert à col haut et poignets blancs, ses cheveux joliment relevés sur le dessus de sa tête. Elle était ravissante et sentait divinement bon... ».

Ensemble, ils tirent de leurs étagères les lourds livres d'images aux belles couvertures marron pourpré, illustrés par Edmund Dulac : *Le Songe d'une nuit d'été, La Belle au bois dormant,* et l'effrayant *La Belle et la Bête,* leur favori. Chaque Noël apporte un nouveau volume des *Fairy Books* d'Andrew Lang, envoyé de Londres par la grand-mère anglaise. Gris, Violet, Rouge, Brun, Orange, Olive et Rose. Un tome peut occuper l'année entière. Les enfants choisissent à tour de rôle leur conte préféré. « Le Loup blanc », « La Reine des îles fleuries », « Le garçon qui finit par trouver la peur », « Ce qui arrive quand on cueille les fleurs », « Le Renard boiteux », « Le Musicien ambulant ».

Lue à haute voix, une histoire des *Fairy Books* ne dure même pas une demi-heure. Chacune débute par « Il était une fois… ». Certaines se passent dans une chaumière à l'orée d'un bois, qui évoque les forêts de pins et de bouleaux proches de Kövesces. On y rencontre parfois le loup blanc, pareil à celui que le garde-chasse a abattu près de la maison, et qu'il a montré aux enfants et à leurs cousins dans la cour des écuries, un matin du début d'automne. Il leur rappelle aussi cette tête de loup en bronze sur la porte du palais Schey, dont on frotte le museau à chaque passage.

Gisela et Elisabeth, 1906

Ces histoires regorgent de personnages extravagants, tel ce charmeur d'oiseaux qui porte une nuée de bouvreuils sur ses bras et sur son chapeau, un peu comme le bonhomme qui se tient devant les grilles du Volksgarten, au milieu d'un cercle d'enfants. On y croise aussi des colporteurs qui ressemblent au *Schnorrer* en manteau noir campé devant le portail du Franzenring, avec sa hotte garnie de boutons, de crayons et de cartes postales. Leur père leur a demandé d'être polis avec lui.

De nombreux contes mettent en scène la princesse qui se pare pour le bal, avec sa tiare et sa robe longue. Comme maman. Et il y a souvent une salle de bal magique dans ces histoires, semblable à celle du rez-de-chaussée, que l'on illumine de bougies pour les fêtes de Noël. Tous les contes se terminent par le mot « Fin » et par un baiser maternel, et il faut patienter toute une semaine avant d'avoir à nouveau de la lecture. Selon Iggie, leur mère était une conteuse merveilleuse.

En dehors des dimanches, les enfants voient leur mère dans sa garde-robe, pendant qu'elle s'apprête pour une sortie en soirée.

Emmy quitte sa tenue de la journée, qu'elle a portée pour recevoir ou aller en visite, et se vêt, selon les soirs, pour un dîner à la maison, l'opéra, une réception ou un bal. Devant les robes étalées sur le lit de repos, elle se livre avec l'experte Anna à des débats sans fin sur celle qui convient le mieux. Quand mon grand-oncle Iggie dépeignait son enthousiasme, une flamme s'allumait dans son regard. Si Viktor, à un bout du couloir, a son Tacite, son Ovide et sa *Léda*, Emmy à l'autre bout peut décrire les robes portées par sa mère saison après saison, expliquer comment les longueurs changent au fil des ans, comment le poids d'une étoffe et le tombé d'une jupe modifient la démarche ; elle expose les différences entre le tulle, la gaze et la mousseline pour une écharpe de soirée. Connaissant la mode de Paris et le goût de Vienne, elle tâche d'associer les deux. Ses chapeaux sont particulièrement réussis : velours et immense ruban pour rencontrer l'empereur ; toque en fourrure à plume d'autruche pour accompagner une robe droite gansée de fourrure noire ; le plus beau couvre-chef de tout le groupe de dames juives lors d'une manifestation de charité dans quelque petite salle de bal : beaucoup d'ampleur, et un hortensia piqué sur le bord. De Kövesces, Emmy envoie à sa mère une carte postale d'elle-même où elle porte un chapeau sombre, à la Makart. « Tascha a tué un daim aujourd'hui. Comment va ton rhume ? Que dis-tu de mes derniers clichés ? »

Quand Emmy s'habille, Anna est toujours là pour brosser ses cheveux, fixer les innombrables agrafes et lui apporter différents châles, gants et chapeaux. Emmy choisit des bijoux avant de se camper devant le grand miroir à trois faces.

C'est le moment où les enfants sont autorisés à jouer avec les netsukes. La clé tourne dans la serrure du cabinet en laque noire, la porte s'ouvre.

19.

Personnages de la Vieille Ville

Dans la garde-robe, les enfants choisissent leur statuette favorite et s'amusent sur le tapis jaune pâle. Gisela a une préférence pour la danseuse japonaise au pas suspendu, qui tient son éventail contre sa robe de brocart. Iggie, lui, adore le loup aux flancs discrètement tachetés, nœud de muscles compact et sombre, aux yeux brillants et aux crocs dénudés. Il aime pareillement le fagot de bois attaché par une corde, et le mendiant assoupi au-dessus de sa sébile, laissant voir son crâne chauve. Il y a aussi un poisson séché, tout en écailles et les yeux étrécis, qu'un rat aux yeux de jais s'est approprié ; et le vieux fou aux os saillants et aux yeux globuleux, qui grignote un poisson en tenant une pieuvre dans l'autre main. Elisabeth, qui a toujours des idées bien à elle, préfère les masques, ces évocations abstraites de visages.

On peut mettre en scène les figurines de bois et d'ivoire, les quatorze rats placés en file indienne, et puis les trois tigres, les mendiants là-bas, et les enfants, les masques, les coquillages et les fruits.

On peut les classer par teinte, en allant de la nèfle brun foncé au cerf d'ivoire brillant, ou bien par taille. Le plus petit est le rat aux yeux noirs qui se mord la queue, à peine plus grand que le timbre magenta édité en l'honneur des soixante ans de règne de l'empereur.

À moins qu'on n'ait envie de les mélanger tous, pour empêcher sa sœur de retrouver la jeune fille vêtue de brocart. Ou de faire encercler par les tigres la chienne et ses chiots, qui parviennent toujours à s'échapper. On tombe parfois sur la baigneuse au tub en bois, ou sur une sculpture encore plus étonnante, une coquille de moule qui cache un homme et une femme dévêtus. On peut enfin effrayer son frère avec le garçon prisonnier d'une cloche où le retient la sorcière-serpent, dont la longue chevelure noire s'enroule comme un écheveau.

Les figurines inspirent aux enfants des histoires qu'ils racontent à leur mère, et en retour elle choisit une statuette et improvise un conte. L'enfant et le masque, par exemple. Elle est une excellente conteuse.

Les netsukes sont trop nombreux pour être décomptés, on n'est même jamais sûr de les avoir tous vus. Et c'est là tout le charme de ces jouets dans leur vitrine tapissée de miroirs, qui se démultiplient à l'infini. Ils forment un monde complet, un espace autonome où jouer, jusqu'à ce qu'arrive l'heure de les remettre à leur place. L'heure où maman, quasiment prête, choisit son éventail et son châle avant de donner un baiser à chacun. Il faut maintenant ranger les netsukes.

Les statuettes réintègrent leur vitrine, gardées par le samouraï au premier plan, son sabre à demi dégainé, et la clé tourne dans la serrure. Anna rajuste l'étole en fourrure d'Emmy et vérifie dix fois que ses manches tombent bien. La nurse vient chercher les enfants pour les reconduire dans la nursery.

Alors que dans cette pièce de Vienne les netsukes font office de jouets, ils sont considérés ailleurs avec beaucoup plus de sérieux, attirant les collectionneurs de toute l'Europe. Les collections des pionniers sont vendues à Drouot pour des sommes non négligeables. Le marchand d'art Siegfried Bing, dont la galerie Maison de l'Art nouveau s'est imposée à Paris, place les netsukes entre des mains choisies. Expert en la matière, il a rédigé les préfaces des catalogues de vente des collections de feu Philippe Burty (140 netsukes), feu Edmond de Goncourt (140) et feu M. Garie (200).

En 1905 paraît à Leipzig la première étude allemande sur les netsukes, assortie d'illustrations et de conseils sur leur entretien et leur exposition. La meilleure politique est de ne pas les exposer du tout, et de les garder sous clé pour ne les sortir qu'occasionnellement. Mais dans ce cas, souligne plaintivement l'auteur, il convient d'avoir des amis capables de partager vos goûts, et de consacrer quelques heures à l'art. Cela est impossible en Europe. Si vous devez vraiment laisser les netsukes en vue, le mieux est de les présenter dans une vitrine peu profonde, sur deux rangées, avec en arrière-fond un miroir ou de la peluche verte. Sans qu'on l'ait voulu, le cabinet de la garde-robe d'Emmy respecte bon nombre des consignes édictées par Herr Albert Brockhaus dans son ouvrage monumental et magistral :

> Il est recommandé de les protéger de la poussière par des vitrines fermées. La poussière s'insinue dans

les orifices, donne un aspect grossier aux reliefs, ternit l'éclat et enlève aux statuettes une partie de leur charme. Si les netsukes sont placés sur un dessus de cheminée avec d'autres bibelots et objets décoratifs, un domestique négligent risque de les casser ou de les renverser, à moins qu'ils ne disparaissent vers une destination inconnue dans les plis de la robe d'une visiteuse. Un soir, un de mes netsukes fit un semblable voyage à l'insu de la dame qui le transportait, et qui vint me le rapporter dès qu'elle le découvrit.

Les netsukes ne pouvaient trouver d'abri plus sûr. Dans le palais d'Emmy, les servantes peu soigneuses ne restent pas longtemps. Elle rabroue la fille qui répand du lait sur un plateau. Un Arlequin brisé dans le salon provoque un renvoi immédiat. Dans sa garde-robe, une domestique de la maison est chargée d'épousseter les meubles, mais seule Anna est autorisée à ouvrir la vitrine pour les enfants, avant de préparer les tenues de sa maîtresse.

Les netsukes ont cessé de faire partie d'une vie de salon, de susciter des joutes entre esprits affûtés. Désormais, personne ne fera de commentaires sur la qualité de la sculpture ou la nuance de la patine. Ils ont perdu leur lien avec le Japon, leur *japonisme**, et se sont soustraits à la critique pour devenir d'authentiques jouets, des bibelots. Dans la main d'un enfant, ils ne sont pas si petits que cela. Dans la garde-robe, ils s'intègrent à la vie intime d'Emmy. C'est le lieu où elle se déshabille avec le concours d'Anna, où elle se pare pour son prochain rendez-vous avec Viktor, avec un ami ou un amant. Un lieu protégé.

À force de côtoyer les netsukes et de voir ses enfants s'en amuser, Emmy est de plus en plus convaincue que ce sont des objets trop personnels pour être exposés. Sa plus proche amie, Marianne Gutmann, possède onze netsukes, mais ils restent dans sa maison de campagne. Elles en ont ri ensemble. Mais comment justifier un tel nombre de ces singulières et fascinantes statuettes devant les dames du Consistoire israélite de Vienne, avec leur petit ruban noir à la robe, qui se réunissent pour assurer un métier décent aux filles des shtetls de Galicie ? C'est tout simplement impossible.

Le mois d'avril est de retour, et je suis de nouveau au palais. Par la fenêtre de la garde-robe d'Emmy, à travers les branches nues des tilleuls, je contemple la Währinger Strasse, par-delà la Votivkirche. À cinq rues de là se trouve la demeure du docteur Freud, au 19 Berggasse, où il a rédigé des notes sur la grand-tante d'Emmy, Anna von Lieben, plus connue comme « le cas Cacilie M. ». Une femme souffrant d'une « psychose hystérique du déni », de graves douleurs faciales et de pertes de mémoire, et qu'on lui a confiée « parce qu'on ne savait plus que faire pour elle ». Freud la soigna pendant cinq ans, et elle parla si abondamment qu'il dut la convaincre de se mettre à écrire. Elle fut sa *Lehrmeisterin*, son professeur dans l'étude de l'hystérie.

Le bureau où travaillait Freud était plein de vitrines d'antiquités. En bois de rose, en acajou, de style Biedermeier, pourvues d'étagères en bois ou en verre, garnies de miroirs étrusques, de scarabées égyptiens, d'effigies de momies et de masques mortuaires romains, tous enveloppés par la fumée des cigares. Je prends conscience alors de ma vaine obsession pour quelque chose dont je suis en train de faire mon sujet de prédilection : les vitrines *fin de siècle**. Freud a posé sur son bureau un *shishi*, un netsuke en forme de lion.

J'ai quelques faiblesses dans l'organisation de mon emploi du temps. Je viens de passer une semaine à lire Adolf Loos, qui conçoit le style japonais comme « l'abandon de la symétrie » et du volume dans la figuration des objets et des personnages. « Les fleurs sont représentées, mais elles ressemblent à des fleurs séchées. » Je découvre qu'il a participé à la conception de l'exposition sécessionniste de 1900, qui comprenait une immense collection d'objets d'art japonais. J'ai l'impression qu'à Vienne, on ne peut guère échapper au Japon.

J'ai décidé ensuite qu'il me fallait étudier de près les écrits du polémiste Karl Kraus. Chez un marchand de livres anciens, je me suis procuré un exemplaire de *Die Fackel*, afin d'examiner la couleur bien particulière de sa couverture. Elle est rouge, un ton bien choisi pour un magazine férocement satirique qui porte le nom de « Flambeau ». Malheureusement, le rouge a dû se faner en quatre-vingt-dix ans.

Je persiste à espérer que les netsukes seront la clé qui m'ouvrira dans son entier la vie intellectuelle de Vienne. Je crains de devenir une espèce de Casaubon, qui passera sa vie à écrire des listes et des notes. Je sais que l'intelligentsia viennoise avait le goût des objets surprenants, et qu'on prenait grand plaisir à observer attentivement quelque chose. Au moment où les enfants d'Emmy ouvrent chaque soir la vitrine, Loos s'abîme dans la forme d'une salière, Kraus se concentre sur une annonce parue dans la presse ou sur une formule d'un éditorial du *Neue Zeitung*, et Freud analyse un lapsus. Cependant, il ne faut pas oublier qu'Emmy ne lisait pas Loos, et qu'elle était une des rares à ne pas aimer Klimt (« un ours avec des manières d'ours ») et Mahler (« quel raffut »), et qu'elle ne faisait jamais d'achats au Wiener Werkstätte (« de la camelote »). « Elle ne nous emmenait jamais à une exposition », se souvient ma grand-mère dans ses mémoires.

Je sais avec certitude que vers 1910, les petites choses, les fragments, sont très à la mode, et Emmy est profondément viennoise. Que pense-t-elle des netsukes ? Ce n'est pas elle qui a rassemblé la collection, et elle ne compte pas l'enrichir. Il y a beaucoup d'autres objets, évidemment, que l'on peut toucher et déplacer dans l'univers d'Emmy. Les bibelots du salon, les tasses et les soucoupes en porcelaine de Meissen, quelques pièces d'argenterie et de malachite russes sur les manteaux de cheminée. Pour les Ephrussi, ce ne sont que des bagatelles, des figurants sans importance bien assortis aux putti qui volettent comme des perdrix dodues. Rien à voir avec Beatrice Ephrussi-Rothschild, qui commande des horloges Fabergé pour sa villa du Cap-Ferrat.

Emmy, toutefois, a un penchant pour la fiction, et les netsukes sont à leur manière de brèves histoires façonnées dans l'ivoire. Elle a trente ans, et il y a vingt ans à peine, sa propre mère lui lisait des contes de fées dans une nursery du Ring. Aujourd'hui, elle lit dans la *Neue Freie Presse* le feuilleton quotidien. Sur le haut de la page s'étalent les nouvelles, ce qui se passe à Budapest ou la dernière allocution du maire Karl Lueger, le *Herrgott von Wien,* le seigneur de Vienne. Le feuilleton occupe le bas de la page. On trouve chaque jour un essai véhément et bien tourné sur un sujet ou un autre : l'opéra et l'opérette, un bâtiment en démolition, ou une évocation pleine d'esprit des figures typiques de la vieille Vienne. Frau Sopherl, la marchande de fruits du Nachsmarkt, Herr Adabei le colporteur de ragots, figurants de la cité Potemkine. Jour après jour ces phrases subtilement tissées, suaves et narcissiques s'enroulent les unes aux autres, avec leurs épithètes sucrées comme des pâtisseries de chez Demel. Herzl, rédacteur du journal, observe que « le feuilletoniste tombe amoureux de son propre esprit et perd ainsi tout sens critique envers les autres et lui-même ». Parfaits, humoristiques et désinvoltes, ces regards sur Vienne « injectent à l'expérience – pour ainsi dire par voie intraveineuse – le poison des sensations… c'est là la matière du feuilletoniste. Il révèle à ses habitants l'étrangeté de la ville », disait Walter Benjamin. Il rend la ville à elle-même sous la forme d'une fiction parfaite et dramatisée.

Je replace les netsukes dans le contexte de cette Vienne-là. Bon nombre d'entre eux sont des feuilletons japonais. Ils figurent le type de personnages que les visiteurs du Japon ont dépeint avec tant d'émotion. Lafcadio Hearn, journaliste gréco-américain, les a décrits dans *Esquisses japonaises, En glanant dans les champs de Bouddha* ou *Au Japon spectral*, faisant de chaque vision, de chaque essai une évocation poétique. « On entend s'éveiller les cris matinaux des premiers marchands ambulants – Daikoyai ! kabuyakaku ! –, ils vendent des daikon et autres légumes exotiques. Moyaya-moya ! L'appel plaintif des femmes qui colportent du petit bois pour allumer les foyers au charbon. »

Dans la vitrine d'Emmy se trouve le tonnelier encadré par l'arc de son tonneau inachevé ; les lutteurs de rue en châtaignier sombre, au corps-à-corps et prêts à tomber ; le vieux moine ivre à la robe de travers ; la servante qui astique le sol ; le chasseur de rats avec son panier ouvert. Quand on les tient dans la main, on s'aperçoit que les netsukes sont des figures du vieil Edo, très semblables, dans le fond, aux personnages de la Vieille Ville arpentant chaque jour la scène qui leur est ménagée au bas des pages de la *Neue Freie Presse*.

Installés sur le velours vert des étagères du cabinet, ces feuilletons journaliers font exactement ce que Vienne aime faire : raconter des histoires sur soi-même.

Alors, la belle dame insoumise dans son absurde palais rose jette un regard sur la Schottengasse, et improvise pour ses enfants une histoire sur le vieux cocher d'un fiacre décati, la marchande de fleurs et l'étudiant. Les netsukes font désormais partie d'une enfance, du monde d'objets d'un groupe d'enfants. Dans cet univers, il y a des choses que l'on peut toucher et d'autres qui sont défendues, ou que l'on ne peut toucher que certains jours. Certaines choses appartiennent aux enfants pour toujours, d'autres seront transmises à un frère ou une sœur.

La pièce où le valet fourbit l'argenterie leur est interdite, tout comme la salle à manger les soirs de réception. Il ne faut pas toucher au verre de leur père sur son support d'argent – un héritage de leur grand-père –, dans lequel il boit du thé noir, *à la russe**. Beaucoup de choses dans le palais leur viennent de leur aïeul, mais celle-ci est spéciale. Quand les livres de leur père arrivent de Francfort, de Londres ou de

Paris, ficelés dans leur emballage brun, on les dépose sur la table de la bibliothèque. Il est défendu de toucher au coupe-papier posé à côté d'eux. En revanche, on réserve aux enfants les timbres des paquets pour qu'ils les ajoutent à leur album.

Dans cet univers, les enfants perçoivent certains sons qui ne pénètrent pas l'oreille d'un adulte. Figés comme des statues pendant la visite des grands-tantes, ils entendent le tic-tac paresseux de l'horloge vert et or du salon, ornée de sirènes. Ils entendent le frottement du sabot des chevaux dans la cour, annonce d'une sortie au parc. Et il y a aussi le crépitement de la pluie sur la verrière, qui signifie que l'on restera à l'intérieur.

Leur paysage quotidien se compose également de sensations olfactives. La fumée des cigares paternels dans la bibliothèque, le parfum de leur mère, le fumet des *schnitzels* dans les plats couverts qui passent devant la nursery. L'odeur des tapisseries rugueuses de la salle à manger, quand ils se glissent derrière pour se cacher. L'arôme du chocolat chaud au retour d'une partie de patinage. C'est quelquefois Emmy qui se charge de le préparer. Le chocolat est servi sur un plat en porcelaine, et les enfants ont le droit de le découper en petits morceaux de la taille d'une pièce de monnaie. Les éclats fondent ensuite dans une petite casserole en argent qu'Emmy tient au-dessus d'une flamme pourpre. Quand il a changé de couleur, on verse par-dessus du lait tiède et on ajoute du sucre.

Certaines choses sont vues avec une parfaite netteté, comme un objet placé sous une lentille, tandis que d'autres restent dans le flou. Les interminables couloirs, par exemple, l'éclat doré d'un des innombrables tableaux, la succession infinie des tables en marbre. Si l'on suit le couloir qui fait le tour de la cour, on ne dénombre pas moins de dix-huit portes.

Les netsukes ont quitté l'univers parisien de Gustave Moreau pour entrer dans le monde des contes de fées de Dulac, à Vienne. Ils créent leurs propres échos, indissociables des lectures du dimanche, des *Mille et Une Nuits*, des voyages de Sinbad le marin et des *Rubayat* d'Omar Khayyam. Ils sont enfermés dans une vitrine derrière la porte de la garde-robe d'Emmy, au bout du couloir, en haut de l'escalier de la cour, elle-même protégée par une double porte en chêne gardée par un portier, qui se trouve dans un château de féerie d'un palais sis dans une rue échappée des *Mille et Une Nuits*.

20.

Heil Wien ! Heil Berlin !

Le siècle a quatorze ans, le même âge qu'Elisabeth, une jeune fille sérieuse que l'on admet à la table des adultes. Les convives sont « des gens distingués, hauts fonctionnaires, professeurs et officiers haut gradés », qu'elle écoute parler politique, mais elle-même n'a le droit de s'exprimer que si on l'y invite. Chaque matin, elle accompagne son père à la banque. Dans sa chambre, elle se constitue une bibliothèque personnelle, marquant toute nouvelle acquisition d'un double E et d'un numéro au crayon.

Gisela, pour sa part, est une jolie fillette de dix ans qui a du goût pour la toilette. À neuf ans, Iggie souffre de son léger embonpoint. Il n'a aucune disposition pour les mathématiques, mais il se passionne réellement pour le dessin.

L'été arrive, et les enfants se rendent à Kövesces avec Emmy. Elle s'est fait faire un nouveau costume d'équitation, noir avec une blouse à plis plats, pour monter sa jument baie favorite, Contra.

Le dimanche 28 juin 1914, l'archiduc François-Ferdinand, héritier de l'empire des Habsbourg, est assassiné à Sarajevo par un jeune nationaliste serbe. Le jeudi, la *Neue Freie Presse* déclare que « l'on exagère beaucoup les retombées politiques de cet événement ».

Le samedi suivant, Elisabeth envoie une carte postale à Vienne.

> 4 juillet 1914
>
> Bien cher papa,
>
> Merci infiniment d'avoir pris des dispositions avec les professeurs pour la rentrée. Ce matin, il faisait si beau que nous avons pu nager dans le lac, mais le temps se met au frais et la pluie menace. Je suis allée à Pistzan avec Gerty, Eva et Witold, mais cela ne m'a pas beaucoup plu. Toni a eu neuf chiots, l'un d'eux n'a pas survécu et nous devons les nourrir au biberon. Gisela est très contente de ses vêtements neufs. Mille baisers.
>
> Ton Elisabeth

Le dimanche 5 juillet, le Kaiser s'engage à soutenir l'Autriche contre la Serbie, et Iggie et Gisela envoient une carte postale qui représente la rivière à Kövesces. « Très cher papa, mes robes me vont à merveille. Il fait si chaud que nous nous baignons tous les jours. Tout le monde va bien. Avec l'affection et les baisers d'Iggie et Gisela. »

La journée du lundi 6 juillet est trop fraîche pour la baignade. « Aujourd'hui j'ai peint une fleur. Un million de baisers, et tout l'amour de Gisela. »

Le samedi 18 juillet, Emmy et les enfants rentrent à Vienne. Le lundi 20, l'ambassadeur britannique, sir Maurice de Bunsen, informe Whitehall que l'ambassadeur de Russie à Vienne est parti pour un congé de deux semaines. Le même jour, les Ephrussi se mettent en route pour la Suisse – pour leur « long mois » de vacances.

Le drapeau impérial de Russie flotte toujours au-dessus du hangar à bateaux. Viktor, craignant que son fils ne doive plus tard faire son service militaire en Russie, avait sollicité du tsar un changement de nationalité. Cette année-là, Viktor est devenu sujet de Sa Majesté François-Joseph, alors âgé de quatre-vingt-quatre ans, empereur d'Autriche, roi de Hongrie et de Bohême, roi de Lombardie-Vénétie, de Dalmatie, de Croatie, de Slavonie, d'Illyrie, de Galicie et de Lodomérie, grand-duc de Toscane, roi de Jérusalem et duc d'Auschwitz.

Baignade dans le lac de Kövesces

Le 28 juillet, l'Autriche déclare la guerre à la Serbie. Le lendemain, l'empereur prononce un discours : « Je mets toute ma foi dans mes peuples, qui se sont toujours rassemblés autour de mon trône, dans l'unité

245

et la loyauté, pour traverser toutes les tempêtes, et qui ont toujours consenti les plus lourds sacrifices au nom de l'honneur, de la majesté et de la puissance de la patrie. » Le 1er août, l'Allemagne déclare la guerre à la Russie, puis à la France le 3 août, avant d'envahir la Belgique, pays neutre. C'est alors tout le paquet de cartes qui s'écroule. En respect des alliances conclues, la Grande-Bretagne entre en guerre contre l'Allemagne. Le 6 août, l'Autriche déclare la guerre à la Russie.

Des ordres de mobilisation partent de Vienne, rédigés dans les vingt langues de l'empire. Les trains sont réquisitionnés. Les jeunes valets français de Jules et de Fanny, si bons rameurs et si soigneux des porcelaines, sont appelés sous les drapeaux. Les Ephrussi se retrouvent bloqués au mauvais endroit.

Emmy se rend à Zurich afin d'obtenir le concours du consul général d'Autriche, Theophil von Jäger – un de ses amants –, pour rapatrier sa famille à Vienne. De nombreux télégrammes sont échangés. Il faut faire le tri des nurses, des bonnes et des bagages. Les trains sont bondés, les malles trop nombreuses, et voilà que l'implacable chemin de fer impérial, aussi régulier d'ordinaire qu'un rituel de cour espagnol, aussi ponctuel que le passage du Régiment viennois sous les fenêtres de la nursery, ne sert brusquement plus à rien.

La situation ne manque pas de cruauté. Les cousins français, autrichiens et allemands, les citoyens russes, les tantes britanniques – toute cette consanguinité redoutée, cette mentalité nomade soi-disant dénuée de patriotisme – se trouvent contraints de prendre parti. À quel point une famille peut-elle se diviser ? Oncle Pips est mobilisé, superbe dans son uniforme à col d'astrakan, et devra se battre contre ses cousins français et anglais.

Vienne manifeste un fervent soutien à la guerre, supposée purifier le pays de son apathie et de sa stupeur. L'ambassadeur de Grande-Bretagne note que « l'ensemble de la population et de la presse réclament impatiemment un châtiment immédiat et approprié de la race serbe honnie ». Les écrivains mêlent leur voix à l'enthousiasme général. Thomas Mann publie un essai, *Gedanken im Kriege,* « Pensées sur la guerre » ; le poète Rainer Maria Rilke célèbre la résurrection des dieux de la Guerre dans *Fünf Gesänge*, tandis que Hofmannsthal fait paraître dans la *Neue Freie Presse* un poème aux accents patriotiques.

Schnitzler, en revanche, exprime son désaccord. Le 5 août, il écrit simplement : « Guerre mondiale. Ruine mondiale. » Karl Kraus, lui, souhaite à l'empereur une « agréable fin du monde ».

Vienne est *en fête**. Par groupes de deux ou trois, les jeunes gens se rendent aux bureaux de recrutement, un petit bouquet fixé à leur chapeau. La communauté juive est d'humeur optimiste. Les juifs, affirme Josef Samuel Bloch, « sont non seulement les plus fidèles champions de l'empire, mais aussi les seuls Autrichiens inconditionnels ». Le bulletin pour juillet-août de l'Union autrichienne-israélite assure pour sa part : « En cette périlleuse circonstance, nous nous considérons comme des citoyens de l'État à part entière [...]. Par le sang de nos fils et par nos possessions, nous tenons à remercier le Kaiser qui nous a donné la liberté. Nous désirons prouver à l'État que nous sommes de bons citoyens, au même titre que les autres [...]. Après la guerre et ses horreurs, il ne pourra plus y avoir de troubles antisémites [...] nous serons en mesure de revendiquer une véritable égalité. » Ainsi, on compte sur l'Allemagne pour libérer les juifs.

Viktor ne partage pas cette opinion et y voit plutôt une catastrophe suicidaire. Il fait poser des housses sur les meubles du palais, donne congé aux domestiques et envoie la famille chez son ami Gustav Springer, près du château de Schönbrunn, et ensuite chez des cousins à la montagne, près de Bad Ischl. Lui-même s'installe à l'hôtel Sacher, pour attendre la fin de la guerre avec ses livres d'histoire. Il a une banque à diriger, ce qui devient très délicat lorsqu'on est en guerre avec la France (Ephrussi et Cⁱᵉ, rue de l'Arcade, Paris 8ᵉ) et avec l'Angleterre (Ephrussi and Co., King Street, Londres), et aussi la Russie (Efrussi, Petrograd).

« Cet Empire a assez vécu », déclare le comte dans *La Marche de Radetzky*, de Joseph Roth :

> Dès que l'empereur aura tiré sa révérence, nous nous disloquerons en mille morceaux. Les Balkans nous surpasseront en puissance. Tous les peuples fonderont leur sordide micro-État, et même les juifs introniseront un roi en Palestine. Vienne empeste la sueur des démocrates, la Ringstrasse m'est devenue insupportable [...] Au Burgtheater, on ne monte que des insanités juives, et on anoblit un fabricant de toilettes hongrois chaque semaine. Je vous préviens, messieurs, à moins que nous ne tirions les premiers, tout est perdu. De notre vivant, je vous le dis.

Cet automne-là, les proclamations ne manquent pas à Vienne. Maintenant que les hostilités ont vraiment commencé, l'empereur s'adresse aux enfants de l'empire. La presse publie « une lettre de Sa Majesté François-Joseph Ier qui nous aime tous, destinée aux enfants de l'empire en ce temps de guerre mondiale » : « Vous, les enfants, êtes le joyau de tous mes peuples, la bénédiction mille fois conférée à leur avenir. »

Au bout de six semaines, Viktor, comprenant que le conflit va durer, quitte l'hôtel Sacher. Emmy et les enfants finissent par rentrer de Bad Ischl. On retire les housses des meubles. Sous les fenêtres de la nursery, l'agitation est incessante. Les manifestations étudiantes font tant de vacarme – Musil souligne « la laideur des chansons dans les cafés » – et les fanfares militaires sont si bruyantes qu'Emmy envisage d'installer les enfants dans une partie plus tranquille de la maison. Elle y renonce, cependant. Selon elle, la demeure n'est pas conçue pour la vie de famille, « nous sommes tous exposés dans un présentoir en verre, autant vivre carrément dans la rue. Et votre père s'en moque ».

Au fil des semaines, les slogans étudiants évoluent. Ils commencent par « *Serbien muss sterben* », « Mort à la Serbie ! », puis c'est au tour des Russes (« Une balle, un Russe ! ») et des Français. Leur véhémence s'accroît avec le temps. Emmy s'inquiète de la guerre, naturellement, mais elle redoute aussi l'influence de tout ce tumulte sur les enfants. Désormais, ils prennent leurs repas dans le salon de musique, qui donne sur le calme relatif de la Schottengasse.

Iggie est élève au Schottengymnasium, une excellente école de bénédictins, juste au coin de la rue. D'après lui, il s'agit d'une des deux meilleures de

Vienne, comme en témoigne la liste des poètes qui l'ont fréquentée, inscrite sur une plaque à l'entrée. Bien que les professeurs soient des religieux, bon nombre des écoliers sont juifs. L'enseignement fait la part belle aux classiques, sans négliger toutefois les mathématiques, l'algèbre, le calcul différentiel, l'histoire et la géographie. Les cours de langues sont aussi au programme, même s'ils sont tout à fait superflus pour des enfants qui passent naturellement de l'anglais au français avec leur mère, et parlent allemand avec leur père. Ils ne connaissent que quelques rudiments de russe et ignorent tout du yiddish. En dehors de la maison, on leur a recommandé de parler uniquement allemand. À Vienne, toutes les boutiques dont l'enseigne a une consonance étrangère sont barbouillées de peinture par des hommes perchés sur des échelles.

Les filles ne fréquentent pas le Schottengymnasium. Gisela est instruite par sa gouvernante dans la salle d'étude, à côté de la garde-robe d'Emmy. Elisabeth, de son côté, a négocié avec Viktor pour avoir son précepteur personnel, au grand dam de sa mère. Cet arrangement déplacé et compliqué l'a tellement irritée qu'Iggie l'entend crier dans le salon et briser un objet – peut-être une porcelaine. Elisabeth respecte scrupuleusement les programmes en vigueur au lycée de garçons et on l'autorise à se rendre l'après-midi au laboratoire de l'école, où elle bénéficie d'une leçon particulière. Elle sait que pour étudier à l'université, il lui faut d'abord obtenir le diplôme délivré par l'établissement. Depuis l'âge de dix ans, Elisabeth est convaincue qu'elle doit échapper à la salle d'étude au tapis jaune et traverser le Franzenring pour accéder à une autre salle, l'amphithéâtre de l'université. Seulement deux cents mètres l'en séparent, mais pour une jeune fille ils valent mille kilomètres. Cette année-là, on ne compte que cent vingt filles parmi les neuf mille étudiants inscrits. De la chambre d'Elisabeth on ne voit pas l'intérieur de l'amphithéâtre – j'ai vérifié moi-même –, mais on en distingue la fenêtre, et l'on peut imaginer les bancs en gradins et le professeur incliné sur son pupitre. Il s'adresse à vous, et votre main, comme dans un rêve, se déplace sur le cahier où vous prenez le cours en note.

C'est sans enthousiasme qu'Iggie suit sa scolarité au Schottengymnasium. En courant, on y est en trois minutes, bien que je n'aie pas essayé avec un cartable. J'ai vu la photo de groupe de 1914, la classe de troisième : trente garçons vêtus de costumes marins ou de complets gris avec cravate, penchés sur leur pupitre. Par les deux fenêtres ouvertes, on voit la cour centrale entourée par le bâtiment de cinq étages. Un imbécile fait des grimaces. Au fond, se tient l'implacable professeur dans sa tenue monastique. Tous les élèves ont signé au dos de la photo, les Georg, Fritz, Otto, Max, Oskar et Ernst. Iggie a inscrit une élégante signature en lettres anglaises : Ignace v. Ephrussi.

Sur le mur du fond, le tableau est couvert de démonstrations de géométrie. Ce jour-là, ils ont appris à calculer la surface d'un cône. Tous les soirs, Iggie rapporte des devoirs à la maison. Il les a en horreur. Faible en calcul et en algèbre, il déteste les mathématiques. Soixante-dix ans plus tard, il était encore capable de me nommer chacun des frères, ainsi que les connaissances qu'ils avaient vainement cherché à lui inculquer.

Il ramène aussi des chansons :
« Salut Vienne ! Salut Berlin !
Dans quatorze jours nous serons à Pétersbourg ! »
Et celle-là n'est pas la plus grossière. Elles contrarient beaucoup Viktor, né en Russie et très attaché à Saint-Pétersbourg, bien qu'il ait adopté la nationalité autrichienne et adore la ville de Vienne.

Pour Iggie, la guerre signifie seulement jouer au soldat. Leur cousine Piz (Marie-Louise von Motesiczky) se révèle être un soldat remarquable. Il y a dans un coin du palais un escalier de service dissimulé derrière une porte dérobée. Les cent trente-six marches de l'escalier en hélice mènent jusqu'au toit, et si l'on tire la porte, on se retrouve soudain au-dessus des caryatides et des feuilles d'acanthe, et l'on domine toute la ville de Vienne. D'un regard circulaire, on peut embrasser l'université, puis la Votivkirche, Saint-Étienne, et les dômes et les tours de l'Opéra, du Burgtheater et du Rathaus. On se met mutuellement au défi de ramper jusqu'au garde-corps et de regarder dans la cour par la verrière. On peut aussi viser les bourgeois et leurs dames qui se hâtent, minuscules, sur le Franzenring et la Schottengasse. On utilise pour cela des noyaux de cerise que l'on souffle à travers un cylindre de papier rigide. Les larges auvents de toile du café, juste au-dessous, font toujours une cible de choix. Il faut se camoufler lorsque les serveurs aux tabliers noirs lèvent la tête en protestant.

De là, on peut accéder au toit du palais Lieben voisin, où habitent d'autres cousins.

D'autres fois, on joue aux espions et l'on s'enfonce dans les caves voûtées, où s'ouvre un tunnel qui traverse Vienne jusqu'à Schönbrunn ou jusqu'au Parlement. À moins qu'il ne débouche sur un de ces passages secrets dont vous avez entendu parler, un réseau dans lequel on peut pénétrer depuis les kiosques du Ring. C'est là que sont censés vivre les *Kanalstrotter*, furtif peuple de l'ombre qui subsiste grâce aux piécettes qui tombent par les grilles du trottoir.

En temps de guerre, la maisonnée s'acquitte de sa part de sacrifices. En 1915, oncle Pips est officier de liaison pour l'empire auprès du haut commandement berlinois, où il contribue à procurer à Rilke un poste administratif qui le dispense d'aller au front. Papa, âgé de cinquante-quatre ans, est exempté. Mis à part le majordome Josef, trop âgé pour se battre, tous les domestiques de sexe masculin ont disparu. On a conservé un petit groupe de servantes, ainsi que la cuisinière et Anna qui, depuis quinze ans au service de la famille, possède le don d'anticiper les besoins de chacun et de calmer les esprits. Elle est au courant de tout. On ne peut rien cacher à celle qui doit vous aider à changer de robe au retour d'un déjeuner en ville.

La maison est beaucoup plus calme qu'autrefois. Le dimanche, à déjeuner, Viktor avait coutume d'inviter les amis de ses domestiques qui se trouvaient entre deux emplois à partager rôtis et viande bouillie. Cela n'est plus à l'ordre du jour : les effectifs de la domesticité se sont considérablement réduits. Plus de valets d'écuries ni de cochers, plus de chevaux pour les voitures. Si l'on désire se rendre au Prater, il faut prendre un fiacre à la station de la Schottengasse, ou voyager en tram. On ne donne plus de fêtes. Plus précisément, elles sont bien moins nombreuses que par le passé, et d'un genre différent. On ne saurait être vu en tenue de bal, mais on peut encore se permettre d'aller à l'Opéra ou à un dîner. Elisabeth écrit dans ses mémoires que sa mère « ne recevait plus que pour le thé, et pour jouer au bridge ». Demel vend toujours des gâteaux, mais il serait malvenu d'en présenter un trop vaste choix à ses invités.

Afin de préserver un certain standing, Emmy persiste à s'habiller tous les soirs. Même si Herr Schuster a dû renoncer à son séjour annuel à Paris pour acheter les robes de la baronne, Anna connaît suffisamment sa maîtresse pour s'occuper efficacement de sa garde-robe et transformer ses anciennes toilettes en étudiant de près les revues de mode. Sur une photo du printemps 1915, Emmy porte une longue robe noire, une espèce de tambourin noir en peau d'ours – un colback – relevé d'une aigrette, et un long sautoir en perles qui descend jusqu'à la taille. Sans la date inscrite au dos du cliché, on ne devinerait jamais que Vienne est en guerre. Je me demande si sa tenue date de la saison précédente. Comment le savoir ?

Comme d'habitude, Gisela et Iggie rejoignent leur mère chaque soir pour bavarder avec elle dans sa garde-robe. À présent, on les laisse ouvrir eux-mêmes la vitrine. Âgés de dix et huit ans, les enfants trouveraient puéril de jouer sur le tapis avec les statuettes, mais ils prennent toujours plaisir à attraper au fond du cabinet le fagot de bois ou les chiots – surtout si la journée a été pénible, et que frère Georg s'est montré sévère.

Les rues fourmillent de monde. Les juifs – cent mille réfugiés rien que pour la Galicie – ont subi de terribles expulsions de masse de la part de l'armée russe. Certains sont parqués dans des baraquements rudimentaires, qui ne conviennent pas du tout à l'hébergement des familles. Beaucoup d'entre eux se débrouillent pour rallier Leopoldstadt, où ils vivent dans des conditions épouvantables, nombre d'autres sont réduits à la mendicité. On ne voit plus de colporteurs charrier leur modeste stock de rubans et de cartes postales : ils n'ont plus rien à vendre. Le Consistoire israélite de Vienne met sur pied des structures d'entraide.

Les juifs les mieux assimilés voient d'un œil inquiet l'arrivée de ces nouveaux venus. Leurs façons leur semblent passablement vulgaires, et ni leur parler ni leur mise ne sont conformes à la *Bildung* des Viennois. On se demande anxieusement si leur présence ne sera pas un frein à l'assimilation. Joseph Roth écrit à leur sujet : « Il est extrêmement difficile d'être un juif de l'Est ; je ne connais pas de sort plus pénible que celui d'un juif de l'Est récemment arrivé à Vienne. Personne ne veut les aider. Leurs cousins et leurs coreligionnaires, confortablement installés derrière un bureau du centre-ville, se sont déjà intégrés. Ils n'ont pas la moindre envie d'être associés aux juifs de l'Est, et encore moins confondus avec eux. » On constate là l'inquiétude que les nouveaux venus suscitent parmi les immigrés relativement récents, qui se sentent encore en transit.

Les rues ont changé. Le Ring est fait pour flâner, boire tranquillement un café à la terrasse du Café Landtmann, saluer des amis sur le Corso, obtenir les rendez-vous espérés. C'est un flot de passants toujours renouvelé.

Mais Vienne semble désormais obéir à deux rythmes distincts. Celui des soldats qui défilent, d'une part, les enfants courant à leurs côtés, et d'autre part l'immobilité absolue. Devant les magasins se forment des files d'attente pour acheter du ravitaillement et du tabac, ou pour quêter des nouvelles. Tout le monde parle de ce nouveau phénomène : *sich anstellen*, faire la queue. La police prend en note chaque nouvelle denrée manquante. À l'automne 1914, c'est le tour de la farine et du pain. Début 1915, il y a pénurie de lait et de pommes de terre, et l'huile vient à manquer à l'automne de la même année. Puis c'est le café en mars 1916, le sucre un mois plus tard et enfin les œufs. Il ne reste plus rien. La ville est épuisée.

Dans Vienne, la circulation des choses a elle aussi évolué. Il se dit que certaines personnes ont accumulé des réserves, que des gens riches ont chez eux des pièces bourrées à craquer de caisses de nourriture. D'après la rumeur, « les gens des cafés » sont des profiteurs. Avec les fermiers, ils sont les seuls à s'en sortir, car ils ont de quoi manger. De plus en plus, on se défait de ses biens pour se procurer des provisions. Les objets quittent les maisons et font office de monnaie. On raconte que des paysans se pavanent dans les queues-de-pie des bourgeois, et que leurs femmes ont des robes de soie. Les fermes se remplissent de pianos, de porcelaines, de bibelots et de tapis d'Orient. Le bruit court que les professeurs de piano quittent Vienne pour suivre leurs nouveaux élèves à la campagne.

Les parcs changent également, faute de personnel pour les entretenir. Dans le parc le plus proche du

Ring, l'employé qui arrosait les allées a disparu, et la poussière est plus envahissante que jamais.

Elisabeth va avoir seize ans. Quand Viktor commande des reliures pour les livres de sa bibliothèque, elle peut maintenant faire relier les siens en semi-maroquin, avec une couverture marbrée. C'est un rite de passage, une façon de signifier que la lecture est pour elle un acte important. En même temps, elle sépare ses propres ouvrages de ceux de son père tout en affirmant un point commun avec lui. Son oncle Pips, de retour de Berlin, lui confie la tâche de copier les lettres de son ami Max Reinhardt, directeur de théâtre.

Gisela a onze ans et apprend le dessin avec beaucoup de succès. Iggie, qui n'a que neuf ans, n'a pas le droit d'y participer. Il connaît par cœur les uniformes des régiments impériaux (« pantalons bleu clair de l'infanterie, les fez rouge sang qui coiffent les Bosniaques en bleu ciel »), et esquisse des croquis de leurs tuniques colorées dans ses petits carnets de cuir à ruban de soie pourpre. Emmy, oubliant les netsukes de la vitrine, l'appelle son conseiller en élégance.

En cachette, il commence à dessiner des modèles.

En février 1916, il rédige une histoire dans un cahier in-octavo dont la couverture beige est ornée d'un bateau.

Jack le pêcheur, par I.L.E.
Je dédie ce petit ouvrage à ma bien-aimée maman, avec tout mon amour.

Préface. Cette histoire comporte maintes imperfections, je n'en doute pas, mais je crois avoir réussi quelque chose : j'ai décrit clairement le caractère des personnages.

> Chap. 1 : La vie de Jack. Au cours de sa jeune
> existence, Jack n'avait pas toujours été pêcheur – pas
> avant la mort de son père…

Au mois de mars, le Consistoire israélite publie une lettre ouverte à l'intention des juifs de Vienne. « À tous nos concitoyens juifs ! Par respect pour leurs devoirs incontestables, nos pères, nos frères et nos fils offrent leur sang et leur vie en servant dans notre glorieuse armée. Mus par un semblable sens du devoir, ceux qui ne sont pas partis ont de bon cœur sacrifié leurs biens sur l'autel de notre chère patrie. Encore une fois, l'appel de l'État devrait toucher en chacun de nous la corde patriotique. » Les juifs de Vienne allouent 500 000 couronnes supplémentaires aux emprunts de guerre.

Des rumeurs circulent sans cesse. Kraus : « Qu'avez-vous à dire des rumeurs ? / Je suis inquiet. / La rumeur circule à Vienne que des rumeurs courent en Autriche. Elles passent de bouche en bouche, mais on ne peut rien savoir. »

En avril, un groupe de soldats en permission, survivants de la bataille d'Uscieczko, investissent la scène d'un théâtre viennois et reproduisent le déroulement du conflit. Kraus, contrarié de voir la réalité réduite à un spectacle, réplique par une diatribe sur la théâtralité de plus en plus marquée de la guerre. Le problème vient selon lui d'un mélange des sphères (« *die Sphären fliessen ineinander* »), d'une confusion générale. Dans la Vienne de la guerre, les limites sont devenues floues.

Dans de telles circonstances, les enfants ont l'occasion de voir beaucoup de choses, et leur balcon est la meilleure tribune qui soit.

Le 11 mai, Elisabeth assiste avec son cousin à une représentation des *Maîtres chanteurs* de Richard Wagner. « L'art allemand sacré » (« *Heilige deutsche Kunst* »), écrit-elle dans le petit carnet vert où elle note ses sorties au concert et au spectacle. Dans un élan de patriotisme, elle souligne le mot « allemand ».

Titel des dramatischen oder musikalischen Werkes	Autor oder Komponist	Wo aufgeführt	Wann gelesen oder gehört	Bemerkungen
Cabel Bernhard	L. Fischmann u. Kotter	Neue Wiener Bühne	21/I	1916	Mama, Papa
Nathan der Weise	Lessing	Volkstheater	24/I	1916	Herr, Frau, Madeleine und Georg von Kul
König Richard der Dritte	Shakespeare	Burg	1/II	1916	Daisy, Arthur, René, Leo
Der Verschwender	Raimund	Burg	16 II	1916	Irmgard u. Professor Vaiguer, Gisela, Adolf
Maria Stuart	Schiller	Burg	18/II	1916	Mama, Adolf, Madeleine u. Georg v. Kul
Vortrag Küllner	Wolf-Müller-Ritka	Mittl. Konzert Saal	20/II	1916	Alma (gewöhnlich Luse Ritka!)
Doktor Klaus	Adolf L'Arronge	Burg	13/II	1916	Mama, Papa
Vortrag		Gr. Konz. Saal	28 IV	1916	Dr. Vaiguer
Vortrag Küllner	Goethe-Schiller-Lessing	Gr. Mus. Vereins	2/I	1916	Gisela
Die Meistersinger	Wagner	Oper	3/V	1916	Herr, Frau, Madeleine u. Georg v. Kul
König Lear (Küllner)	Shakespeare	Burg	8/II	1916	Mama, Papa
Coppelia	Leon Delibes				

Carnet d'opéra et de théâtre d'Elisabeth, 1916

En juillet, Viktor emmène les enfants voir l'exposition sur la guerre au Prater, qui a pour but d'illustrer l'effort de guerre des Viennois. De quoi réconforter les esprits et lever des fonds. Rien n'amuse tant les enfants que le numéro des dobermans de l'armée en train d'exécuter leurs tâches. Dans plusieurs pavillons, ils peuvent admirer les pièces d'artillerie prises à l'ennemi. Il y a aussi une reconstitution réaliste d'un site de bataille en montagne, qui leur permet d'imaginer les combats à la frontière italienne. Des soldats mutilés donnent des concerts, les joueurs de tuba ont des jambes artificielles. Avant de partir, on peut faire un don de tabac aux soldats dans la salle prévue à cet effet.

On voit pour la première fois une reproduction fidèle de la vie dans les tranchées. Elle est annoncée, souligne amèrement Kraus, comme « une représentation d'un réalisme criant ».

Le 8 août, pendant un séjour à Kövesces, Elisabeth reçoit de sa grand-mère Evelina un livret vert sombre contenant des poèmes dont elle est l'auteur, publiés à Vienne en 1907. Elle a écrit à l'intérieur : « Les accents de ces vieilles chansons se sont éteints en moi. Mais puisqu'ils trouvent en toi une résonance, leur écho se réveillera pour moi. »

Viktor s'acquitte de son travail à la banque, tâche ingrate en temps de guerre, alors que la plupart des jeunes gens compétents sont partis au front. Il sait se montrer généreux et patriote dans son soutien financier. À plusieurs reprises, il achète quantité de titres d'emprunt de guerre au gouvernement. Négligeant les conseils de Gutmann et de ses amis du Wiener Club, il ne transfère pas ses biens en Suisse, comme eux l'ont fait. Ce serait là un manquement au patriotisme. Au dîner, il se passe la main sur son visage, du front au menton, en déclarant que chaque crise offre des opportunités à ceux qui savent les saisir.

Quand il rentre chez lui, il demeure de plus en plus longtemps dans son bureau. Il pense, après Victor Hugo, qu'une bibliothèque est « un acte de foi ». Cependant, il ne reçoit plus que de rares ouvrages. Plus rien de Saint-Pétersbourg, Paris, Londres et Florence. Il est déçu de la qualité d'un volume envoyé de Berlin par un nouveau fournisseur. Qui sait à quelles lectures il s'adonne, enfermé là avec ses cigares ? Il se fait parfois apporter le dîner sur un plateau. Ses relations avec Emmy sont tendues, et les enfants entendent fréquemment leur mère élever la voix.

Avant la guerre, la verrière avait droit chaque année à un nettoyage estival, à grand renfort d'échelles, de seaux et de serpillières. En l'absence de domestiques, elle n'a pas été lavée depuis deux ans, si bien qu'elle ne laisse filtrer qu'une lumière toujours plus terne.

Les frontières se brouillent. Pour un enfant, le patriotisme est un sentiment aussi entier que vague. Dans les rues comme en classe, on entend parler de « la jalousie des Britanniques, la soif de revanche des Français et la rapacité des Russes ». Au fil des mois, il reste de moins en moins d'endroits où aller, car le réseau social de la famille est en suspens. Des lettres s'échangent, mais on ne peut ni voyager ni voir les cousins de France et d'Angleterre.

Pour les longues vacances d'été, il est impossible de se rendre au chalet Ephrussi de Lucerne, et l'on séjourne donc à Kövesces. Ce qui assure tout au moins une alimentation satisfaisante. On y mange du lièvre rôti, des tourtes au gibier et des beignets aux prunes servis tout chauds, nappés de crème fouettée. Une partie de chasse est organisée en septembre, et les cousins qui s'apprêtent à repartir pour le front viennent massacrer les perdrix.

Le 21 octobre, le Premier ministre Karl von Stürgkh est assassiné sur Kärntner Strasse, dans un restaurant du Meissel & Schadn Hotel. Deux éléments retiennent l'attention : le premier, c'est que le coupable est le radical-socialiste Fritz Adler, fils du leader social-démocrate Viktor Adler. Le deuxième, c'est que le ministre avait pris pour déjeuner une soupe aux champignons, du bœuf bouilli avec une purée de navets, et du pudding. Il avait bu un spritzer. Un petit fait anecdotique passionne les enfants : c'est précisément dans ce restaurant qu'ils ont goûté au *Ischler Torte* un peu plus tôt cet été-là, un gâteau au chocolat fourré aux amandes et aux cerises.

Le 21 novembre 1916, on annonce le décès de François-Joseph.

Tous les journaux arborent une bordure de deuil. « Mort de notre empereur, le Kaiser François-Joseph » ; « L'empereur – mort ! » On voit beaucoup de gravures de lui, où il affiche son expression de méfiance caractéristique. La *Neue Freie Presse* a annulé son feuilleton. D'un point de vue graphique, c'est le *Wiener Zeitung* qui a fait le meilleur choix : un faire-part de décès sur une page blanche. Tous les hebdomadaires s'alignent sur lui, mis à part *Die Bombe*, qui publie l'image d'une jeune fille surprise dans son lit par un monsieur.

Âgé de quatre-vingt-six ans, François-Joseph avait accédé au trône en 1848. Par une journée hivernale, un immense cortège funèbre traverse Vienne. Les rues sont jalonnées de soldats. Le corbillard qui porte son cercueil est tiré par huit chevaux aux panaches noirs. De chaque côté défilent de vieux archiducs couverts de médailles et les représentants des gardes impériales. Derrière vient le nouvel empereur Charles avec sa femme Zita, dont le voile de deuil tombe jusqu'à terre ; entre eux marche leur fils Otto, quatre ans, dans un costume blanc à ceinture noire. La cérémonie des obsèques se tient à la cathédrale, en présence des rois de Bulgarie, de Bavière, de Saxe et de Wurtemberg, de cinquante archiducs et archiduchesses, et d'une quarantaine de princes et princesses. Le cortège se dirige ensuite vers l'église des Capucins sur Neue Markt, non loin du palais impérial, la Hofburg, afin de rejoindre la crypte impériale, *die Kaisergruft*. Sitôt accompli le rituel d'entrée dans l'église – les gardes frappent trois fois et sont deux fois éconduits –, François-Joseph est inhumé auprès de son épouse Élisabeth et de son fils aîné Rodolphe, qui a mis fin à ses jours bien des années auparavant.

On conduit les enfants au Meissel & Schadn Hotel, à l'angle de la Kärntner Strasse – là où ils avaient savouré ce fameux gâteau – pour qu'ils voient passer le cortège depuis une fenêtre du premier étage. Il fait un froid mordant.

Viktor se remémore le défilé de Makart avec ses larges chapeaux mous ornés de plumes, trente-sept ans auparavant. Et l'anoblissement de son propre père, qui remonte à quarante-six ans. Une génération a passé depuis que François-Joseph a fait percer le Ring et bâtir la Votivkirche, le Parlement, l'Opéra, l'Hôtel de Ville et le Burgtheater.

Les enfants, eux, repensent à toutes les processions auxquelles s'est joint l'empereur, aux multiples occasions où ils ont vu passer son équipage, à Vienne ou à Bad Ischl. Ils le revoient à cheval avec sa compagne, Mme Schratt, qui leur adressait un discret salut de sa main gantée. Ils se rappellent la blague encore de rigueur après une visite à la sévère grand-tante Anna von Hertenried, « la sorcière ». Quand on est enfin à l'abri de sa personne et de ses questions, on doit citer le premier la vieille formule de l'empereur : « *Es war sehr schön, es hat mich sehr gefreut* », « C'était très agréable, je me suis beaucoup amusé ».

Début décembre, une réunion d'importance a lieu dans la garde-robe. Pour la première fois, Elisabeth est autorisée à choisir toute seule un modèle pour une robe. Jusque-là, ce n'était pas à elle de décider. Ce moment était attendu avec impatience par Emmy, Iggie et Gisela, tous les trois amoureux de la toilette, et par Anna, chargée d'entretenir leurs vêtements. Un catalogue d'échantillons de tissus est ouvert sur la coiffeuse, et Elisabeth imagine une robe dont le corsage aurait un motif de toile d'araignée.

Iggie est absolument consterné. Soixante-dix ans plus tard, à Tokyo, il évoquera devant moi le lourd silence qui a salué la description d'Elisabeth. « Elle n'avait aucun goût, tout simplement. »

Le 17 janvier 1917, un nouveau décret annonce que la liste des profiteurs avérés sera publiée dans les journaux et placardée sur les panneaux d'affichage des différents quartiers. Il y a eu des pressions pour récupérer les réserves. Les noms ne manquent pas pour désigner les profiteurs, mais on note un glissement progressif : *thésaurisateur, usurier, juif de l'Est, Galicien, juif.*

En mars, l'empereur Charles instaure une nouvelle journée de congé scolaire, le 21 novembre, qui commémorera à la fois le décès de François-Joseph et sa propre accession au trône.

En avril, Emmy participe à une réception à Schönbrunn, en l'honneur d'une association de femmes qui aide les veuves des soldats tombés pour l'empire. Je ne sais pas exactement de quoi il retourne, mais il reste de cette rencontre une superbe photo d'une centaine de femmes élégantes dans la salle de bal impériale, un océan de chapeaux sous les moulures rococo et les glaces.

En mai, se tient une exposition rassemblant 180 000 soldats de plomb. L'atmosphère de l'été est *heldenhaft*, héroïque. Tout au long de l'année, on remarque dans les journaux des espaces vierges, à la place des informations et des commentaires supprimés par la censure.

Le couloir qui sépare la garde-robe d'Emmy et celle de Viktor semble s'allonger de jour en jour. Il arrive qu'Emmy ne se présente pas à la table du déjeuner de treize heures et qu'un domestique retire son couvert, tandis que tout le monde feint de n'avoir rien vu. Parfois, on doit l'enlever aussi pour le dîner de vingt heures.

Les soucis de ravitaillement se font de plus en plus aigus. Depuis deux ans, les gens font la queue pour obtenir du pain, du lait et des pommes de terre, mais à présent aussi pour les choux, les prunes et la bière. On encourage les ménagères à faire appel à leur imagination. Kraus décrit une efficace épouse teutonne : « Aujourd'hui nous avons été bien servis [...]. Il y avait toutes sortes de choses. Un bouillon nourrissant à base de cubes à la crème de cacao Hindenburg, un savoureux ersatz de lièvre accompagné d'ersatz de chou-rave, et des galettes de pomme de terre à la paraffine... »

La monnaie change. Avant la guerre, on frappait des pièces en or ou en argent. Après trois ans de conflit, on se rabat sur le cuivre, et même sur le fer pendant l'été 1917.

La presse juive couvre de fervents éloges l'empereur Charles. Les juifs, affirme *Bloch's Wochenschrift*, « sont non seulement les champions les plus loyaux de l'empire, mais aussi les seuls Autrichiens inconditionnels ».

Durant l'été 1917, Elisabeth séjourne à Alt-Ausee avec sa meilleure amie Fanny, dans la résidence d'été de la baronne Oppenheimer. Fanny Loewenstein, qui a grandi dans différents pays d'Europe, pratique les mêmes langues qu'Elisabeth. À dix-sept ans, elles adorent la poésie et passent leur temps à écrire. Pour leur plus grande joie, l'écrivain Hugo von Hofmannsthal, ses deux fils et le compositeur Richard Strauss sont aussi les hôtes de la maison. Parmi les autres invités, on trouve l'historien Joseph Redlich qui, comme Elisabeth l'écrivit soixante ans plus tard, « produisit sur [elles] une très mauvaise impression en prédisant la chute imminente de l'Allemagne et de l'Autriche, alors que Fanny et [elle] se fiaient encore aux communiqués officiels annonçant la victoire ».

En octobre, le *Reichspost* dénonce un complot international contre l'Autriche-Hongrie, soutenant que Lénine, Kerenski et lord Northcliffe sont tous juifs. Quant au président Woodrow Wilson, il agit « sous l'influence des juifs ».

Le 21 novembre, date anniversaire de la mort de l'empereur, les écoliers ont un jour de congé.

Au printemps 1918, la situation est de plus en plus difficile. Emmy, « centre éblouissant d'un cercle choisi », selon Kraus dans *Die Fackel*, est plus radieuse que jamais. Elle a un nouvel amant, un jeune comte qui sert dans un régiment de cavalerie. Fils d'amis de la famille, il séjourne régulièrement à Kövesces, où il amène ses propres chevaux. Cet homme au physique avantageux est bien plus proche de l'âge d'Emmy que de celui de Viktor.

À la même époque, paraît un album destiné à tous les écoliers de l'empire, *Unser Kaiserpaar* (« Notre couple impérial »). Il décrit le nouvel empereur, son épouse et leur fils lors des funérailles de François-Joseph. « Le couple d'illustres parents a fait en sorte que leur fils aîné soit présenté au public tenant la main de sa mère. Cette image créait par magie un lien de reconnaissance entre le couple régnant et le peuple : le geste affectueux de la mère avait conquis l'empire. »

Le 18 avril, Elisabeth et Emmy vont voir *Hamlet* au Burgtheater, avec l'irrésistible Alexander Moissi dans le rôle principal. « L'expérience la plus formidable de toute ma vie », note Elisabeth dans son carnet vert. Emmy, qui a alors trente-huit ans, est enceinte de deux mois.

Ce même printemps, la famille envoie de bonnes nouvelles. Les deux jeunes sœurs d'Emmy sont sur le point de se marier. Gerty, vingt-sept ans, doit épouser Tibor, un aristocrate hongrois dont le nom de famille est Thuróczy de Alsó-Körösteg et Turócz-Szent-Mihály. Quant à Eva, vingt-cinq ans, elle est fiancée à un baron au nom moins extravagant, Jenö Weiss von Weiss und Horstenstein.

Le mois de juin est marqué par une vague de grèves. La ration quotidienne de farine est tombée à trente-cinq grammes, le contenu d'une tasse à café. Les charrettes de pain sont fréquemment attaquées par des masses de femmes et d'enfants. En juillet, c'est le lait qui disparaît du marché, réservé aux mères de nouveau-nés et aux malades chroniques, qui eux-mêmes ont du mal à s'en procurer. Quantité de Viennois n'arrivent à survivre qu'en déterrant des pommes de terre dans les champs en bordure de la ville. Le gouvernement lance un débat sur le transport de sacs à dos. Doit-on autoriser les citadins à en porter un ? Et si oui, ne convient-il pas de les fouiller dans les gares ?

Les rats ont envahi la cour. Mais cette fois, ce ne sont pas des rats d'ivoire aux yeux d'ambre.

Les manifestations contre les juifs ne cessent de se multiplier. Le 16 juin, une Assemblée du peuple allemand se réunit à Vienne pour jurer allégeance au Kaiser et réaffirmer les objectifs de l'unité pangermanique. L'un des intervenants propose une solution au problème : un pogrom capable de guérir les maux qui affligent l'État.

Le 18 juin, le préfet de police demande à Viktor la permission de stationner des hommes dans la cour du palais, là où il range la voiture, inutilisée faute de carburant. La police se tiendra prête à agir en cas de troubles, tout en demeurant invisible. Viktor donne son accord.

Les désertions sont de plus en plus courantes. Le plus gros de l'armée des Habsbourg recule devant l'affrontement et choisit la reddition. Deux millions deux cent mille soldats sont faits prisonniers, dix-sept fois plus que les Britanniques retenus en captivité.

Le 28 juin, Elisabeth reçoit son bulletin de fin d'année du Schottengymnasium. Elle a obtenu plusieurs mentions « très bien », en allemand, latin, grec, géographie et histoire, philosophie et physique. Et un

« bien » en mathématiques. Le 2 juillet, on lui délivre son diplôme officiel, marqué d'un tampon à l'effigie du vieil empereur. On a barré le « il » préimprimé pour le remplacer par un « elle » à l'encre bleue.

Il fait chaud. Emmy, enceinte de cinq mois, a encore tout l'été à passer. C'est un enfant qu'elle va aimer et chérir, mais son état est loin d'être confortable.

Kövesces au mois d'août. Il ne reste que deux vieux jardiniers pour entretenir les jardins, et la roseraie qui longe la grande véranda est bien négligée. Le 22 septembre, Gisela, Elisabeth et leur tante Gerty vont entendre *Fidelio* à l'Opéra. Le 25, elles assistent à une représentation de *Hildebrand* au Burgtheater, et Elisabeth repère l'archiduc dans le public. Le Brésil déclare la guerre à l'Autriche. Le 18 octobre, les Tchèques s'emparent de Prague, se soustraient à la domination des Habsbourg et déclarent leur indépendance. Le 29 octobre, l'Autriche sollicite un armistice auprès de l'Italie. Le 2 novembre à dix heures du soir, la nouvelle se répand que des prisonniers de guerre italiens se sont soulevés dans un camp des environs de Vienne, et qu'ils sont en train d'investir la ville. À dix heures quinze les chiffres se précisent : ils sont entre 10 et 13 000, et ont été rejoints par des prisonniers russes. Sur le Ring, des estafettes se présentent dans les cafés, donnant ordre aux officiers de se rendre à la préfecture de police. Beaucoup obtempèrent. Deux d'entre eux interpellent les gens qui sortent de l'Opéra, leur enjoignant de rentrer chez eux et de fermer leurs portes. À onze heures, les dirigeants de la police et les militaires se concertent pour organiser la défense de Vienne. À minuit, le ministre de l'Intérieur déclare que les communiqués ont été excessivement alarmistes, et à l'aube, le lendemain, tout le monde reconnaît que ce n'était qu'une rumeur.

Le 3 novembre, c'est la dissolution de l'Empire austro-hongrois. Dès le lendemain, l'Autriche signe l'armistice avec les Alliés. Elisabeth et son cousin Fritz von Lieben vont voir *Antigone* au Burgtheater. Le 9 novembre, le Kaiser Guillaume II abdique. Le 12 novembre, l'empereur Charles s'enfuit en Suisse, tandis que l'Autriche devient une République. Des hordes déferlent devant le palais tout au long de la journée, agitant drapeaux et bannières rouges, pour converger vers le Parlement.

Le 19 novembre, Emmy donne le jour à un garçon. Un bébé blond aux yeux bleus que l'on prénomme Rudolf Josef. On imagine difficilement prénom plus nostalgique au lendemain de la chute de l'empire des Habsbourg.

La situation se dégrade. Une épidémie de grippe s'est déclarée, et la pénurie de lait se poursuit. Emmy est tombée malade. Douze ans se sont écoulés depuis la naissance d'Iggie, dix-huit depuis celle de son premier enfant. Être enceinte en temps de guerre est toujours délicat. À cinquante-huit ans, Viktor s'étonne de cette nouvelle paternité. Au milieu des multiples complications et de la surprise que provoque la naissance de ce bébé, Elisabeth est mortifiée d'apprendre que la plupart des gens pensent que c'est le sien. Après tout, elle a déjà dix-huit ans, et sa mère et sa grand-mère ont eu des enfants très tôt. Des bruits circulent. Les Ephrussi sauvent les apparences.

Elisabeth évoque dans ses brefs Mémoires cette période agitée : « Je ne me souviens guère des détails, je ne me rappelle que l'intensité de notre angoisse et de notre peur. » Elle ajoute cependant, pour conclure triomphalement ce passage : « Entre-temps, je m'étais inscrite à l'université. » Elle a réussi à passer de l'autre côté du Ring.

21.

Littéralement zéro

L'hiver 1918 est particulièrement rigoureux à Vienne, et le poêle en porcelaine blanche du salon est le seul foyer que l'on peut laisser allumé jour et nuit. Toutes les autres pièces – la salle à manger, la bibliothèque, les chambres et la garde-robe aux netsukes – sont glaciales. Les lampes à acétylène dégagent une odeur nauséabonde. Cet hiver-là, on voit des Viennois couper des arbres en forêt pour se procurer du bois de chauffage. Rudolf n'a que quinze jours lorsque la *Neue Freie Presse* rapporte : « On ne distingue derrière les fenêtres que de faibles lueurs. La ville est plongée dans l'obscurité. » Chose presque inconcevable, on ne trouve plus de café, seulement « une infâme mixture au goût [...] d'extrait de viande et de réglisse. Le thé, que l'on prend sans lait et sans citron, évidemment, devient plus appréciable si l'on s'habitue à l'inévitable goût de fer. » Viktor refuse d'en boire.

Quand je tente de me représenter la vie de la famille après la défaite, je vois des papiers volant dans les rues. Vienne avait toujours été si propre. Désormais on n'y voit qu'affiches et placards, tracts et manifestations. Iggie se rappelait qu'avant la guerre, un jour où il avait laissé tomber un emballage de crème glacée sur une allée gravillonnée du Prater, il s'était fait sermonner par sa nourrice et par plusieurs messieurs à épaulettes. À présent, il se fraie un chemin jusqu'à l'école parmi les détritus d'une ville instable, bruyante et agressive. Sur les colonnes publicitaires, des cylindres de trois mètres de haut coiffés d'une petite tour, les Viennois frondeurs affichent des lettres destinées aux chrétiens de Vienne, à leurs concitoyens, ou à leurs frères et sœurs dans la lutte. Continuellement arrachés, ces laïus sont aussitôt remplacés. Vienne est inquiète et tapageuse.

Pour la mère et pour son bébé, les premières semaines sont éprouvantes, et Rudolf et Emmy s'affaiblissent. L'économiste anglais William Beveridge, en visite à Vienne six semaines après la défaite, écrit : « Les mères font des efforts héroïques pour assurer la survie de leur bébé au-delà de la première année, mais cela ne se fait aujourd'hui qu'au détriment de leur propre santé, et très souvent en vain. » On envisage d'emmener Emmy et Rudolf à Kövesces, et même Gisela et Iggie, mais il n'y a pas de carburant pour l'automobile, et le trafic ferroviaire est plus que perturbé. Tout le monde reste donc au palais, dans les pièces relativement tranquilles qui tournent le dos au Ring.

En tant que résidence privée entourée de bâtiments publics, la maison s'était sentie très exposée dès le début des affrontements. Et maintenant, la paix semble plus redoutable que la guerre : on ne sait pas clairement qui est l'ennemi de qui, ni si une révolution va éclater. De retour à Vienne, soldats démobilisés et prisonniers de guerre rapportent des récits de première main sur la révolution russe et les soulèvements ouvriers à Berlin. Les nuits résonnent de coups de feu intempestifs. Le nouveau drapeau autrichien est rouge, blanc, rouge, et les éléments les plus jeunes et les plus agités estiment qu'avec quelques retouches, il est facile d'en faire un drapeau rouge.

De tous les coins de l'empire démantelé affluent des fonctionnaires impériaux privés de nationalité, qui découvrent que les ministères viennois auxquels ils envoyaient dûment leurs rapports ont tous fermé leurs portes. Les rues sont peuplées de *Zitterer*, soldats traumatisés et tremblants, mutilés de guerre à la poitrine bardée de médailles. D'anciens majors et capitaines vendent des jouets en bois dans la rue. Dans le même temps, des lots de linge impérial monogrammé atterrissent dans les demeures bourgeoises, on trouve sur les marchés des selles et des harnais impériaux ; on raconte aussi que des patrouilles de sécurité se sont introduites dans les caves du palais et boivent tout à loisir les grands crus des Habsbourg.

Vienne, qui compte près de deux millions d'habitants, a cessé d'être la capitale d'un empire de cinquante-deux millions de sujets pour faire partie d'un minuscule pays de six millions de citoyens. Il lui est impossible de s'adapter à un tel cataclysme. On débat intensément sur la viabilité de l'Autriche en tant qu'État indépendant, d'un point de vue tant économique que psychologique. L'Autriche paraît incapable de faire face à pareil amoindrissement. Les conditions de la « paix carthaginoise », dures et punitives, définies par le traité de Saint-Germain-en-Laye en 1919, prévoient un démembrement de l'empire. Il ratifie l'indépendance de la Hongrie, de la Tchécoslovaquie, de la Pologne et de la Yougoslavie, et de l'État des Slovènes, Croates et Serbes. L'Istrie et Trieste ne font plus partie de l'empire, amputé également de plusieurs îles de Dalmatie. L'Autriche-Hongrie devient l'Autriche, un pays de 750 kilomètres de long. Des réparations sont exigées. L'armée reformée rassemble trente mille engagés. Pour citer une boutade acide de l'époque, Vienne ressemble à un *Wasserkopf*, chef hydrocéphale d'un corps atrophié.

Beaucoup de choses se transforment, y compris les noms et les adresses. En accord avec l'esprit du temps, on abolit tous les titres impériaux, tous les comtes, barons, ducs et princes. On supprime aussi le *k & k* (« impérial et royal ») que les employés des postes et des chemins de fer pouvaient accoler à leur fonction. Mais on est tout de même en Autriche, où l'on attache un grand prix aux titres, si bien que des nouveaux commencent à proliférer. On a beau être sans le sou, on n'en attend pas moins d'être appelé *Dozent, Professor, Hofrat, Schulrat, Diplomkaufmann, Direktor*. Ou *Frau Dozent, Frau Professor...*

Les rues sont rebaptisées dans la foulée. Les Ephrussi ne sont plus domiciliés au 24, Franzenring, Wien 1, qui fait référence à l'empereur, mais au 24 Der Ring des Zwölften November, Wien 1, en hommage à la date de l'indépendance. Emmy se plaint que ces changements de nom rappellent l'esprit français, et qu'elle va finir par habiter rue de la République.

N'importe quoi peut arriver. La couronne est à ce point dévaluée qu'on se demande si le nouveau gouvernement ne va pas vendre les collections de l'empire pour ravitailler les Viennois affamés. Le château de

Schönbrunn va être « cédé à un consortium étranger et converti en casino ». On prévoit de raser les Jardins botaniques pour construire de nouveaux immeubles.

Dans ce contexte de marasme économique, « une foule de gens tapageurs arrivent de toutes les parties du monde pour racheter les banques, les usines, les bijoux, les tapis, les œuvres d'art et les domaines agricoles, et les juifs ne sont pas les derniers. Requins, faussaires et escrocs étrangers déferlent dans Vienne, porteurs d'une invasion de poux ». C'est là un des intertitres du film muet de 1925 *La Rue sans joie*. Dans le film, une voiture braque ses phares sur une file d'attente nocturne à la porte d'une boucherie. « Après avoir patienté toute la nuit, certains s'en retournent les mains vides. » Un « spéculateur international » au nez crochu manigance pour faire chuter le cours des actions d'une compagnie minière, pendant qu'un fonctionnaire veuf (le plus pathétique des stéréotypes viennois) achète des parts avec sa pension et court à la ruine. Sa fille, interprétée par Greta Garbo, le visage hâve et affaiblie par la faim, est contrainte de se produire dans un cabaret. Le secours arrive en la personne d'un charmant responsable de la Croix-Rouge, qui apporte du ravitaillement en conserves.

Au cours de ces années, l'antisémitisme trouve à Vienne un regain de vigueur. Bien sûr, on entend les clameurs des manifestants qui se déchaînent contre « le fléau des juifs de l'Est », mais Iggie se souvient qu'ils suscitaient surtout les rires, au même titre que les groupes de jeunes gens paradant en uniforme, ou les Autrichiens en costume paysan traditionnel – culotte de cuir pour les hommes et corsage lacé pour les femmes. Ce genre de défilés était très fréquent.

En revanche, les *Krawalle* provoquent une véritable terreur : les fraternités d'étudiants pangermanistes récemment reconstituées, les *Burschenschaften*, s'opposent dans des rixes féroces aux étudiants juifs et socialistes. Iggie n'oublierait jamais le visage de son père, livide de colère, le jour où il les avait surpris, Gisela et lui, à observer une de ces bagarres sanglantes depuis la fenêtre du salon. Lui qui ne haussait jamais la voix, leur avait crié ce jour-là : « Il ne faut pas qu'ils vous voient regarder ! »

Au nom du slogan « Nettoyons les Alpes autrichiennes des juifs », le Club d'alpinisme germano-autrichien exclut tous ses membres juifs. Ce club procure des places dans les centaines de refuges de montagne où les randonneurs passent la nuit et préparent leur café.

Comme beaucoup de gens de leur milieu, Iggie et Gisela apprécient les excursions en montagne au début de l'été. Ils rallient Gmunden en train avant de partir sac au dos, munis d'un bâton de marche, d'un sac de couchage, de chocolat et d'une ration de café et de sucre dans un sac en papier brun. Les fermiers leur fournissent le lait, les petits pains et des parts de fromage bien jaune. S'éloigner de la ville donne un sentiment d'euphorie. Iggie m'a raconté s'être trouvé bloqué en altitude, lors d'une sortie avec Gisela et une amie. La nuit approchait, il faisait déjà froid, mais ils trouvèrent une cabane où des étudiants s'étaient gaiement regroupés autour d'un poêle. Après leur avoir réclamé leur carte, ils les chassèrent en disant que les juifs polluaient l'air des montagnes.

Par chance, ils tombèrent sur une grange, un peu plus bas. Leur amie Franzi, qui possédait une carte, resta dans la cabane. Ils ne reparlèrent jamais de l'affaire.

S'il est possible d'exclure l'antisémitisme des conversations, on est bien forcé d'en entendre parler. À Vienne, il n'existe pas de consensus politique en la matière. En 1922, un roman du provocateur Hugo Bettauer, *La Ville sans juifs, roman de mœurs viennoises*, jette un pavé dans la mare. Dans cet ouvrage déstabilisant, il met en scène une Vienne ravagée par la misère d'après-guerre et l'ascension d'un démagogue inspiré du Dr Karl Lueger, le Dr Karl Schwertfeger, qui fédère la populace par un procédé fort simple : « Considérons ce qu'est devenue notre petite Autriche. Qui contrôle la presse, et par conséquent l'opinion publique ? Les juifs ! Qui a amassé des milliards et des milliards depuis la funeste année 1914 ? Les juifs ! Qui dirige la circulation massive de notre argent, qui siège à la direction des grandes banques, qui est à la tête de la quasi-totalité de nos industries ? Les juifs ! » Le maire préconise une solution fort simple : l'Autriche doit expulser tous les juifs. Tous, y compris les enfants issus de mariages mixtes, seront embarqués dans des trains et déportés en bon ordre. Ceux qui resteront clandestinement à Vienne encourront la peine de mort. « À une heure de l'après-midi, des sifflets signalèrent que le dernier convoi de juifs venait de quitter Vienne, et à six heures… toutes les cloches des églises se mirent à sonner pour annoncer qu'il n'y avait plus de juifs en Autriche. »

En contrepoint aux descriptions glaçantes de séparations déchirantes, aux scènes de désolation dans les gares où les voitures fermées emportent les juifs, le roman dépeint le déclin subséquent de Vienne, réduite à une terne bourgade provinciale après le départ des juifs qui l'animaient. Il n'y a plus ni théâtres, ni journaux, ni potins, ni mode, ni argents jusqu'à ce que Vienne se décide enfin à faire revenir les juifs.

En 1925, Bettauer fut assassiné par un jeune nazi. Ce dernier eut pour défenseur le leader national-socialiste autrichien, dont l'intervention accrut le prestige du parti au sein de la vie politique instable de Vienne. Au cours de l'été, quatre-vingts jeunes nazis attaquèrent un restaurant bondé en hurlant : « *Juden hinaus !* » « Les juifs, dehors ! »

La misère de ces années-là était en grande partie imputable à l'inflation. On racontait que si l'on passait au petit matin devant les locaux de la Banque austro-hongroise de la Bankgasse, on entendait les presses cliqueter pour imprimer un supplément de billets. L'encre était encore fraîche sur les coupures que l'on manipulait. Certains banquiers envisageaient de repartir de zéro en changeant tout simplement de monnaie. On parlait de « schillings ».

« Tout un hiver de billets à plusieurs zéros tombe du ciel comme la neige. Des centaines de milliers, des millions, mais chaque flocon, chaque millier vous fond dans la main », écrivait le romancier Stefan Zweig dans son roman de 1919 *Ivresse de la métamorphose*. « L'argent se dissout pendant votre sommeil, il s'envole le temps que vous mettiez vos chaussures (déchirées, avec des semelles en bois), pour aller arpenter le marché une deuxième fois. Vous ne vous arrêtez jamais, et pourtant vous êtes toujours en retard. La vie devient une histoire de mathématiques, d'additions, de multiplications, un tourbillon affolant de chiffres et de nombres, un vortex qui engloutit vos dernières possessions dans le noir de son vide insatiable... »

Au même moment, Viktor contemple son propre vide : le coffre des bureaux de la Schottengasse renferme des liasses de titres, d'actions et d'obligations qui ne valent plus rien. Citoyen d'une puissance vaincue, il s'est vu confisquer ses biens dans le cadre des sanctions imposées par les Alliés : ses avoirs à Londres et à Paris, les capitaux qu'il faisait fructifier depuis quarante ans, l'immeuble de bureaux dont il était propriétaire d'un côté, les parts d'Ephrussi et Cie qu'il possédait de l'autre. Et ses placements en Russie, la réserve d'or de Saint-Pétersbourg, les parts dans les compagnies pétrolières de Bakou, les chemins de fer et la banque, ainsi que la propriété d'Odessa, se sont évaporés dans les convulsions du bolchevisme. Plus que d'une spectaculaire perte d'argent, il s'agit là de la disparition de plusieurs fortunes.

Sur un plan plus personnel, Charles a perdu son frère aîné Jules, propriétaire du chalet, en 1915, au plus fort de la guerre. À cause des hostilités, sa grande fortune, promise de longue date à Viktor, a été léguée à des cousins français. Il voit donc échapper les collections de meubles Empire et les saules de Monet au-dessus de la rivière. « Pauvre maman, écrit Elisabeth, toutes ces longues soirées passées en Suisse en pure perte. »

En 1914, avant le début du conflit, le patrimoine de Viktor comprenait 25 millions de couronnes, plusieurs immeubles disséminés dans Vienne, le palais

Ephrussi, la collection de peintures rassemblant « cent tableaux anciens », et un revenu annuel de plusieurs centaines de milliers de couronnes. L'équivalent de 400 millions de dollars actuels. La guerre finie, même les deux étages du palais qu'il louait 50 000 couronnes ne lui rapportent plus un sou. Sa décision de ne pas faire sortir ses capitaux d'Autriche se révèle catastrophique. Jusqu'en 1917, ce citoyen autrichien aussi récent que patriote a massivement investi dans les titres d'emprunt de guerre, qui ont eux aussi perdu toute valeur.

Viktor reconnaît la gravité de la situation lors de réunions de crise avec son vieil ami le financier Rudolf Gutmann, les 6 et 8 mars 1921. « À la Bourse de Vienne, les Ephrussi jouissent d'une excellente réputation », écrit Gutmann le 4 avril à un banquier allemand, le dénommé Herr Siepel. La banque Ephrussi demeure foncièrement viable, et ses contacts au-delà des Balkans en font un partenaire utile. Les Gutmann investissent 25 millions de couronnes dans la banque, tandis que la Banque de Berlin (ancêtre de la Deutsche Bank) en apporte 75. Viktor ne détient plus que la moitié des parts de la banque familiale.

Les documents relatifs à la cession remplissent de nombreux dossiers dans les archives de la Deutsche Bank, compilant les prudentes tractations sur les pourcentages, les comptes rendus de discussions avec Viktor, les transactions. Mais à travers les couvertures beiges, on perçoit encore les légères vibrations de la voix de Viktor, sa lassitude dans ces consonnes précipitées. L'affaire est « *buchstäblich gleich Null* ». Littéralement, « égale à zéro ».

Ce sentiment d'avoir tout perdu, d'avoir échoué à sauvegarder son patrimoine, affecte profondément Viktor. Il était l'héritier de tout cela, et il n'a pas su le préserver. Toutes les portes de son univers se sont refermées : sa vie à Odessa, à Saint-Pétersbourg, à Paris et à Londres est terminée, et il ne reste plus que Vienne, le palais hydrocéphale sur le Ring.

Cependant, Emmy, les enfants et le petit Rudolf ne sont pas exactement tombés dans l'indigence. On n'a pas été obligé de vendre quoi que ce soit pour manger ou se chauffer, bien que les seules possessions restantes soient le contenu de la vaste demeure. Les netsukes n'ont pas bougé de leur vitrine dans la garde-robe d'Emmy, et Anna veille à les épousseter quand elle vient arranger les fleurs sur la coiffeuse. Les tapisseries des Gobelins habillent encore les murs, ainsi que les toiles des maîtres hollandais. Le mobilier français est toujours bien ciré, les horloges fonctionnent, on n'oublie pas de tailler la mèche des bougies. Les services en porcelaine de Sèvres sont soigneusement rangés sur leurs étagères, près de la pièce qui contient l'argenterie. Le service de table en or, frappé du double E et du fier petit bateau aux voiles déployées, est toujours dans le coffre. La voiture reste stationnée dans la cour. Toutefois, la vie des objets du palais est devenue moins fluide. L'*Umsturz* qu'a subi le monde, le « bouleversement », a conféré une certaine pesanteur aux choses dont se compose leur vie. Il importe à présent de les préserver, de les chérir, alors qu'elles n'étaient autrefois qu'une toile de fond, un vague décor de dorures et de vernis dans lequel se déroulait une intense vie sociale. Ce que l'on ne prenait pas la peine de compter ni de mesurer fait désormais l'objet d'un contrôle scrupuleux.

La déperdition est immense. Les choses étaient tellement plus belles jadis, plus pleines ! C'est peut-être à ce moment-là que la nostalgie commence à s'immiscer dans les esprits. J'en viens à penser que conserver et perdre ne sont pas des réalités radicalement incompatibles. On conserve une boîte à priser, que l'on a reçue il y a une éternité pour avoir servi de témoin à un duel ; on garde un bracelet offert par un amant. Viktor et Emmy n'ont renoncé à rien – toutes ces possessions, ces tiroirs débordants, ces murs couverts de tableaux –, mais ils ont perdu en revanche le sentiment d'un avenir plein de possibles. C'est en cela qu'ils sont diminués.

La nostalgie imprègne Vienne. Et elle a réussi à s'ouvrir une brèche dans les lourdes portes en chêne de la maison.

22.

Il faut transformer sa vie

Pour Elisabeth, le premier semestre d'études se révèle chaotique. La situation financière de l'université de Vienne est à ce point critique qu'un appel à l'aide est adressé à l'Autriche en général et à la ville en particulier. « Faute d'un soutien immédiat, l'université descendra fatalement au niveau d'une petite *Hochschule*. Les enseignants perçoivent des salaires de misère... la bibliothèque ne peut plus fonctionner. » Un professeur en visite note que le revenu annuel d'un enseignant ne lui permet même pas de fournir vêtements et linge de corps à son épouse et à leur enfant. En janvier 1919, l'absence de chauffage dans les amphithéâtres entraîne une suspension des cours. Et pourtant, le milieu universitaire baigne dans une atmosphère incandescente de perspectives illimitées. Par une ironie du sort, c'est une époque formidable pour étudier. L'Autriche et Vienne ont leurs propres écoles d'économie, de physique théorique, de philosophie, de droit, de psychanalyse – sous la houlette de Freud et de Adler –, d'histoire et d'histoire de l'art. Chaque discipline allie à une exceptionnelle qualité d'enseignement un climat de farouches rivalités.

Elisabeth a opté pour la philosophie, le droit et l'économie. Un choix qui n'est pas sans rapport avec ses origines juives, somme toute : les trois matières sont fortement représentées par des personnalités juives au sein du corps enseignant. À la faculté de droit, un tiers des professeurs sont juifs. À Vienne, le métier d'avocat donne un statut d'intellectuel. Et il correspond indéniablement à cette jeune fille de dix-huit ans résolue et sérieuse, très simple dans son apparence, vêtue d'un chemisier en crêpe de Chine blanc à cravate noire. Pour elle, c'est une façon de mettre une barrière infranchissable entre sa personne et l'instabilité psychologique de sa mère, la vie domestique du palais qui commence à se réveiller, la nursery, le bébé braillard et l'agitation générale.

Elisabeth se place sous l'égide d'un redoutable économiste, Ludwig von Mises, surnommé *der Liberale* par ses collègues de la faculté. Jeune encore, il entend asseoir sa réputation en démontrant l'incohérence d'un État socialiste. Les communistes défilent peut-être dans les rues de Vienne, mais Mises est bien décidé à prouver qu'ils ont tort. Il organise un séminaire avec un cercle restreint de disciples choisis, qui doivent lui remettre chacun une dissertation. Le 26 novembre 1918, une semaine après la naissance de Rudolf, Elisabeth fait sa première communication sur la théorie de l'intérêt de Carver. Les étudiants de Mises n'ont pas oublié l'intense concentration de ces séminaires, à l'origine d'une célèbre école prônant l'économie de marché. J'ai en ma possession les copies d'Elisabeth sur divers sujets, « *Inflation und Geldknappkeit* » (quinze pages en petite cursive), « *Kapital* » (trente-deux pages) et « John Henry Newman » (trente-huit pages).

Toutefois, c'est la poésie qui reste sa véritable passion. Elle envoie ses poèmes à sa grand-mère et à Fanny Lowenstein-Schaffeneck, qui travaille maintenant dans une passionnante galerie d'art contemporain où se vendent les œuvres de Schiele.

Elisabeth et Fanny vénèrent la poésie lyrique de Rilke. Sa lecture les transporte : elles connaissent par cœur les deux volumes de ses *Neue Gedichte* (*Nouveaux Poèmes*), et attendent impatiemment la prochaine publication. Le silence du poète leur est insupportable. Rilke a été le secrétaire de Rodin à Paris, et après la guerre, les jeunes filles ont visité le musée Rodin en emportant leur exemplaire de l'essai de Rilke sur le sculpteur. Elisabeth a exprimé son enthousiasme par des notes hâtives dans les marges.

Rilke est le grand poète radical de l'époque. Dans ses *Dinggedichte* (« poèmes-choses »), il conjugue un style direct et une intense sensualité. « L'*objet* est défini, l'*objet d'art* doit l'être encore davantage, libéré des contingences, dépouillé de l'obscur. » Ses poèmes regorgent d'épiphanies, d'instants où les choses accèdent à la vie – le premier mouvement d'un danseur est comme une flamme qui jaillit d'une allumette au soufre. Des instants où le temps d'été change, l'impression fugace de voir pour la première fois quelqu'un que l'on connaît.

Et il y a aussi du danger dans ces poèmes : « Toute forme d'art est le résultat d'un péril passé, d'une expérience vécue jusqu'au terme, jusqu'à la limite que nul ne peut dépasser. » Voilà ce que signifie être artiste, selon la bouleversante formule de Rilke. On se tient, chancelant, au bord de la vie, tel le cygne « avant l'élan impatient de tout son être/Sur les flots qui doucement le soutiennent ».

« Il faut transformer sa vie », écrit Rilke dans le poème « Sur un torse archaïque d'Apollon ». Peut-il y avoir invite plus stimulante ?

Ce n'est qu'après la disparition d'Elisabeth, à l'âge de quatre-vingt-douze ans, que j'ai mesuré l'importance que Rilke avait eue pour elle. J'avais entendu parler d'une correspondance, mais elle n'était pour moi qu'un mythe séduisant, une rumeur. L'après-midi d'hiver où je me trouvai face à la statue de l'Apollon à la lyre, dans la cour du palais Ephrussi, essayant péniblement de me remémorer le texte de Rilke devant le marbre brillant « comme le pelage d'un prédateur », j'eus la conviction qu'il me fallait récupérer ces lettres.

L'oncle d'Elisabeth l'a recommandée auprès de Rilke. Pips, qui l'avait aidé quand il était bloqué en Allemagne au début de la guerre, invite l'écrivain à séjourner à Kövesces. « La maison vous est toujours ouverte. Vous nous feriez un grand plaisir si vous annonciez votre venue *sans cérémonie** . » En même temps, Pips sollicite au nom de sa nièce favorite la permission d'envoyer quelques poèmes. Follement émue, Elisabeth lui fait parvenir pendant l'été 1921 un drame versifié, « Michelangelo », en le priant d'en être le dédicataire. Après une longue attente – due à la composition des *Élégies de Duino* –, Rilke lui répond au printemps par une épître de cinq pages : elle inaugure une correspondance suivie entre une étudiante viennoise de vingt ans et un poète de cinquante, qui réside alors en Suisse.

Toutefois, l'échange commence par un refus : Rilke décline la dédicace. L'issue qu'il préconise est de faire éditer l'ouvrage, « ce qui créerait entre eux un lien durable […] Je serai enchanté d'être le mentor de votre *Erstling* [« première œuvre »], à condition que mon nom n'apparaisse pas ». Il ajoute qu'il prendra volontiers connaissance des écrits d'Elisabeth. Leur correspondance durera cinq ans. Douze longues lettres de Rilke, soixante pages émaillées de transcriptions de ses traductions et poèmes récents, et de nombreux volumes de recueils chaleureusement dédicacés de sa main.

Le Dr Elisabeth Ephrussi,
poétesse et juriste, 1922

Si l'on observe dans une bibliothèque la place tenue par les œuvres complètes de Rilke – une bonne dizaine de mètres de volumes –, on s'aperçoit que la plupart sont des lettres, adressées généralement à « des dames titrées et désenchantées », pour citer la formule pertinente de John Berryman. Elisabeth, jeune baronne éprise de poésie, ne détonne pas parmi ses nombreuses correspondantes. Rilke a toujours été un épistolier remarquable, et ces merveilleuses lettres mêlent encouragements, lyrisme, humour et engagement personnel, preuves de ce qu'il appelle « les amitiés épistolaires ». Jamais traduites, elles ont été récemment transcrites par un spécialiste de Rilke travaillant en Angleterre. Repoussant mes poteries, j'étale sur mes tables des photocopies de ces missives. Avec l'aide d'un doctorant en allemand, je me délecte deux semaines durant à ébaucher des traductions anglaises de ces phrases sinueuses et bien rythmées.

Alors qu'il traduit les œuvres de son ami le poète Paul Valéry, Rilke fait allusion à son « grand silence », les années où Valéry n'a pas écrit. Il joint à sa lettre la traduction qu'il vient d'achever. Il parle de Paris, de la disparition de Proust qui l'a beaucoup touché, lui rappelant ses années parisiennes auprès de Rodin, et lui donnant envie de retourner étudier en France. Elisabeth a-t-elle lu Proust ? Il lui conseille de le faire.

Il se montre très précis, très attentif quant à la situation de la jeune fille à Vienne. Le contraste entre son travail universitaire et sa poésie ne laisse pas de l'intriguer :

> Quoi qu'il en soit, ma chère amie, je n'ai guère d'inquiétude pour vos dispositions artistiques, auxquelles j'attache tant de prix [...]. Bien que je ne puisse prévoir quelle voie vous choisirez avec votre doctorat de droit, je trouve positif le contraste entre vos deux occupations ; plus la vie de l'esprit se diver-

sifie, plus votre inspiration a de chances d'être protégée – l'inspiration imprévisible, celle qui jaillit de l'intérieur.

Rilke lit les derniers poèmes d'Elisabeth, « Soir de janvier », « Nuit romaine » et « Œdipe roi » : « Bons tous les trois, quoique j'aie tendance à placer Œdipe au-dessus des autres. » Dans ce texte, elle dépeint le roi quittant la cité pour partir en exil, enveloppé dans une cape et couvrant ses yeux de ses mains. « Les autres retournèrent au palais, et l'on éteignit les lumières une par une. » Elisabeth a passé suffisamment de temps au côté de son père et de son *Énéide* pour que le thème de l'exil éveille en elle de puissantes émotions.

Si Elisabeth a encore du temps après ses études, elle *peut* se consacrer aux lectures littéraires, mais Rilke l'incite plutôt à « contempler le bleu des jacinthes. Et le printemps ! ». Il lui donne des conseils circonstanciés sur les poèmes qu'elle a écrits et sur la traduction ; dans le fond, « ce n'est pas le jardinier qui soigne et encourage qui est le plus utile, mais celui qui manie la bêche et le sécateur ; celui qui réprimande ! ». Il partage ses émotions sur ce qu'on éprouve à accomplir une œuvre importante. On est saisi d'une dangereuse exaltation, comme si on allait s'envoler. Ces lettres sont empreintes de lyrisme :

> Il me semble qu'à Vienne, quand un vent violent ne nous transperce pas, on peut sentir le printemps. Il arrive souvent que les villes ressentent les choses plus tôt, une limpidité de la lumière, un adoucissement inattendu des ombres, une lueur sur les vitres – une légère gêne d'être une ville […] selon mon expérience personnelle, seules Paris et Moscou (d'une

291

façon naïve) savent absorber pleinement la nature du printemps, comme un paysage.

Et il conclut : « Adieu pour le moment. J'ai été très sensible à l'amicale chaleur de votre lettre. Votre ami sincère : RM Rilke. »

Imaginez seulement ce qu'elle a dû ressentir en recevant cette lettre de lui, en découvrant, lors de la livraison du courrier matinal dans le salon du petit-déjeuner, son écriture ronde, légèrement penchée vers la droite, sur l'enveloppe arrivée de Suisse, pendant que son père à un bout de la table déballe les catalogues de livres beiges venus de Berlin, que sa mère à l'autre bout lit son feuilleton, et que Gisela et Iggie se querellent à voix basse. Imaginez-la en train de découper l'enveloppe et de découvrir que Rilke lui a envoyé un des *Sonnets à Orphée* et la transcription d'un poème de Valéry. « C'est un véritable conte de fées, je ne peux pas croire que ce soit à moi », écrit-elle le soir même dans sa réponse, assise à son bureau devant la fenêtre qui donne sur le Ring.

Rilke et Elisabeth projettent de se rencontrer. « Prenons vraiment le temps, propose Rilke, ne nous contentons pas d'une petite heure. » Cependant, il leur est impossible de se retrouver à Vienne, et Elisabeth, à cause d'une erreur, manque leur rendez-vous à Paris. J'ai retrouvé leurs télégrammes. Rilke à l'hôtel Lorius de Montreux, 11 h 15, à Mlle Elisabeth Ephrussi, 3 rue Rabelais, Paris (*réponse payée**), ainsi que sa réponse à elle quarante minutes plus tard et celle de Rilke le lendemain matin.

Par la suite, des problèmes de santé empêchent Rilke de voyager, et la correspondance s'interrompt pendant qu'il séjourne dans le sanatorium où l'on soigne sa tuberculose. Une dernière lettre parvient à Elisabeth deux semaines avant son décès. Un peu plus tard, elle reçoit un paquet de la veuve de Rilke, qui lui restitue l'ensemble des lettres qu'elle lui a envoyées. Tout au long de sa vie, Elisabeth conservera précieusement la liasse dans les tiroirs de ses demeures successives.

En guise de présent à sa « chère nièce Elisabeth », oncle Pips fait copier et enluminer « Michelangelo » sur vélin par un scribe berlinois, à la façon d'un missel médiéval, et le fait relier en Buckram vert. C'est là une discrète référence à une ancienne édition du *Livre d'heures* de Rilke, dont chaque strophe commence par une majuscule rouge carmin. « Michelangelo » fait partie des livres que mon père s'est rappelé posséder, et il me l'a apporté à mon atelier. Il se trouve actuellement sur mon bureau. Il s'ouvre sur l'épigraphe de Rilke, suivie du poème d'Elisabeth. Ce texte sur un sculpteur qui fabrique des choses me semble de très bonne tenue. Très proche de Rilke.

À quatorze ans, je commençai à envoyer mes poèmes d'écolier à ma grand-mère, âgée alors de quatre-vingts ans. Elle me répondait par des critiques détaillées et des conseils de lecture. Je passais mon temps à lire de la poésie. À l'époque, j'éprouvais une attirance aussi passionnée que silencieuse pour la jeune vendeuse de la librairie où, chaque samedi après-midi, je m'offrais avec mon argent de poche ces minces volumes de poésies édités par Faber & Faber. Je ne me déplaçais jamais sans un recueil.

Dans ses appréciations, Elisabeth se montrait franche et directe. Elle abhorrait le sentimentalisme, cette « inexactitude émotionnelle ». Selon elle, les contraintes formelles n'apportaient rien à la poésie si les vers sonnaient mal. Elle n'était pas convaincue par mon sonnet sur la jeune fille brune de la librairie. Mais elle méprisait par-dessus tout l'indéfini, le brouillage de la réalité par un débordement d'émotions.

À la mort d'Elisabeth, j'héritai de bon nombre de ses livres de poésie. En vertu du système de son répertoire personnel, *Le Livre d'heures* de Rilke porte le numéro 26, et son essai sur Rodin le 28 ; Stefan George a la référence EE 36, et les recueils écrits par sa grand-mère les numéros 63 et 64. Je délègue mon père dans une bibliothèque qui possède certains de ces ouvrages, afin de procéder à des vérifications de dates. Tard dans la soirée, je suis encore devant ses recueils de poésie française, les douze volumes de Proust, les éditions anciennes de Rilke, en quête de notes marginales, de bribes de poèmes oubliées, d'une lettre égarée. Je repense à Herzog, le personnage de Saul Bellow qui passe ses nuits à chercher dans ses livres les billets de banque convertis en marque-pages.

Chaque fois que je fais une découverte, j'en viens à le regretter. Ainsi, je tombe sur une transcription d'un poème de Rilke tracée au dos d'un feuillet d'agenda du samedi 6 juillet, rouge et noir comme un missel. Il y a aussi une gentiane translucide qui marque une page de l'*Ephemeriden* de Rilke, l'adresse d'un certain Herr Pannwitz à Vienne glissée entre les pages de *Charmes* de Paul Valéry, et une photo du salon de Kövesces dans *Du côté de chez Swann*. Je me fais l'effet du marchand qui observe la décoloration de la reliure et le nombre des annotations, évaluant l'intérêt potentiel du livre. Outre mon sentiment d'empiéter sur son intimité de lectrice, ce qui est déjà étrange et déplacé, je me sens tout proche du cliché. Je transforme des rencontres vécues en fleurs séchées.

Je sais qu'Elisabeth n'avait pas vraiment le goût des objets – netsukes ou porcelaines –, pas plus qu'elle n'aimait les complications de la toilette. Dans son dernier appartement, elle avait un mur tapissé de livres, alors que les bibelots, un chien en terre cuite chinoise et trois pots à couvercle, n'occupaient qu'une petite étagère. Elle m'encourageait dans mon travail de céramiste et m'envoya même un chèque pour m'aider à financer mon premier four, mais cela ne l'empêchait pas de trouver assez drôle que je gagne ma vie en fabriquant des objets. Elle n'aimait rien tant que la poésie, où l'univers des choses, dense, défini et vivant, est transformé en chant. Elle aurait détesté le culte dont j'entoure ses livres.

Au palais Ephrussi, il y a trois pièces en enfilade. L'une d'elles est le domaine d'Elisabeth, une espèce de bibliothèque où elle écrit de la poésie, des essais et des lettres à sa grand-mère poète Evelina, à Fanny et à Rilke. À l'autre bout se trouve la bibliothèque de Viktor, et au milieu la garde-robe d'Emmy avec son grand miroir, sa coiffeuse ornée de bouquets de fleurs de Kövesces et sa vitrine de netsukes.

Ces années-là ne sont pas faciles pour Emmy, qui a passé les quarante ans. Ses enfants ont encore besoin de son attention, et en même temps ils s'éloignent d'elle. Chacun lui donne des inquiétudes particulières, et ils ont cessé de venir bavarder avec elle et de lui raconter leur journée pendant qu'elle change de vêtements. Et le petit garçon dans la nursery complique encore la situation. Emmy emmène ses enfants à l'Opéra, territoire neutre. *Tannhäuser* avec Iggie le 28 mai 1922, *Tosca* avec Gisela le 21 septembre 1923, et *La Chauve-Souris* en famille au mois de décembre.

Durant ces années de restrictions, les occasions de s'habiller se font rares à Vienne. Anna n'en continue pas moins à s'affairer – on trouve toujours de quoi occuper une femme de chambre –, mais la pièce n'est plus comme autrefois le centre de la vie familiale. Il n'y règne que le silence.

En pensant à elle, je songe à l'expression de Rilke : « une immobilité vibrante, un peu comme dans une vitrine ».

23.

Eldorado 5-0050

Les trois aînés quittent la ville.

Elisabeth la poétesse est la première à s'en aller. En 1924, elle est la première femme à se voir décerner un doctorat de droit par l'université de Vienne. Elle obtient une bourse d'études de la fondation Rockefeller, et il ne lui en faut pas plus pour partir en Amérique.

C'est quelqu'un de redoutable, ma grand-mère, une femme intelligente et résolue qui publie des articles sur l'architecture et l'idéalisme américains dans une revue allemande, soulignant à quel point l'ardente ferveur des gratte-ciel s'accorde à la philosophie contemporaine. À son retour des États-Unis, elle s'installe à Paris pour étudier les sciences politiques. Elle est amoureuse d'un Hollandais rencontré à Vienne, récemment divorcé d'une de ses cousines et père d'un jeune garçon.

Et c'est au tour de la belle Gisela de s'en aller. Elle conclut un mariage avantageux avec un charmant banquier espagnol, Alfredo Bauer, issu d'une opulente famille juive. La cérémonie a lieu à la synagogue de Vienne, au grand embarras des Ephrussi qui, n'étant pas pratiquants, ne savent comment se comporter.

On donne une fête en l'honneur du jeune couple, et l'étage noble du palais, ouvert pour l'occasion, accueille une grande réception dans la salle de bal dorée, sous les plafonds triomphants d'Ignace. Naturellement stylée, Gisela arbore un long cardigan à ceinture argent sur une jupe imprimée, et une robe noire et blanche avec un collier de perles noires au moment du départ. Elle a un sourire franc, et le séduisant nouveau marié porte la barbe. Le couple s'installe à Madrid en 1925.

Elisabeth envoie à son jeune Hollandais, Hendrick de Waal, un message disant qu'elle a appris qu'il passait par Paris, et qu'il peut la joindre s'il le souhaite au numéro Gobelins 12-85. Grand et légèrement dégarni, Henk porte toujours des costumes de très bonne coupe – gris à très fines rayures anthracite –, il a un monocle et fume des cigarettes russes. Il a grandi à Amsterdam sur le Prinzengracht, fils unique d'une famille de commerçants spécialisés dans l'import de café et de cacao. C'est un jeune homme agréable et plein d'humour, qui a beaucoup voyagé et a appris le violon. Il écrit aussi de la poésie. Je ne suis pas sûr que ma grand-mère qui, à vingt-sept ans, tirait ses cheveux en un sévère chignon et portait des lunettes rondes à monture sombre, dignes d'une baronne et docteur Ephrussi, ait déjà été courtisée par un homme comme lui. Elle l'adore littéralement.

Je trouve leur faire-part de mariage dans les archives de la Société Adler de Vienne. Le graphisme est assez élégant. « Nous sommes amenés à (obligés de//dans l'incapacité de ne pas... – le sens du verbe utilisé est ambigu) annoncer qu'Elisabeth von Ephrussi a épousé Hendrick de Waal. » Les noms de

Viktor et Emmy sont mentionnés dans un angle, celui des parents de Waal dans un autre. Mes grands-parents, elle d'origine juive et lui membre de l'Église réformée de Hollande, se sont mariés à l'église anglicane de Paris.

Ce faire-part amuse les généalogistes, car l'emploi de ce verbe sous-entend bien des complexités familiales.

Elisabeth et Henk achètent un appartement dans le 16e arrondissement de Paris, rue Spontini, qu'ils meublent dans le style Art déco au goût du jour : fauteuils et tapis Ruhlmann, lampes métalliques d'un modernisme stimulant, et de la verrerie d'une invraisemblable finesse venue des ateliers viennois. Ils accrochent aux murs de grandes reproductions de Van Gogh, et pendant une brève période, le salon accueille un paysage de Schiele acheté à la galerie viennoise de Fanny. Je possède deux ou trois photos de cet appartement, dans lesquelles se devine la pure joie qu'a éprouvée le couple à l'aménager, le plaisir d'acheter des nouvelles choses au lieu de se contenter d'héritages. Ici, pas de dorures, de *Junge Frauen* ni de commodes hollandaises. Et pas le moindre portrait de famille.

Tant que tout se passe bien, ils habitent cet appartement avec le fils de Henk, Robert, et leurs deux petits garçons, Victor, mon père, né peu après leur mariage et surnommé Tascha comme son grand-père, et mon oncle Constant Hendrik. Ils vont s'amuser tous les jours au bois de Boulogne. Ils emploient une gouvernante, une cuisinière, une femme de chambre et même un chauffeur, pendant qu'Elisabeth écrit de la poésie ou des articles pour *Le Figaro* tout en améliorant son néerlandais.

Quelquefois, par temps de pluie, elle emmène les garçons au Jeu de Paume, au bout du jardin des Tuileries. Dans ces longues salles lumineuses, on peut admirer des Manet, des Degas et des Monet *coll. C. Ephrussi*, cédés au musée en mémoire d'oncle Charles par Fanny et Theodore Reinach, le brillant universitaire qu'elle a épousé. Il reste encore des cousins à Paris, mais la génération de Charles s'est éteinte, laissant des donations à son pays d'adoption. Les Reinach ont donné à la France la villa Kerylos, fabuleuse reproduction d'un temple grec, tandis que la grand-tante Béatrice Ephrussi-Rothschild a légué à l'Académie française la villa rose du cap Ferrat. Les Camondo aussi ont cédé leurs collections, et les Cahen d'Anvers leur château des environs de Paris. Soixante-dix ans plus tôt, ces premières familles juives avaient bâti leurs demeures dans la rue de Monceau et rendaient ainsi quelque chose à ce généreux pays.

Du point de vue de l'appartenance religieuse, le couple ne manque pas d'originalité. Henk a été élevé par une famille stricte – ils ont tous l'air de condamnés dans leurs vêtements noirs – et s'est converti à la foi mennonite. Elisabeth, certaine jusque-là de son identité juive, s'est mise à lire les mystiques chrétiens et envisage une conversion. Il ne s'agit pas d'une conversion pratique en vue du mariage, ou pour s'adapter au voisinage, et ce n'est pas le catholicisme qui l'intéresse – je doute qu'une jeune juive élevée à Vienne face à la Votivkirche puisse prendre une décision pareille –, mais la religion anglicane. Ils fréquentent l'église anglicane de Paris.

Quand les choses commencent à se gâter du côté de la compagnie anglo-hollandaise, Henk perd une bonne partie de ses propres fonds, ainsi que l'argent qu'on lui a confié. Il perd, par exemple, la fortune de Piz, la cousine fantasque et amie d'enfance des jeunes Ephrussi, qui est en train de percer dans la peinture expressionniste et mène une existence bohème à Francfort. Perdre de telles sommes est un véritable cauchemar : la bonne et le chauffeur reçoivent leur congé, les meubles finissent dans un entrepôt de Paris, et l'on se livre à des discussions embrouillées.

L'incompétence de Henk par rapport à l'argent est différente de celle de son beau-père Viktor. Henk, lui, savait faire danser les chiffres. Mon père prétendait qu'il était capable de parcourir trois colonnes, d'en retrancher une autre et de proposer un total (juste) avec le sourire. Simplement, il se croyait en mesure de réussir ce tour de passe-passe avec l'argent. Il pensait que tout se terminerait bien, que les marchés évolueraient dans le bon sens, que les bateaux rentreraient au port, et que les fortunes se remettraient en place avec le même petit clic que son mince étui à cigarettes en galuchat. Il s'est tout bonnement illusionné sur ses propres capacités.

Je comprends en revanche que Viktor ne se soit jamais targué d'avoir un quelconque contrôle sur les colonnes de chiffres. Je me demande fort tardivement ce qu'a ressenti Elisabeth en découvrant qu'elle avait épousé un homme presque aussi peu doué que son père pour les questions d'argent.

Iggie est le dernier des trois à partir, à la fin de ses études au Schottengymnasium. Sur la photographie de remise des diplômes, je n'arrive pas à le repérer tout de suite, puis je reconnais brusquement ce jeune homme un peu corpulent en costume croisé, au dernier rang. Avec son nœud papillon et sa pochette, il s'exerce à se tenir comme il faut, à avoir l'air convaincant. Vaut-il mieux mettre une main dans sa poche, ou bien les deux ? N'est-il pas plus charmant de glisser la main à l'intérieur de son gilet, dans la pose du *clubman* ?

Pour fêter la fin de ses études, Iggie part pour une équipée en automobile avec les Gutmann, ses amis d'enfance. Leur périple à bord de la mythique et éléphantesque Hispano-Suiza les mène de Vienne à Paris en passant par le nord de l'Italie et la Riviera. Dans un col froid et ensoleillé, trois jeunes gens sont alignés sur la banquette arrière de la voiture à la capote baissée, emmitouflés dans leur manteau de voyage, les lunettes relevées sur leur casque de conduite. Leurs bagages s'empilent devant eux. Le chauffeur patiente. Le capot et le coffre du véhicule disparaissent hors-champ. Il semble avoir trouvé un fragile angle d'équilibre, suspendu entre des versants abrupts.

Si Iggie avait eu des ambitions scolaires, il aurait pu souffrir d'avoir une sœur comme Elisabeth. Mais les études l'indiffèrent. Les finances familiales ne sont pas catastrophiques à cette époque – Emmy, toujours élégante à quarante-cinq ans, s'est remise à acheter des vêtements –, mais Iggie a besoin de se concentrer, de s'occuper autrement qu'en faisant inlassablement la tournée des cinémas en enchaînant les séances. Viktor et Emmy ont une idée bien arrêtée sur son avenir. Iggie doit entrer à la banque, suivre chaque matin le même chemin aux côtés de son père, et s'installer derrière un bureau, sous l'écusson frappé de la devise *Quod honestum* et du petit bateau labourant les vagues pour traverser les générations : Joachim, Ignace et

302

Léon, Viktor et Jules, et maintenant Iggie. Finalement, c'est lui le seul jeune homme dans la famille Ephrussi, puisque Rudolf n'est encore qu'un magnifique enfant de sept ans.

Son manque d'aptitudes pour le calcul est délibérément ignoré. On l'inscrit à l'université de Cologne pour qu'il se forme à la finance. Son oncle Pips, remarié à une superbe actrice de cinéma, pourra ainsi veiller avantageusement sur lui. En gage d'indépendance, Iggie se voit offrir une toute petite voiture, et il a fière allure quand il la conduit. Il survit au supplice de ces trois ans de conférences allemandes, et débute sa carrière dans une banque de Francfort, ce qui lui donne l'occasion, comme il le souligna aigrement dans une lettre, des années plus tard, « de se familiariser avec toutes les phases de l'activité bancaire ».

Iggie n'aimait guère évoquer cette période-là, sinon pour dire qu'il n'était pas *judicieux* d'être un banquier juif dans l'Allemagne de la dépression. C'est l'époque de l'ascension du nazisme : Hitler récolte de plus en plus de voix, les effectifs du groupe paramilitaire des SA passent à 400 000, alors que les affrontements de rue deviennent chose courante. Hitler accède au poste de chancelier le 30 janvier 1933, et un mois plus tard, à la suite de l'incendie du Reichstag, des milliers de personnes sont placées en « détention provisoire ». Le plus important de ces nouveaux camps se trouve à Dachau, à la frontière bavaroise.

En juillet 1933, Iggie est attendu à Vienne pour faire ses débuts à la banque.

Il n'est peut-être pas *judicieux* de rester en Allemagne, mais le moment est mal choisi aussi pour un retour en Autriche. Vienne est une zone de turbulences. Le chancelier autrichien, Engelbert Dollfuss, a suspendu la Constitution face aux pressions grandissantes des nazis. Policiers et manifestants s'opposent violemment, et certains jours Viktor ne se rend même pas à la banque, attendant impatiemment qu'on lui apporte les journaux du soir dans la bibliothèque.

Mais Iggie ne vient pas au rendez-vous. Il s'est enfui. La banque explique en partie sa fuite – le petit sourire narquois que lui adresse toujours le portier –, mais ses motivations s'enracinent aussi dans Vienne et, plus profondément, dans ses relations avec sa famille. Papa, la vieille cuisinière Clara qui vous accueille avec sa tourte de veau et sa salade de pommes de terre, Anna qui entretient scrupuleusement ses chemises, la chambre qui l'attend au bout du long couloir familier, après la garde-robe d'Emmy, avec le lit Biedermeier et le couvre-lit que l'on rabat à six heures.

C'est à Paris qu'il choisit d'aller. Il est employé dans une « maison de couture de troisième catégorie », où il apprend à dessiner des robes d'intérieur. Il passe des nuits à l'atelier pour s'exercer à la coupe, et commence à comprendre comment les ciseaux glissent sur une mer ondoyante de soie brochée verte. Il s'accorde quatre heures de sommeil chez un ami, à même le parquet, puis il retourne à ses croquis après avoir avalé un café. Une pause à midi pour un repas et un café, et il reprend le travail.

Iggie manque d'argent : il a appris quelques astuces pour préserver ses costumes, il sait rafraîchir les ourlets en repliant légèrement le tissu à l'intérieur. Sans

304

commentaires, ses parents continuent de lui faire parvenir une petite rente. Et même si Viktor se sent un peu mortifié d'expliquer à son entourage qu'Iggie ne rejoindra pas l'entreprise – il doit marmonner une vague réponse quand on l'interroge sur les activités de son fils à Paris –, il n'est pas impossible qu'il comprenne ses choix. Partir ou ne pas partir, voilà sans doute une question qui lui est familière, tout comme Emmy peut dire ce que c'est que rester.

Iggie a vingt-huit ans, et comme pour sa mère, la mode est chez lui une vocation. Il a passé des heures avec Emmy et Anna dans la garde-robe aux netsukes, à lisser l'étoffe d'une robe, à comparer les détails d'une dentelle ornant l'encolure ou les manches d'un modèle. Et il a beaucoup joué à se déguiser avec Gisela, puisant dans les vieilles malles reléguées dans le débarras du couloir. Il a aussi étudié les vieux numéros de *Wiener Mode* étalés sur le parquet du salon. Il connaissait les différentes coupes des pantalons d'uniforme des régiments impériaux, et savait que l'on pouvait tailler le crêpe de Chine dans le biais. Il se découvre à présent moins doué qu'il ne l'espérait, mais c'est tout de même un début.

Après neuf mois difficiles, il s'enfuit de nouveau, vers New York, la mode et les garçons. Cette trinité rythmait si merveilleusement sa vie que même dans son grand âge, il ne pouvait s'empêcher de décrire en souriant cette installation à New York comme une sorte de baptême : un voyage vers une autre vie, vers la part la plus authentique de soi-même.

J'ai appris certaines choses à ce sujet pendant mon premier séjour à Tokyo, quand Iggie tentait non sans ironie d'améliorer ma garde-robe. En ce mois de juin

chaud et humide où j'arrivai chez lui, sérieux, enthousiaste, et rendu crasseux par le voyage, je compris non
pas que les vêtements étaient importants, mais *en quoi*
ils l'étaient. Iggie et Jiro, l'ami qui occupait le logement adjacent, m'accompagnèrent à Mitsukoshi, le
grand magasin du centre de Ginza, afin de m'acheter
des habits présentables, quelques vestes en lin pour
l'été et des chemises à col. Mes jeans et mes T-shirts
furent emportés par la gouvernante, Mme Nakano,
et revinrent bien pliés, leurs ourlets recousus, et les
boutons manquants remplacés. Certaines pièces dis-
parurent définitivement.

Lors d'une autre de mes visites, beaucoup plus tard,
Jiro me remit une carte qu'il avait retrouvée. « Le baron
I. Leo Ephrussi tient à vous informer de son association
avec Dorothy Couteaur, anciennement de Molyneux,
Paris. » L'adresse est le 695, Cinquième Avenue, et le
numéro de téléphone Eldorado 5-0050. Heureuse
coïncidence : la mode est vraiment un eldorado pour
Iggie. On note qu'il a échangé « Ignace » contre
« Leo », mais qu'il a conservé son titre de baron.

Chez Dorothy Couteaur Inc. – un nom à la Nabo-
kov, avec sa déformation parodique et traînante du
mot *couture*** –, Iggie crée le « Free-Swinging Coat »,
un manteau en crêpe de soie « artistement porté sur
une robe en crêpe beige, presque transparente, beige
lui aussi, avec un motif d'hirondelles marron ». Le
brun domine, effectivement. Iggie dessine essentiellement « des robes raffinées pour l'Américaine élégante », même si je trouve aussi une référence à des
« Accessoires élégants, présentés pour la première fois
en Californie. Ceintures, sacs, bijoux en céramique
et poudriers », signes de gêne financière ou de

débrouillardise. Dans le *Women's Wear Daily* du 11 mars 1937, il est fait mention d'un « remarquable ensemble de soirée qui introduit un alliage de matières intéressant, une robe d'inspiration grecque en jersey de soie blanc nacré, portée avec un manteau en mousseline d'un rouge franc et orné de nervures. L'écharpe peut se nouer à la taille, pour donner au manteau un style redingote ».

I. LEO EPHRUSSI

takes pleasure to invite you to see his exclusive
Paris and New York Lines
of Smart Accessories
shown for the first time in California

Studio Huldschinsky
8704 Sunset Blvd.
West Hollywood
CR. 1-4066

Belts, Bags, Ceramic Jewelry
Compacts, Handknit Suits and Blouses

Carton d'invitation d'Iggie, 1936

J'adore l'expression « alliage de matières intéressant », mais j'avoue que le « style redingote » est loin d'être évident sur l'illustration.

J'ai vraiment pris conscience de la dimension ludique du métier d'Iggie en découvrant sa collection de vêtements de croisière inspirée des pavillons de signalisation maritime. Des filles en short ou en jupe sont soulevées au milieu des cordages par de superbes marins bronzés, cependant que le code nous indique fort à propos que les jeunes personnes « ont besoin de communiquer avec vous », que « tout danger est écarté », qu'il y a un « incendie à bord », ou que l'« on ne tiendra pas plus longtemps ».

À cette époque, New York fourmille de Russes, d'Autrichiens et d'Allemands tombés dans l'indigence et fuyant l'Europe. Iggie en fait partie. La modeste rente en provenance de Vienne a fini par s'épuiser et ses créations de couture lui rapportent fort peu, mais il est pourtant heureux. Il a rencontré son premier grand amour, un antiquaire nommé Robin Curtis, svelte, blond et un peu plus jeune que lui. Sur une photo prise dans leur appartement de l'Upper East Side, qu'ils partageaient avec la sœur de Robin, les deux hommes portent des complets à fines rayures, et Iggie est perché sur un accoudoir de fauteuil. Derrière eux, leurs photos de famille s'alignent sur le dessus de cheminée. Sur d'autres photos, ils s'amusent en maillot de bain sur une plage du Mexique ou de Los Angeles. Un véritable couple.

Iggie est vraiment parti.

Elisabeth, de son côté, n'est pas favorable à un retour à Vienne. Cependant, quand les soucis financiers deviennent insupportables – les clients de Henk se sont éloignés, les promesses n'ont pas été tenues, etc. –, elle part s'installer avec les garçons dans une ferme d'Oberbozen, un joli village du Tyrol italien. On y entend le vacarme des orchestres les jours de fête, et les prairies sont tapissées de gentianes. Le site est magnifique et la pureté de l'air excellente pour le teint des enfants, mais surtout la vie y est très bon marché, on n'y a pas les mêmes frais qu'à Paris. Au début, les enfants fréquentent l'école locale, avant qu'Elisabeth ne prenne en charge leur instruction. Henk se partage toujours entre Paris et Londres, essayant de renflouer sa société. « Quand il venait nous voir, racontait mon père, on nous recommandait de ne pas faire de bruit, car il était extrêmement fatigué. »

De temps en temps, Elisabeth conduit les enfants à Vienne pour qu'ils voient leurs grands-parents et leur oncle Rudolf, devenu adolescent. Le chauffeur emmène Viktor et les petits en promenade dans la longue voiture noire.

Emmy souffre de problèmes cardiaques et a commencé à suivre un traitement. Sur les rares photos de cette période, elle paraît un peu vieillie, comme prise au dépourvu par le passage des ans, mais elle reste élégante dans sa cape noire à col blanc, un chapeau incliné sur ses boucles grises, une main sur le bras de mon père et l'autre sur l'épaule de mon oncle. Anna doit veiller consciencieusement sur elle. Et elle continue à tomber amoureuse.

Elle a beau prétendre qu'elle n'est pas prête pour un rôle de grand-mère, elle envoie à mon père une série de cartes bariolées inspirées des contes d'Andersen : « Le porcher », « La princesse au petit pois », « Jack et le haricot magique ». Des dizaines de cartes assorties de brefs messages, une par semaine sans faute, qui s'achèvent toutes par « Mille baisers de grand-mère ». Emmy ne sait toujours pas résister au plaisir de raconter une histoire.

Rudolf, qui grandit au palais loin de ses frères et sœurs, est devenu un grand jeune homme séduisant. Sur une photo, il se tient dans l'encadrement d'une porte du palais, vêtu d'une culotte de cheval et d'un manteau militaire. Il joue du saxophone. J'imagine les splendides échos de la musique dans ces pièces de plus en plus vides.

En juillet 1934, Elisabeth et les garçons passent quinze jours au palais, juste au moment de la tentative de coup d'État des SS autrichiens, qui se solde par l'assassinat du chancelier Dollfuss et le soulèvement des nazis. L'événement fait de nombreuses victimes, et la peur d'une véritable guerre civile entraîne la nomination de Kurt Schuschnigg au poste de chancelier. Mon père se souvient de s'être réveillé dans la nursery du palais, et d'avoir couru à la fenêtre pour voir débouler un camion de pompiers toutes sirènes hurlantes. Je l'ai pressé de préciser ce souvenir (manifestations nazies, police armée?), mais il n'est pas facile à influencer. Pour lui, la Vienne de 1934 se résume à un camion de pompiers.

Désormais, Viktor essaie à peine de faire semblant d'être banquier. C'est peut-être justement à cause de cela, et des compétences de son bras droit Herr Steinhausser, que les affaires se portent bien. Il continue pourtant à se rendre quotidiennement au bureau, pour y consulter les catalogues en petits caractères qu'il reçoit de Leipzig et de Heidelberg. Il s'est mis à collectionner les incunables et voue une passion toute particulière à l'histoire de Rome – surout depuis la chute de l'empire austro-hongrois. Les ouvrages sont rangés dans sa bibliothèque, dans le meuble grillagé dont la clé est suspendue à sa chaîne de montre. Collectionner les ouvrages historiques en latin est une passion aussi originale que dispendieuse, mais Viktor s'intéresse aux empires.

Il séjourne à Kövesces avec Emmy, mais depuis la mort des parents Schey, le domaine n'est plus que l'ombre de lui-même : il ne reste que deux chevaux aux écuries et une poignée de gardes-chasse, et l'on n'organise plus de grandes parties de chasse. Emmy va se promener vers le coude de la rivière pour prendre le frais et rentre avant le dîner comme elle le faisait jadis avec ses enfants, bien que ses problèmes cardiaques ne lui permettent pas de marcher très vite. Le lac est à l'abandon, encerclé de roseaux murmurants.

Les enfants Ephrussi se sont dispersés. Elisabeth vit toujours dans les Alpes – à Ascona en Suisse – et se rend à Vienne dès qu'elle le peut avec ses fils. Anna les adore. Iggie crée des vêtements de croisière à Hollywood. Gisela et sa famille se sont réfugiés au Mexique pour échapper à la guerre civile espagnole.

En 1938, Emmy a cinquante-huit ans. Elle reste très belle avec son grand sautoir de perles au cou, qui descend jusqu'à la taille. Au milieu du chaos viennois, le palais semble singulièrement figé. Huit domestiques veillent à perpétuer cette immobilité parfaite. Il ne se passe quasiment rien. On dresse toujours la table pour treize heures et pour vingt heures, mais à présent c'est Rudolf qui manque à l'appel. Il est dehors à n'importe quelle heure du jour et de la nuit.

À soixante-dix-huit ans, Viktor est la vivante réplique de son propre père, et du portrait de son cousin Charles illustrant sa notice nécrologique. Il me rappelle Swann dans son grand âge, quand tous ses traits se sont accentués. Le nez des Ephrussi est resplendissant. En regardant une photo de Viktor, je me rends compte à quel point il ressemble à mon père aujourd'hui, et je me demande d'ici combien de temps je leur ressemblerai aussi.

Rongé par l'inquiétude, Viktor a pris l'habitude de lire plusieurs quotidiens. Son angoisse est tout à fait légitime, d'ailleurs. Depuis quelques années, le parti national-socialiste autrichien subit des pressions ouvertes et reçoit des financements occultes de l'Allemagne. Hitler a demandé au chancelier autrichien Schuschnigg de libérer les membres du parti nazi incarcérés et de leur assurer une place au sein du gouvernement. Schuschnigg a obtempéré. Exaspéré par les pressions de plus en plus fortes, il a décidé d'organiser un plébiscite pour l'indépendance de l'Autriche le 13 mars.

Le jeudi 10 mars, quand Viktor va dîner au Wiener Club sur le Kärtner Ring (à cinq cents mètres de chez lui) avec ses amis juifs, l'après-midi se passe en débats enfumés sur les événements. Le cours de l'histoire n'est pas favorable à Viktor.

Troisième partie

VIENNE, KÖVESCES, TUNBRIDGE WELLS, VIENNE

1938-1947

Plan du palais Ephrussi à Vienne

24.

« Un endroit idéal
pour les défilés de masse »

Le 10 mars 1938, le plébiscite laisse encore de grands espoirs. La veille au soir à Innsbruck, le chancelier autrichien a prononcé un discours retentissant dans lequel il a évoqué un ancien héros du Tyrol : « Hommes ! L'heure a sonné ! » C'est une journée de fin d'hiver magnifique, claire et lumineuse. Des camions éparpillent des tracts dans les rues, partout s'étalent des affiches illustrées d'un *Ja !* énergique. « Avec Schuschnigg pour une Autriche libre ! » Les croix du Front patriotique ont été peintes en blanc sur les murs et les trottoirs. La foule envahit la rue, et des cohortes de jeunes gens défilent en scandant « *Heil Schuschnigg ! Heil Freiheit !* » ou « Rouge, blanc, rouge, jusqu'à la mort ! ». La radio diffuse en permanence le discours de Schuschnigg. Le Consistoire israélite a offert la somme colossale de 500 000 schillings – 80 000 dollars – en soutien à la campagne : pour les juifs de Vienne, le plébiscite fait figure de bastion.

Le vendredi 11 avant l'aube, le préfet de police de Vienne réveille Schuschnigg pour lui signaler des mouvements de troupes à la frontière allemande. Le trafic ferroviaire a été suspendu. C'est encore une matinée claire et ensoleillée. Le dernier jour de l'Autriche, le jour des ultimatums lancés par Berlin, et des efforts désespérés pour obtenir l'aide de Paris ou de Londres face à une Allemagne qui exige la démission du chancelier au profit de son ministre pro-hitlérien, Artur von Seyss-Inquart.

Le 11 mars, le Consistoire israélite alloue encore 300 000 schillings à la campagne de Schuschnigg. La rumeur prétend que plusieurs colonnes de soldats ont déjà franchi la frontière allemande, et l'on parle aussi d'une annulation du plébiscite.

Le poste de radio – un encombrant modèle anglais de couleur marron, avec les capitales des pays inscrites autour du cadran – est installé dans la bibliothèque du palais. Viktor et Emmy passent l'après-midi à écouter les nouvelles. Même Rudolf s'est joint à eux. À seize heures trente, Anna apporte à Viktor son verre de thé, avec le sucre et une tranche de citron sur une assiette en porcelaine, et pour Emmy du thé anglais et la boîte à pilules en Meissen contenant ses médicaments pour le cœur. Rudolf, qui a dix-neuf ans et l'esprit de contradiction, se fait servir du café. Anna dépose le plateau sur la table à l'appuie-livre. À sept heures, Radio Vienne annonce que le plébiscite est remis à une date ultérieure, avant de révéler, quelques minutes plus tard, la démission de l'ensemble du cabinet, à l'exception de Seyss-Inquart qui, favorable aux nazis, reste ministre de l'Intérieur.

À vingt heures dix, Schuschnigg fait une allocution à la radio : « Hommes et femmes d'Autriche ! Nous sommes confrontés aujourd'hui à des circonstances graves et décisives [...]. Le gouvernement du Reich allemand a présenté un ultimatum au président fédé-

316

ral, lui demandant de nommer chancelier un candidat désigné par lui-même [...], faute de quoi les troupes allemandes franchiront la frontière dans l'heure [...]. Comme nous ne voulons pas, même en ce moment solennel, répandre le sang allemand, ordre a été donné à notre armée de reculer sans résistance excessive et d'attendre les décisions des heures à venir. Le moment est venu pour moi de prendre congé du peuple allemand par quelques mots allemands et un souhait sincère : *Gott schütze Österreich* ("Que Dieu protège l'Autriche"). » On entend alors l'hymne autrichien, *Gott erhalte*.

On croirait que l'on vient d'actionner un interrupteur. Le tapage déferle dans les rues, la Schottengasse résonne de clameurs. Les gens crient « *Ein Volk, ein Reich, ein Führer !* » ou bien « *Heil Hitler, Sieg Heil !* » Ils vocifèrent « *Jude verrecke !* », « Mort aux juifs ! »

C'est un raz-de-marée de chemises brunes. Les taxis klaxonnent, des hommes armés descendent dans les rues, et les policiers exhibent déjà des brassards frappés d'un svastika. Des camions foncent sur le Ring, devant la maison et l'université, en direction de l'Hôtel de Ville. Eux aussi portent une croix gammée, tout comme les trams, et tous sont bondés de jeunes gens qui hurlent et saluent de la main.

Quelqu'un éteint les lumières de la bibliothèque, comme si l'obscurité pouvait rendre invisible, mais le vacarme pénètre dans la maison, dans la pièce, et jusque dans les poumons de ses occupants. En bas, dans la rue, quelqu'un se fait rouer de coups. Que va-t-il se passer ? Pendant combien de temps peut-on faire comme si rien n'était arrivé ?

Quelques amis de la famille bouclent leur valise et se fraient un passage dans le tourbillon de la foule des Viennois en liesse, afin de gagner la gare. Le train de nuit pour Prague, qui part à onze heures quinze, est comble dès neuf heures. Des hommes en uniforme envahissent les wagons pour obliger les passagers à sortir.

Dès onze heures quinze, les drapeaux nazis flottent en façade des ministères. À minuit et demi, le président Miklas cède et ratifie la formation du cabinet. À une heure huit du matin, un certain major Klausner apparaît au balcon et annonce « avec une profonde émotion en ce moment de joie que l'Autriche est libre, que l'Autriche est nationale-socialiste ».

À pied ou en voiture, les gens font la queue à la frontière tchèque. La radio diffuse des marches militaires allemandes telles que la *Badenweiler* et la *Hohenfriedberger*, entrecoupées de slogans. Les premières vitrines de magasins juifs volent en éclats.

C'est au cours de cette nuit-là que les bruits de la rue se changent en cris résonnant dans la cour du palais, répercutés par les murs et la verrière. Des pas martèlent les escaliers, les trente-trois marches basses qui mènent à l'appartement du second.

Des coups contre la porte, quelqu'un qui appuie avec insistance sur la sonnette, et un groupe d'hommes en uniforme – certains avec le brassard au svastika, d'autres en tenue habituelle – font irruption. Certains sont encore adolescents. Il est une heure du matin, mais personne n'est couché, tout le monde est resté habillé. Viktor, Emmy et Rudolf sont poussés dans la bibliothèque.

Cette première nuit, ils investissent l'appartement. Des appels traversent la cour, car deux d'entre eux ont trouvé le salon avec ses meubles et ses porcelaines françaises. Quelqu'un éclate de rire pendant qu'ils mettent à sac le placard d'Emmy. L'un d'eux martèle un air au piano. Quelques hommes sont entrés dans le bureau et arrachent les tiroirs, bousculent les tables et renversent les in-folios de leur pupitre. Dans la bibliothèque, ils font tomber les globes de leur support. Ce saccage désordonné, ce gâchis frénétique n'est rien d'autre qu'un pillage. Un défoulement et un déchaînement. Les hommes explorent, observent, fouillent, évaluent.

Dans la salle à manger, ils s'emparent des chandeliers d'argent soutenus par des faunes un peu ivres, s'approprient les petits animaux en malachite sur les manteaux de cheminée, les étuis à cigarettes en argent, une liasse de billets tenue par un trombone sur une table du bureau de Viktor. Ils emportent aussi la pendulette russe en or et émail rose qui sonnait les heures au salon, et la grande pendule de la bibliothèque, dont le dôme doré repose sur des colonnes.

Cela fait des années qu'ils passent devant cette maison, qu'ils aperçoivent des visages aux fenêtres, qu'ils jettent un regard dans la cour lorsque le portier ouvre les portes pour faire entrer la voiture au trot. Et maintenant ils sont dedans, enfin. Voici comment vivent les juifs, comment ils utilisent notre argent, toutes ces pièces remplies de choses, cette opulence… Ce qu'ils prennent cette nuit-là ne répresente que quelques souvenirs, une ébauche de redistribution. Ce n'est que le début.

La dernière porte qu'ils ouvrent est celle de la garde-robe d'Emmy, à l'angle, là où se trouve la vitrine des netsukes. Ils jettent à bas tous les objets du bureau qui lui sert de coiffeuse : le miroir de poche, les porcelaines, les coffrets en argent et le vase de fleurs qu'Anna se fait envoyer de Kövesces, puis ils traînent le meuble dans le couloir.

Poussant Emmy, Viktor et Rudolf contre le mur, ils soulèvent le bureau et le lancent par-dessus la rambarde ; il va s'écraser sur les dalles de la cour dans un fracas de bois, de dorures et de marqueterie éclatés.

La chute du bureau – cadeau de mariage de Fanny et de Jules, à Paris – semble durer très longtemps. La verrière renvoie l'écho du choc. Les tiroirs fracassés éparpillent leurs lettres dans la cour.

Vous croyez nous posséder, putains d'étrangers de *merde*. C'est vous qui allez morfler, *saloperies* de juifs.

Il s'agit là d'un exemple d'aryanisation sauvage. Nul besoin d'autorisation.

Ce bruit d'objets brisés est la récompense d'une longue attente. Cette nuit-là est jalonnée de semblables rétributions. L'événement se préparait depuis longtemps. Les grands-parents raconteront à leurs petits-enfants l'histoire de cette nuit, ils leur diront comment une nuit, les juifs ont enfin dû répondre de leurs actes, et de tout ce qu'ils avaient volé aux pauvres. Ils leur diront comment les rues ont été nettoyées, la lumière apportée jusque dans les zones d'ombre. Car le fond de l'affaire n'est rien d'autre que la souillure, la corruption que les juifs ont amenée de leurs taudis puants jusque dans la cité impériale, et la façon dont ils ont dérobé ce qui lui appartenait.

Dans toute la ville, on défonce des portes et les enfants se cachent derrière leurs parents et se réfugient sous les lits ou dans les placards, essayant d'échapper au bruit pendant qu'on arrête et qu'on moleste leurs pères et leurs frères avant de les pousser dans des camions, pendant que l'on abuse de leur mère ou de leur sœur. Dans toute la ville, des gens font main basse sur ce qui devrait leur appartenir, sur ce qui leur revient de droit.

Il n'est pas question de dormir, on ne songe même pas à aller se coucher. Quand ces hommes s'en vont, quand ces hommes et ces garçons finissent par partir, ils promettent qu'ils reviendront, et il est clair qu'ils disent vrai. Ils emportent le collier de perles qu'Emmy porte autour du cou, et ses bagues. L'un d'eux s'arrête pour lancer un gros crachat à leurs pieds. Ils dévalent l'escalier à grand bruit, hurlant jusque dans la cour. Un homme prend son élan pour taper dans les débris à coups de pied, puis ils sortent sur le Ring par la grande porte, l'un d'eux tenant sous le bras une grosse pendule.

Il va bientôt neiger.

Dans le petit matin grisâtre du dimanche 13 mars, alors qu'aurait dû avoir lieu le plébiscite pour une Autriche libre, allemande, indépendante, chrétienne, sociale et unie, on découvre des voisins à quatre pattes nettoyant les rues de Vienne, entourés de SS, de membres de la Gestapo et du NSDAP qui les côtoient depuis de longues années. Des enfants et des gens âgés, le marchand de journaux du kiosque sur le Ring, les orthodoxes, les libéraux, les croyants et les radicaux, les vieux messieurs qui lisaient Goethe et croyaient en la notion de *Bildung*, le professeur de violon et sa mère – couverts de quolibets et de crachats, malmenés et frappés. Obligés d'effacer les slogans du plébiscite, de rendre à Vienne sa propreté, de la préparer. Nous remercions notre Führer. Il a créé des emplois pour les juifs.

Sur une photographie, un jeune homme à la chemise éclatante surveille un groupe de femmes agenouillées dans l'eau savonneuse, ses bas de pantalon retroussés pour ne pas les mouiller. Tout est une question de souillure et de pureté.

La maison a été forcée. Ce matin-là, alors que mes arrière-grands-parents sont assis en silence dans la bibliothèque, Anna ramasse les photos de cousins tombées au sol, balaie les éclats de porcelaine et de marqueterie, redresse les tableaux, s'efforçant de nettoyer les tapis et de refermer la porte qui a été ouverte.

Tout au long de la journée, des escadrilles d'appareils de la Luftwaffe survolent Vienne à basse altitude. Viktor et Emmy ne savent que faire. Ils se demandent où aller en ce dimanche matin où les premières troupes allemandes sont accueillies à la frontière par des attroupements et des brassées de fleurs. Selon la version officielle, Hitler rentre au pays pour se recueillir sur la tombe de sa mère.

Des arrestations ont lieu toute la journée, touchant quiconque a soutenu un des anciens partis, des personnalités de la presse, de la finance et de la fonction publique, des juifs. Schuschnigg est placé en isolement. Le soir même, le NSDAP prend la tête d'une procession aux flambeaux dans les rues de Vienne.

Les bars résonnent des accents de *Deutschland, Deutschland über alles*. La foule est si dense qu'Hitler, parti de Linz, met six heures pour rejoindre Vienne.

Il arrive le 14 mars : « [...] avant que les ombres du soir ne descendent sur Vienne, alors que le vent se calmait et que les nombreux drapeaux retombaient dans une immobilité silencieuse mais joyeuse, cette heure solennelle devint réalité et le Führer des peuples allemands unis entra dans la capitale de l'Ostmark. »

Le cardinal de Vienne a donné ordre de sonner les cloches dans tout le pays, et celles de la Votivkirche, face au palais Ephrussi, commencent à retentir dans l'après-midi, tandis que le fracas de la Wehrmacht défilant sur le Ring ébranle la maison. Il y a des drapeaux partout : des drapeaux à svastika, et d'anciens drapeaux autrichiens recouverts de croix gammées à la peinture. Des gamins escaladent les tilleuls. Exposées à la devanture des librairies, des cartes montrent déjà une nouvelle Europe : une nation allemande s'étendant sans interruption de l'Alsace-Lorraine aux Sudètes et de la Baltique au Tyrol. La moitié de la carte est occupée par l'Allemagne.

Le mardi 15 mars au matin, des masses de gens défilent sur la Schottengasse et sur le Ring, devant le palais Ephrussi, pour rejoindre la Heldenplatz, l'immense place qui se trouve devant la Hofburg. Deux cent mille personnes se pressent sur la place et dans les rues avoisinantes, cramponnées aux statues, aux branches des arbres ou aux grilles. Juchées sur les rambardes, des silhouettes se découpent sur le ciel. À onze heures, Hitler paraît au balcon du palais impérial. C'est à peine si on l'entend : quand il entame sa conclusion, le tapage l'empêche de parler pendant plusieurs minutes, résonnant jusque sur la Schottengasse. « À l'heure qu'il est, je suis en mesure d'informer le peuple allemand de la plus grande réalisation de ma vie ; en tant que Führer et chancelier de la nation allemande et du Reich, je peux annoncer face à l'histoire l'entrée de ma patrie d'origine dans le Reich allemand. » On peut lire dans le *Neue Basler Zeitung* : « Les scènes d'enthousiasme qui ont salué l'arrivée de Hitler défient toute description. »

Le Ring se prête admirablement à tout cela, aux foules rassemblées, aux exhibitions d'émotions, aux uniformes. En 1908, alors qu'il était étudiant, Hitler avait eu le projet de compléter la Heldenplatz par deux arches monumentales – un sommet architectural, et un « lieu idéal pour les défilés de masse ». Autrefois, il a regardé passer la pompe impériale des Habsbourg. Et voilà que le Ring redevient « un enchantement sorti des *Mille et Une Nuits* », mais il s'agit là d'un de ces contes où un homme se métamorphose sous vos yeux en une créature terrible et incontrôlable parce que vous avez prononcé la mauvaise formule.

À treize heures trente, Hitler revient pour passer en revue le déploiement colossal de soldats en marche et de camions militaires, tandis que quatre cents avions planent dans le ciel. On annonce un nouveau plébiscite – légitime, cette fois. « Reconnaissez-vous Adolf Hitler comme votre Führer et l'union de l'Autriche au Reich allemand qui a été effectuée le 13 mars 1938 ? » Sur les bulletins rose pâle, on a imprimé un énorme cercle pour le *Ja* et un minuscule pour le *Nein*. Afin d'encourager les Viennois à réfléchir à la question, on pavoise de rouge les tramways

324

de la ville, et on habille également de rouge la cathédrale Saint-Étienne, tandis que le vieux quartier juif de Leopoldstadt est tapissé de drapeaux nazis. Lors de ce plébiscite *en bonne et due forme*, les juifs sont interdits de vote.

La terreur règne sur la ville. Des gens se font arrêter en pleine rue et sont entassés dans des camions. On envoie à Dachau des milliers d'activistes, de juifs et de perturbateurs. Au cours de ces premières journées, on reçoit des messages d'amis qui s'en vont, des coups de téléphone affolés de personnes arrêtées. Les cousins d'Emmy, Frank et Mitzi Wooster, sont déjà partis. Les Gutmann, proches amis des Ephrussi, ont quitté Vienne le 13. Les Rothschild aussi sont partis. Bernhardt Altmann, partenaire d'affaires de Viktor, avec qui il a assisté à d'innombrables dîners, s'en est déjà allé : ce n'est pas rien de quitter sa maison en abandonnant tout derrière soi.

Dans certains cas, la police se laisse soudoyer et relâche les détenus. Viktor vient en aide à un couple de cousins qui cherchent à gagner la frontière tchèque, alors qu'Emmy et lui-même semblent incapables de prendre une décision. Leurs amis leur conseillent de fuir, mais Viktor est comme pétrifié. Il ne peut se résoudre à quitter une demeure qui, avant d'être la sienne, a été celle de son père et de son grand-père. Il ne peut pas renoncer à la banque, à sa bibliothèque.

D'autres, en revanche, se sont empressés de déserter la maison. Qui voudrait être associé aux juifs ? Il ne reste plus que trois domestiques. La cuisinière et Anna, qui s'assurent que le café est toujours servi au baron et à la baronne, et le portier Herr Kirchner, sans famille connue et logé dans le petit appartement près de l'entrée.

La ville se transforme d'heure en heure avec l'arrivée de nouveaux militaires allemands : des soldats en uniforme sont postés dans toutes les rues. La monnaie est désormais le Reichsmark. Le mot *Jude* a été peint sur tous les magasins juifs, et leurs clients sont pris à partie. Le grand magasin Schiffmann, propriété de quatre frères juifs, est systématiquement pillé par les SA, sous le regard de la foule.

Vienne, le 14 mars 1938. Vue du Ring depuis le Parlement et l'Opéra, en direction du palais Ephrussi

Des gens disparaissent. Il est de plus en plus difficile de savoir où se trouve quelqu'un. Le mercredi 16 mars, l'écrivain Egon Friedell, vieil ami de Pips, saute par la fenêtre après avoir vu les soldats d'une troupe d'assaut interroger le portier de son immeuble. Entre mars et avril, on dénombre cent soixante suicides de juifs. Les juifs sont expulsés des théâtres et des orchestres, renvoyés de la fonction publique. Cent quatre-vingt-trois enseignants juifs perdent leur poste, tandis que l'ensemble des avocats et des représentants du ministère public sont relevés de leurs fonctions.

À ce moment-là, on assiste à un durcissement des renvois arbitraires, à une multiplication des pillages de biens juifs et des passages à tabac en pleine rue. De toute évidence, il s'agit d'un phénomène organisé et cautionné par des ordres venus d'en haut. Le vendredi 18 mars, le jeune lieutenant SS Adolf Eichmann s'occupe personnellement de l'affaire en se joignant à une descente dans les locaux du Consistoire israélite sur la Seitenstettgasse, confisquant des papiers impliquant la communauté juive dans la campagne de Schuschnigg. Eichmann entend bien rassembler un maximum de documents « judaïca » et « hebraïca » pour l'Institut de recherche sur la question juive, encore à l'état de projet.

Manifestement, le sort des juifs de Vienne est déjà fixé. Le 31 mars, les organisations juives sont déclarées hors la loi. L'aumônier de la petite église anglicane baptise des juifs. La conversion augmente les chances de s'enfuir. Des files d'attente se forment devant le presbytère, où le ministre réduit à dix minutes l'initiation à la foi chrétienne afin d'aider un plus grand nombre de candidats désespérés.

Le 9 avril, Hitler est de nouveau à Vienne. Son escorte motorisée traverse la ville et passe par le Ring. À midi, Goebbels apparaît au balcon du Rathaus, l'Hôtel de Ville sis désormais sur la Adolf Hitler

Platz, afin d'informer la population des résultats du plébiscite. « Je proclame l'avènement du Grand Reich allemand : 99,75 % des votants se sont prononcés en faveur d'une légitimation de l'Anschluss. »

Le 23 avril est annoncé le boycott des magasins juifs. Le même jour, la Gestapo se présente au palais Ephrussi.

25.

« Une opportunité unique »

Comment écrire sur cette époque ? Je lis des mémoires, le Journal tenu par Musil, j'étudie les photos de la foule ce jour-là et les jours qui suivent. Je compulse la presse viennoise. Le mardi, la boulangerie Hermansky prépare du pain aryen. Le mercredi, les avocats juifs sont congédiés. Le jeudi, les non-Aryens sont exclus du club de football Schwarz-Rot. Le vendredi, Goebbels distribue des radios gratuites. Des lames de rasoir « aryennes » sont mises en vente.

J'ai en ma possession le passeport tamponné de Viktor et quelques lettres échangées entre membres de la famille, que je dépose aussi sur mon long bureau. Je les parcours inlassablement, attendant de cette lecture une compréhension de ce qui s'est passé, de ce qu'ont éprouvé Emmy et Viktor dans leur maison du Ring. J'ai rempli des dossiers de notes d'archives, mais je me rends compte que je ne peux pas travailler depuis Londres, dans une bibliothèque. Alors je retourne à Vienne, au palais.

Je me tiens sur le balcon du deuxième étage. J'ai emporté avec moi un des netsukes, les trois châtaignes brun clair avec le petit ver en ivoire, et je réalise que mes doigts inquiets ne cessent de le faire tourner dans ma poche. Agrippé au garde-corps, je baisse le regard vers le sol de marbre en imaginant la chute de la table de toilette d'Emmy. Je pense aux netsukes dans leur vitrine, intacts.

J'entends arriver un groupe d'hommes d'affaires par le passage qui donne sur le Ring, en route pour une réunion, brouhaha de rires et de conversations. Les échos les plus ténus de la rue entrent en même temps qu'eux. Leurs voix me font penser à Iggie. Il m'a raconté comment le portier Herr Kirchner, qui, pour amuser les enfants, ouvrait le portail du palais Ephrussi avec un geste cérémonieux et un profond salut, s'était commodément absenté en laissant le portail ouvert le jour où étaient venus les nazis.

Six membres de la Gestapo dans leur uniforme impeccable entrent sans préambule. Au début, ils se montrent extrêmement courtois, expliquant qu'ils ont ordre de perquisitionner, car on soupçonne le juif Ephrussi d'avoir soutenu la campagne de Schuschnigg.

Une perquisition : en d'autres termes, tous les tiroirs sont arrachés, le contenu des placards renversé, chaque ornement examiné en détail. Savez-vous combien d'objets se trouvent dans la maison, combien de tiroirs, combien de pièces ? La Gestapo procède avec méthode. Ils ne se pressent pas, leurs façons ne sont pas *wild* (sauvages). Ils fouillent les tiroirs des petites tables du salon, éparpillent les papiers. Le bureau est démantibulé. Les catalogues classés d'incunables sont raflés à titre de preuves, le courrier dispersé en désordre. Ils sondent tous les tiroirs du cabinet italien, retirent les livres des rayonnages et les abandonnent par terre après les avoir inspectés. Ils explorent les profondeurs des armoires à linge, décrochent les tableaux des murs et vérifient les châssis. Les tapisseries de la salle à manger, qui servaient de cachette aux enfants, sont enlevées.

Après avoir fouillé les vingt-quatre pièces de l'appartement, les cuisines et le quartier des domestiques, la Gestapo réclame les clés du coffre-fort, de la pièce qui contient l'argenterie et du placard à porcelaines, où les pièces sont empilées service par service. Ils demandent aussi la clé du débarras à l'angle du couloir, où l'on range les cartons à chapeaux, les malles, les caisses de jouets des enfants et leurs vieux recueils de contes d'Andrew Lang. Ils exigent enfin qu'on leur remette la clé du cabinet de la garde-robe de Viktor, qui renferme les lettres d'Emmy, celles de son père et de son ancien précepteur Herr Wessel, le bon Prussien qui lui a inculqué les valeurs allemandes et lui a fait lire Schiller. Ils s'emparent aussi des clés du bureau de Viktor à la banque.

C'est là tout un univers familial, un territoire qui embrasse Odessa, les vacances à Saint-Pétersbourg, en Suisse, dans le sud de la France, à Paris, à Kövesces et à Londres… que l'on scrute minutieusement et que l'on répertorie. Chaque objet, chaque incident est tenu pour suspect. Cet examen, toutes les familles juives de Vienne sont en train de le subir.

Ces longues heures s'achèvent par une concertation de pure forme, et le juif Ephrussi est accusé d'avoir déboursé 5 000 schillings pour la campagne de Schuschnigg, ce qui fait de lui un ennemi de l'État. Il est arrêté et emmené, en même temps que Rudolf.

Emmy est autorisée à occuper deux pièces sur l'arrière de la maison. J'entre dans ces pièces. Exiguës, hautes de plafond et très mal éclairées, avec une imposte dépolie au-dessus de la porte qui laisse filtrer un peu de la clarté de la cour. Elle n'a pas le droit d'emprunter l'escalier principal ni d'entrer dans les autres pièces. Plus aucun domestique à son service. Dans un premier temps, elle ne possède plus que les vêtements qu'elle porte.

J'ignore où ont été conduits Viktor et Rudolf. Les archives ne m'ont rien appris, et je n'ai jamais questionné Elisabeth ou Iggie.

Il est possible qu'ils aient été emmenés à l'hôtel Métropole, réquisitionné par la Gestapo pour y établir son quartier général. Il existe beaucoup d'autres prisons pour enfermer cette marée de juifs. Ils sont battus, évidemment, mais on les empêche aussi de se raser et de se laver pour leur donner un aspect « dégénéré ». En effet, il importe de répondre à l'affront déjà ancien du juif qui ne ressemble pas à un juif. Le procédé consistant à vous dépouiller de votre respectabilité, de vous retirer votre chaîne de montre, vos souliers ou même votre ceinture, ce qui vous oblige à tituber en retenant votre pantalon avec la main, est une façon de renvoyer tout le monde au shtetl, de vous réduire à l'essence de votre personne : errant et mal rasé, transportant ses possessions sur son dos courbé. On attend de vous que vous deveniez la réplique des caricatures du *Stürmer,* la feuille de chou de Streicher qui se vend dans les rues de Vienne. Ils vous volent vos verres de lunettes.

Le père et le fils passent trois jours emprisonnés quelque part dans Vienne. La Gestapo a besoin d'une signature, il faut signer tel ou tel formulaire, sans quoi vous et votre fils serez envoyés à Dachau. Viktor accepte, cédant le palais et tout ce qu'il contient, ses autres biens immobiliers à Vienne, le produit de la diligence familiale, tout un siècle de possessions. On leur permet alors de rentrer au palais Ephrussi, de franchir le portail ouvert pour prendre l'escalier de service jusqu'au deuxième étage, où se trouvent les deux pièces qui leur sont dévolues.

Le 27 avril est déclarée la complète aryanisation de la propriété située au 14 Dr Karl Lueger Ring, anciennement palais Ephrussi. C'est l'un des premiers immeubles à recevoir une telle distinction.

Alors que je me tiens à l'entrée des pièces qu'on leur a attribuées, la bibliothèque et la garde-robe, de l'autre côté de la cour, me semblent incroyablement proches. Je pense que c'est cela, le début de l'exil, quand votre foyer est en même temps présent et infiniment lointain.

La maison ne leur appartient plus. Elle est pleine de gens, en uniforme ou en costume, qui comptent les pièces, recensent les objets et les tableaux, emportent certaines choses. Anna est là. On lui a ordonné d'aider à emballer tout cela dans des caisses et des cartons, et on lui a dit qu'elle devrait avoir honte de travailler pour des juifs.

Ils ne se contentent pas de prendre les objets d'art, les bibelots et les décorations en or qui ornent les tables et les manteaux de cheminées, mais ils s'emparent aussi des vêtements, d'une pleine caisse de vaisselle en porcelaine, d'une lampe, de cannes et de parapluies. Toutes ces choses qui ont trouvé leur place dans la maison au fil des décennies, s'installant dans les tiroirs, les commodes, les malles et les vitrines, les cadeaux de mariage ou d'anniversaire, les souvenirs, sont en train de quitter les lieux. On assiste là au curieux démantèlement d'une collection, d'une maison et d'une famille. C'est le moment de fracture où les belles pièces sont enlevées, et où les objets de famille, familiers, aimés, utilisés, deviennent de simples choses.

Afin d'évaluer les objets d'art appartenant aux juifs, des experts sont détachés par le Bureau des transferts de propriété, facilitant le vol méthodique des tableaux, livres, meubles et objets des maisons juives. Des spécialistes dépêchés par les musées estiment les pièces de valeur. Dans les semaines qui suivent l'Anschluss, musées et galeries bourdonnent d'activité : on rédige et on copie des courriers, on établit des listes et des fiches spécifiant la provenance et l'attribution des œuvres, et l'on répertorie chaque tableau, meuble et *objet**. La moindre chose suscite des intérêts contradictoires.

La lecture de ces documents me renvoie à la vie de Charles à Paris. *Amateur d'art**, passionné et diligent dans ses recherches et ses recensements, dans sa vie d'érudit, ses vagabondages pour réunir des informations sur ses peintres favoris, sa collection de netsukes.

Les historiens d'art n'ont jamais été aussi utiles, ni leurs avis écoutés avec autant d'attention qu'en ce printemps 1938 à Vienne. Et comme l'Anschluss a pour conséquence l'éviction des juifs de toutes les institutions officielles, les opportunités ne manquent pas pour les candidats qualifiés. Deux jours après l'Anschluss, Fritz Dworshak, jusque-là conservateur de la collection de médailles, est nommé directeur du Kunsthistorisches Museum. La dispersion de toutes les œuvres d'art confisquées, annonce-t-il, est « une opportunité d'expansion exceptionnelle et unique […] dans des domaines très variés ».

Il n'a pas tort. La plupart des objets d'art seront vendus ou mis aux enchères afin de réunir des fonds pour le Reich. Certains seront proposés à des marchands d'art en échange d'autres pièces. Le Führer s'en réserve une partie pour le musée qu'il projette de créer à Linz, sa ville natale, tandis que le reste est réparti entre les musées nationaux. Berlin surveille les opérations de très près. « Le Führer a l'intention de décider personnellement de l'usage qui sera fait des biens saisis. Il envisage en priorité de mettre les œuvres d'art à la disposition des petites villes autrichiennes, afin d'enrichir leurs collections. » Les dirigeants nazis sélectionnent pour leurs collections privées des tableaux, des livres et des pièces d'ameublement.

Au palais Ephrussi, le travail d'estimation est en cours. Tout le contenu de cette caverne aux trésors est soumis à un examen méticuleux. C'est ainsi que font les collectionneurs. Dans le jour grisâtre qui tombe de la verrière de la cour, tous les objets de cette famille juive sont mis en accusation.

La Gestapo rédige des rapports assez acerbes sur le goût que révèlent ces collections, tout en notant que trente des tableaux Ephrussi sont « bons pour le musée ». Trois toiles de maîtres sont directement attribuées à la « galerie des peintures » du Kunsthistorisches Museum, six autres à la Galerie autrichienne, une est vendue à un marchand. Deux terres cuites et trois tableaux sont rachetés par un collectionneur et dix peintures sont cédées à un marchand de la Michaelerplatz pour la somme de 10 000 schillings. Et ainsi de suite.

Bon nombre « d'objets d'art et de pièces de belle facture n'ayant pas leur place dans un bureau » sont confiées au Kunsthistorisches Museum et au Naturhistorisches Museum. D'autres objets du même genre sont placés au Dépôt des biens mobiliers, un gigantesque entrepôt où divers organismes peuvent venir faire leur choix.

Les tableaux les plus remarquables de Vienne sont photographiés et classés dans dix albums reliés en cuir qui sont envoyés à Berlin pour que le Führer puisse les consulter.

Dans une lettre expédiée de Berlin le 13 octobre 1938 par (initiales illisibles), référence RK 19694 B, on trouve la note suivante : « Le Reichs Fürher SS soumet avec la lettre du 10 août 1938, reçue le 26 septembre 1938, sept inventaires concernant des biens et des objets d'art confisqués en Autriche ; dix albums de photographies et le catalogue sont disponibles dans nos services, les inventaires et le certificat sont joints. » Outre le « palais comprenant parc et forêt du juif Rudolf Gutmann » et « sept propriétés du patrimoine des Habsbourg et Lothringen ainsi que quatre villas et un palais d'Otto von Habsbourg », il y a les objets d'art de « Viktor Ephrussi mis sous séquestre à Vienne, nos 57, 71, 81-87, 116-118 et 120-122… Cette confiscation a été effectuée au bénéfice de plusieurs organismes : l'Autriche, le Reichs Führer SS, le NSDAP, l'armée, le Lebensborn et autres ».

Pendant que Hitler étudie les albums pour faire son choix, pendant que l'on débat du sujet et que l'on médite sur la différence entre confiscation et mise sous séquestre, la bibliothèque de Viktor est déménagée : livres d'histoire, poésie grecque et latine, Ovide, Virgile et Tacite, les volumes de littérature anglaise, allemande et française, l'énorme édition de Dante à reliure de cuir, avec ses illustrations de Doré qui effrayaient tant les enfants, les dictionnaires et les atlas, les livres de Charles venus de Paris, les incunables. Des ouvrages achetés à Odessa et à Vienne, commandés à des libraires de Londres et de Zurich, toute une vie de lectures, sont retirés des rayonnages, triés et rangés dans des caisses que l'on cloue avant de les transporter dans la cour pour les charger dans des camions. Quelqu'un, dont les initiales sont illisibles, griffonne une signature au bas d'un formulaire, et le camion démarre en toussant, franchit les portes en chêne et s'éloigne sur le Ring.

Il existe un organisme chargé d'identifier les bibliothèques appartenant à des juifs. En parcourant le registre des membres du Wiener Club pour 1935 – Viktor von Ephrussi en est le président –, je constate que onze d'entre eux ont été spoliés de leur bibliothèque.

Une partie des caisses de livres est déposée à la Bibliothèque nationale. D'abord examinés par des bibliothécaires et des universitaires, tout aussi affairés en ce temps-là que les historiens d'art, ils sont finalement dispersés entre Vienne et Berlin. Certains sont mis de côté pour la future *Führerbibliothek* de Linz, d'autres sont destinés à la collection personnelle de Hitler, d'autres encore réservés au Centre Alfred Rosenberg. Ce dernier, un des précurseurs de l'idéologie nazie, est une sommité du Reich : « L'essence de la révolution mondiale contemporaine réside dans le réveil de l'identité raciale, écrit-il avec emphase dans ses essais. Pour l'Allemagne, la question juive ne sera résolue que lorsque le dernier juif aura quitté le territoire de la Grande Allemagne. » Ces ouvrages à la rhétorique pesante se vendent alors par centaines de milliers, juste derrière *Mein Kampf*. Son organisme s'est employé en particulier à la confiscation de matériaux de recherche issus de « biens juifs sans propriétaire » en France, en Belgique et en Hollande.

La même chose se produit partout dans Vienne. Quelquefois, les juifs sont contraints de vendre leurs biens pour une bouchée de pain, afin de s'acquitter de la taxe du *Reichsflucht* qui leur permettra de quitter le pays. D'autres fois, on les dépouille tout simplement de leurs possessions. Que la procédure s'assortisse ou non de violence, elle s'accompagne toujours d'une nébuleuse de jargon officiel, de papiers à signer, d'un aveu de culpabilité et de participation à des activités contraires aux lois du Reich. La paperasse est très abondante : l'inventaire de la collection des Gutmann occupe des pages et des pages. La Gestapo s'empare des onze netsukes de Marianne – le garçon en train de jouer, le chien, la tortue… – ceux-là mêmes qu'elle a montrés jadis à Emmy.

Combien de temps prend la séparation des êtres et des choses parmi lesquelles ils ont vécu ? Les séances se succèdent au Dorotheum, hôtel des ventes aux enchères viennois. Chaque jour, on met en vente des lots confisqués, et chaque jour ils trouvent preneurs : des gens venus pour faire des affaires, des collectionneurs cherchant à enrichir leurs collections. La vente de la collection Altmann s'étale sur cinq jours.

Elle débute le vendredi 17 juin 1938 à quinze heures avec une horloge de parquet anglaise à carillon Westminster, qui part pour 30 Reichsmarks à peine. Les transactions de chaque journée sont scrupuleusement consignées, jusqu'à totaliser rien moins que deux cent cinquante entrées.

Voilà donc comment se passent les choses. Il est clair que dans l'Ostmark, la région orientale du Reich, il convient désormais de traiter les objets avec soin. On pèse chaque chandelier d'argent, on compte les cuillères et les fourchettes. Aucune vitrine n'est négligée, on note toutes les estampilles au bas des figurines en porcelaine. On accole consciencieusement un point d'interrogation au descriptif d'un dessin ancien ; les dimensions des tableaux sont mesurées avec précision. Et pendant ce temps, leurs précédents propriétaires se font briser les côtes et casser les dents.

Les juifs ont moins d'importance que ce qu'ils ont possédé. Ce qui compte, c'est de prendre bien soin de tous ces objets, de les chérir et de leur offrir un digne foyer allemand. L'enjeu consiste à organiser une société sans juifs. Vienne est de nouveau « une station expérimentale pour la fin du monde ».

Trois jours après la libération de Viktor et de Rudolf, la Gestapo attribue l'appartement familial au *Amt für Wildbach und Lawinenverbauung*, le Bureau de contrôle des inondations et des avalanches. Quant à l'étage noble où vivait autrefois Ignace, tout en dorures, marbres et plafonds peints, il est cédé aux services d'Alfred Rosenberg, délégué du Führer pour le contrôle de l'instruction et de l'éducation idéologique du parti nazi.

J'imagine Rosenberg, silhouette mince et élégante, penché sur l'immense table Boulle du salon d'Ignace, ses papiers étalés devant lui. Son bureau est en charge de la coordination de l'orientation intellectuelle du Reich, et la besogne ne manque pas. Archéologues, écrivains et chercheurs sont tous dépendants de son imprimatur. On est au mois d'avril, et les tilleuls déroulent leurs premières feuilles. Face à lui, par les trois fenêtres, on distingue à travers les jeunes frondaisons les drapeaux nazis qui pavoisent l'université, et celui qui flotte en haut du nouveau mât érigé devant la Votivkirche.

Rosenberg officie juste au-dessous de l'hommage mûrement réfléchi qu'Ignace a fièrement rendu à Sion – le pari de toute sa vie sur l'assimilation : la peinture grandiose et resplendissante du couronnement d'Esther, reine d'Israël. Mais les juifs sont désormais bannis de la Zionstrasse.

Le 25 avril a lieu la cérémonie de réouverture de l'université. Des étudiants en costume traditionnel forment une haie d'honneur sur les marches de l'entrée pour saluer le Gauleiter Joseph Bürckel. Un système de quotas a été instauré, limitant à 2 % la proportion d'étudiants et d'enseignants juifs. Les juifs souhaitant s'inscrire à l'université doivent demander une autorisation. À la faculté de médecine, 153 professeurs sur 197 ont été renvoyés.

Le 26 avril, Hermann Göring lance sa campagne de « transfert des propriétés ». Tout juif dont les avoirs dépassent les 5 000 Reichsmarks doit en avertir les autorités, sous peine d'arrestation.

Le lendemain matin, la Gestapo se présente à la Banque Ephrussi, et pendant trois jours, ses agents compulsent les comptes. Au nom des nouveaux règlements, vieux de trente-six heures à peine, l'entreprise doit être proposée prioritairement à des actionnaires aryens, et au prix le plus bas. Ainsi, Herr Steinhausser, collègue de Viktor depuis vingt-huit ans, se voit offrir de reprendre l'affaire de ses partenaires juifs.

Six semaines seulement ont passé depuis le plébiscite.

Bien sûr que j'ai accepté le rachat, dira Steinhausser dans un entretien après-guerre sur son rôle à la banque. « Ils avaient besoin de liquide pour payer le *Reichsfluchtsteuer* [...] ils m'ont pressé de reprendre leurs parts, car c'était le moyen le plus rapide de se procurer de l'argent. Le prix demandé par Ephrussi et Wiener était "parfaitement normal"... 508 000 Reichsmarks, plus 40 000 pour la taxe d'aryanisation, bien entendu. »

Le 12 août, la société Ephrussi et Cie est rayée du registre du commerce. Les archives emploient curieusement le mot EFFACÉ. Trois mois plus tard, la banque est rebaptisée Bankhaus CA Steinhausser. Dotée d'un nouveau nom et d'un propriétaire aryen, elle est réévaluée à un prix six fois plus élevé que du temps de son propriétaire juif.

Le palais Ephrussi, la Banque Ephrussi ont cessé d'exister à Vienne. La ville a été « nettoyée » de cette famille.

C'est pendant ce séjour que je me rends aux archives juives de Vienne – celles qu'Eichmann avait saisies – afin de vérifier certains détails sur un mariage. Cherchant Viktor dans un des registres, je découvre un tampon rouge officiel par-dessus son prénom : « Israël ». Un décret a imposé aux juifs un changement de nom. Quelqu'un a passé en revue tous

341

les prénoms de la liste des juifs de Vienne pour y apposer ce tampon : « Israël » pour tous les hommes, « Sara » pour toutes les femmes.

Je me trompais : la famille n'a pas été effacée, elle a été recouverte. Et c'est cela, finalement, qui me fait pleurer.

26.

« Aller simple »

Que pourraient faire Viktor, Emmy et Rudolf pour quitter l'Ostmark du Reich allemand ? Ils peuvent toujours faire la queue devant les ambassades et les consulats, la réponse ne varie pas. Les quotas ont déjà été atteints. L'Angleterre accueille suffisamment de réfugiés, d'immigrés et de juifs nécessiteux pour que les listes soient closes pour les années à venir. Ces files d'attente ne sont pas sans danger, car elles sont surveillées par des patrouilles SS, la police locale et toutes sortes de personnes malintentionnées. On vit dans la peur permanente de voir un de ces camions de police vous embarquer pour vous envoyer à Dachau.

Il faut réunir assez d'argent pour payer toutes les taxes inventives mises en place par le régime, les permis punitifs qui donnent droit à l'émigration. On demande aussi aux juifs une déclaration de leurs avoirs à la date du 27 avril 1938, à remettre au Bureau de déclaration des biens juifs. Ils sont tenus de déclarer leurs comptes dans le pays et à l'étranger, les biens immobiliers, les capitaux, les économies, revenus et rentes, les objets d'art et de valeur. Ils sont censés ensuite se rendre au ministère des Finances pour fournir la preuve qu'ils ne doivent ni taxes foncières ni droits de succession et présenter des justificatifs de leurs revenus, chiffres d'affaires et rentes.

C'est ainsi que Viktor, âgé de soixante-dix-huit ans, entame son circuit dans la Vienne historique, faisant le tour de bureaux où on le rabroue, quand on ne l'empêche pas tout simplement d'entrer, patientant pour accéder à des bureaux où il doit à nouveau faire la queue. Une succession de guichets – avec leur tampon posé sur l'encrier rouge qui lui accordera ou non le droit de partir –, de taxes, de décrets et de protocoles qu'il doit mémoriser. Six semaines à peine après l'Anschluss, toutes ces nouvelles lois, ces nouveaux employés désireux de se distinguer, de se tailler une place dans l'Ostmark, engendrent le chaos.

Afin de hâter le processus, Eichmann crée un Bureau central de l'émigration juive dans le palais Rothschild aryanisé, sur Prinz Eugen Strasse. Il apprend à gérer efficacement un organisme et produit une forte impression sur sa hiérarchie. Cette nouvelle organisation va rapidement démontrer que l'on peut entrer dans un bureau avec des biens et un statut de citoyen, et en ressortir quelques heures plus tard avec un simple permis d'émigrer.

Les gens se résument peu à peu à l'ombre de leurs papiers. Ils vivent dans l'attente de la validation d'un document, d'une lettre de soutien de l'étranger, d'une promesse d'embauche. Ceux qui sont déjà partis se voient demander un service, un peu d'argent, une preuve de parenté, une association commerciale imaginaire, n'importe quoi d'écrit sur un papier un tant soit peu officiel.

Le 1er mai, Rudolf, dix-neuf ans, obtient l'autorisation d'émigrer aux États-Unis. Un ami lui a procuré un emploi dans la compagnie Bertig Cotton, à Paragould dans l'Arkansas. Viktor et Emmy se retrouvent seuls dans la vieille maison. Tous les domestiques sont partis, à l'exception d'Anna. Ces trois personnes déjà figées s'acheminent vers une totale paralysie. Viktor descend dans la cour par l'escalier habituel, passe devant la statue d'Apollon, évitant les regards des nouveaux fonctionnaires et de ses anciens locataires, franchit le portail sous les yeux du SA et sort sur le Ring. Mais où pourrait-il bien aller ?

Il n'a plus de café, plus de bureau, plus de club ni de cousins. Il n'a même plus la possibilité de s'asseoir sur les bancs du jardin de la Votivkirche, qui portent au pochoir la mention *Juden verboten*. Tous les lieux qu'il fréquentait autrefois lui sont maintenant fermés : le Sacher, le café Griensteidl, le Central et le Prater, sa librairie préférée et son barbier. Il ne peut même pas traverser le parc ou monter dans un tramway, interdits aux juifs et à ceux qui en ont la physionomie, ni entrer dans un cinéma ou à l'Opéra. Et même s'il le pouvait, il n'entendrait plus de musique composée ou interprétée par des artistes juifs. Mahler et Mendelssohn sont proscrits. L'Opéra a été aryanisé. Des SA sont postés au terminus du tram à Neuwaldegg pour empêcher les juifs de se promener dans les bois de Vienne.

Où pourrait-il aller ? Comment pourraient-ils s'en sortir ?

Alors que tout le monde s'apprête à partir, Elisabeth est de retour. Une décision très périlleuse, bien que son passeport hollandais la protège d'une arrestation comme intellectuelle juive indésirable. Sa ténacité est sans limites : elle obtient des permis pour ses parents, se fait passer pour un membre de la Gestapo afin d'avoir un entretien avec un certain fonctionnaire, trouve de quoi payer les taxes d'émigration, négocie avec les différents services. Elle refuse de se laisser intimider par le langage de ces nouveaux législateurs : elle est juriste, et elle sait comment s'y prendre. Si vous tenez à faire respecter les lois, moi aussi.

Le passeport de Viktor témoigne de son départ imminent. Le 13 mai, le tampon : « Le titulaire de ce passeport est un émigrant » est validé par la signature du Dr Raffergerst. Cinq jours plus tard, le 18 mai, est apposé le tampon *Einmalige Ausreise nach CSR*, « Bon pour un aller simple ». Le soir même, on signale des mouvements de troupes à la frontière et la mobilisation partielle de l'armée tchèque. Le 20 mai, les lois de Nuremberg entrent en vigueur en Autriche. Cette législation, appliquée depuis trois ans en Allemagne, établit une classification de la judéité. Si trois de vos grands-parents sont juifs, vous êtes considéré comme juif. Il vous est interdit de vous marier ou d'avoir des relations sexuelles avec un non-juif, d'exhiber le drapeau du Reich et d'employer un domestique non juif de moins de quarante-cinq ans.

Anna, servante non juive entre deux âges, est au service d'une famille juive depuis l'âge de quatorze ans – Emmy, Viktor et leurs quatre enfants. Elle va rester à Vienne et chercher un autre emploi.

Le 20 mai, le Grenzpolizeikommissariat Wien, la police des frontières de Vienne, délivre à Viktor et Emmy l'ultime autorisation.

Au matin du 21 mai, Elisabeth et ses parents franchissent les portes en chêne et tournent à gauche sur le Ring, chargés chacun d'une valise. Ils doivent se rendre à la gare à pied. La *Neue Freie Presse* annonce une température clémente de 14 degrés. Ce chemin sur le Ring, ils l'ont parcouru des centaines de fois. Elisabeth les laisse à la gare, car elle doit aller rejoindre ses enfants en Suisse.

Quand Viktor et Emmy atteignent la frontière, il est quasiment impossible d'entrer en Tchécoslovaquie, où l'on redoute une invasion allemande imminente. Ils sont donc gardés en rétention, ce qui signifie qu'ils descendent du train et patientent debout dans une salle d'attente pendant qu'on passe des coups de téléphone et qu'on inspecte leurs papiers. Ils se font voler 150 francs suisses et un de leurs bagages. Enfin, ils reçoivent l'autorisation de franchir la frontière. Plus tard dans la journée, ils arrivent à Kövesces.

Le domaine se trouve à proximité de plusieurs frontières. C'est d'ailleurs ce qui a toujours fait son attrait, ce qui l'a désigné comme le point de rencontre avec les parents et amis de toute l'Europe, comme relais de chasse et espace de liberté pour les écrivains et les musiciens.

Pendant l'été 1938, Kövesces est tel qu'il a toujours été, un mélange désordonné de grandiose et d'informel. On peut voir les orages d'été approcher au-dessus des plaines, les bouquets de saules cinglés par le vent au bord de la rivière. Sur la photo prise ce mois-là, la roseraie est plus négligée que jamais, et Emmy s'appuie sur Viktor. C'est le seul cliché sur lequel je les ai vu se toucher.

La maison s'est vidée, les enfants sont dispersés de par le monde : Elisabeth en Suisse, Gisela au Mexique, Iggie et Rudolf aux États-Unis. Les journées se passent dans l'attente du courrier, dans l'attente des journaux.

Les frontières sont surveillées, la Tchécoslovaquie est instable, et Kövesces trop proche du danger. Durant l'été survient la crise des Sudètes, à la frontière occidentale du pays : Hitler demande le rattachement au Reich de la population allemande. Les troubles se multiplient, on redoute la guerre. À Londres, les manœuvres de Chamberlain tentent d'amadouer Hitler et de le persuader que sa requête est recevable.

En juillet, une conférence internationale se tient pendant neuf jours à Évian sur le problème des réfugiés. Trente-deux pays, dont les États-Unis, se réunissent sans aboutir à une condamnation officielle de la politique allemande. La police suisse, soucieuse d'endiguer l'afflux des réfugiés venus d'Autriche, a prié le gouvernement allemand d'imposer un symbole permettant d'identifier les juifs aux postes de contrôle. La demande est acceptée. Les passeports des juifs sont invalidés, envoyés dans les commissariats et restitués avec le tampon « J ».

Au matin du 30 septembre, Chamberlain, Mussolini et le président du conseil français Édouard Daladier signent avec Hitler les accords de Munich : le conflit a été évité. Les zones ombrées en clair sur la carte de Tchécoslovaquie seront cédées le 1er octobre 1938, tandis que les parties plus sombres auront droit à un plébiscite. Le pays est démembré en l'absence du gouvernement praguois. Ce jour-là, les gardes-

Viktor et Emmy à Kövesces, 18 août 1938

frontières tchèques quittent leurs postes et les réfugiés allemands reçoivent l'ordre de partir. C'est le
début des persécutions contre les juifs. Le chaos
règne. Deux jours plus tard, des acclamations
joyeuses saluent l'entrée de Hitler dans les Sudètes.
Le 6, un gouvernement slovaque pro-hitlérien est
constitué. La nouvelle frontière est située à trente
kilomètres à peine de Kövesces. Le 10 octobre,
l'annexion est effective.

Il y a tout juste quatre mois qu'ils ont marché sur
le Ring pour gagner la gare et fuir Vienne. Et voilà
que les soldats allemands occupent toutes les frontières.

Emmy décède le 12 octobre.

Ni Elisabeth ni Iggie n'emploieront jamais le mot « suicide » en ma présence, mais ils reconnaissaient tous les deux qu'elle n'en pouvait plus, qu'elle ne voulait plus continuer ainsi. Emmy s'est éteinte pendant la nuit. Elle a pris trop de pilules pour le cœur, celles qu'elle gardait dans la petite boîte en porcelaine bleu pâle.

Je trouve dans le dossier son certificat de décès plié en quatre. Un timbre à cinq couronnes de la République de Tchécoslovaquie, marron et frappé d'un lion rampant, a été apposé dessus, bien que le pays ait déjà cessé d'exister le jour où le document a été rédigé. Il déclare en slovaque que le 12 octobre 1938, Emmy Ephrussi von Schey, épouse de Viktor Ephrussi, fille de Paul Schey et d'Evelina Landauer, est décédée à l'âge de cinquante-neuf ans. La mort est attribuée à une maladie cardiaque. Le papier est signé « Frederik Skipsa, *matrikar* ». Une note manuscrite a été ajoutée en bas à gauche : la défunte était citoyenne du Reich, et le document a été établi en conformité avec la législation du Reich.

Je réfléchis au suicide d'Emmy. Je crois qu'elle ne voulait pas être citoyenne du Reich et vivre dans le Reich. Il se peut qu'elle n'ait pas supporté l'idée – cette belle femme pleine de colère et d'humour – que le seul lieu où elle avait vécu complètement libre se soit lui aussi transformé en piège.

Elisabeth apprend la nouvelle deux jours plus tard par télégramme. Iggie et Rudolf, en Amérique, en sont informés trois jours après elle. Emmy est inhumée au cimetière du hameau le plus proche de

Kövesces. Mon arrière-grand-père Viktor se retrouve seul.

J'étale le mince paquet bleu des lettres de 1938 sur la longue table de mon studio. Elles sont un peu moins de vingt, rares repères dans le déroulement de cet hiver-là. La plupart ont été échangées entre Elisabeth, son oncle Pips et les cousins de Paris. On s'efforce de localiser les parents, d'obtenir des permis d'émigrer, de trouver des solutions pour se constituer un pécule. Comment s'y prendre pour faire sortir Viktor de Slovaquie ? Tous ses biens sont sous séquestre et il est isolé en pleine campagne, titulaire d'un passeport autrichien théoriquement valide jusqu'en 1940, mais qui ne vaut plus grand-chose après la disparition de l'Autriche en tant qu'État autonome. Sa situation d'expulsé l'empêche de réclamer un passeport allemand au consulat, et alors même qu'il entamait des démarches pour acquérir la nationalité tchèque, ce pays aussi a cessé d'exister. Il n'a en sa possession qu'un document attestant sa qualité de citoyen viennois, et un deuxième faisant état de sa renonciation à la nationalité russe et de sa naturalisation par l'Autriche en 1911. Tout cela remonte à l'empire austro-hongrois.

Le 7 novembre, un jeune juif s'introduit à l'ambassade d'Allemagne à Paris et ouvre le feu sur un diplomate allemand, Ernst vom Rath. Le lendemain, on annonce des sanctions collectives à l'encontre des juifs. Les enfants juifs sont exclus des écoles aryennes, la presse juive est interdite. Au soir du 9 novembre, vom Rath décède à Paris.

Hitler déclenche les pogroms de la Nuit de cristal. Partout en Autriche et en Allemagne, des synagogues sont incendiées, des magasins pillés ; des juifs sont molestés et raflés, jetés en prison ou expédiés dans un camp. Six cent quatre-vingts se donnent la mort, vingt-sept sont assassinés.

Dans les minces lettres envoyées par avion, le ton se fait plus désespéré. Pips écrit de Suisse : « Ma correspondance est devenue une espèce de service intermédiaire pour les amis et les parents qui ne peuvent se joindre directement [...]. Je suis terriblement inquiet pour eux tous, car j'ai entendu dire de source sûre qu'à terme, tous les juifs seraient envoyés vers la prétendue "réserve" de Pologne. » Il prie un de ses amis d'intercéder en faveur de Viktor pour qu'il puisse émigrer en Angleterre. Elisabeth, de son côté, adresse un courrier aux autorités britanniques :

Suite aux bouleversements politiques radicaux qui affectent la Tchécoslovaquie, et tout spécialement la Slovaquie, où se trouve son actuel domicile, sa sécurité a cessé d'être garantie. Les dispositions arbitraires contre les juifs, qu'ils soient résidents ou immigrés, sont déjà entrées en vigueur, et la complète soumission du pays à la domination nazie suffit à justifier la crainte de mesures « légales » imminentes à l'encontre des juifs.

Le 1er mars 1939, le service britannique de contrôle des passeports à Prague délivre à Viktor un visa « bon pour un aller simple ». Le même jour, Elisabeth et les garçons quittent la Suisse, gagnent Calais en train et embarquent sur un ferry pour Douvres. Le 4 mars, Viktor atterrit à l'aéroport de Croydon, au sud de Londres. Elisabeth, venue l'accueillir, le conduit au St Ermin's Hotel de Madeira Park, à Tunbridge

Wells, où Henk a retenu des chambres pour toute la famille.

Viktor n'a qu'une valise. Il porte encore le costume qu'Elisabeth lui a vu le jour où elle l'a accompagné à la gare de Vienne. Elle remarque qu'à sa chaîne de montre est toujours suspendue la clé de la bibliothèque du palais, celle du meuble où il rangeait les ouvrages d'histoire anciens.

Il est devenu un émigré. Son pays de *Dichter* et *Denker*, de penseurs et de poètes, s'est changé en un pays de *Richter* et de *Henker*, de juges et de bourreaux.

27.

Les larmes des choses

Viktor partage avec mes grands-parents, mon père et mes oncles une maison qu'ils louent en banlieue, St David's. On y accède par un portail en bois et une allée aux pavés à chevrons flanquée de haies de troènes. C'est une construction bien solide, à pignons. Il y a des parterres de roses et un jardin potager. Une maison ordinaire dans une banale bourgade du Kent, à cinquante kilomètres au sud de Londres, un endroit sûr et un peu guindé.

Le dimanche matin, ils assistent au service religieux de l'église King Charles the Martyr. Les garçons, âgés de huit, dix et quatorze ans, fréquentent des écoles où de strictes consignes du directeur proscrivent toute raillerie concernant leur accent étranger. Ils ramassent des shrapnels et des boutons d'uniformes militaires et fabriquent avec du carton des châteaux et des navires compliqués. Le week-end, ils partent en balade dans les bois de hêtres.

Elisabeth, qui n'a jamais cuisiné de sa vie, s'initie à la préparation des repas. Son ancienne cuisinière, installée aussi en Angleterre, lui envoie d'interminables missives contenant la recette du *Salzburger Nockerln* et des *Schnitzel*, assortie d'instructions précises : « Que Madame prenne la peine d'*incliner* doucement la poêle. »

Pour subvenir aux besoins de la maisonnée, elle donne des cours de latin aux enfants des voisins, et fait des traductions pour payer une bicyclette aux trois garçons – 8 livres chacune. Elle s'essaie de nouveau à la poésie, sans résultat. En 1940, elle rédige un essai sur Socrate et le nazisme – trois pages rageuses – qu'elle fait parvenir à son ami philosophe Eric Voegelin, en Amérique. Elle poursuit sa correspondance avec sa famille dispersée. Gisela, Alfredo et leurs fils, au Mexique ; Rudolf, toujours au fin fond de l'Arkansas, envoie une coupure de presse du *Paragould Soliphone* : « Rudolf Ephrussi, que l'on appelait Baron Ephrussi dans son pays d'origine, un jeune homme svelte et séduisant, tire habilement de son saxophone les airs les plus modernes. » Pips et Olga vivent en Suisse. Tante Gerty, qui a réussi à fuir la Tchécoslovaquie, se trouve elle aussi en Angleterre, mais on reste sans nouvelles de tante Eva et oncle Jenö, vus pour la dernière fois à Kövesces.

Mon grand-père Henk se rend tous les jours à Londres par le train de huit heures dix-huit. Il participe à la localisation de la flotte marchande hollandaise.

Viktor, lui, passe ses journées près du poêle de la cuisine, le seul endroit chaud de la maison. Il suit quotidiennement les développements de la guerre dans le *Times* et achète la *Kentish Gazette* tous les jeudis. Il lit Ovide, et en particulier *Tristia*, les poèmes d'exil. En lisant, il passe la main sur son visage pour que les enfants ne voient pas l'émotion que le poète éveille en lui. La lecture l'occupe presque toute la journée, en dehors d'une brève promenade sur Blatchingdon Road et d'une sieste. De temps en temps, il pousse jusqu'au centre-ville pour aller dans une librairie d'occasion, dont le propriétaire, Mr Pratley, se montre spécialement aimable tandis que Viktor effleure sur les rayonnages les volumes de Galsworthy, de Sinclair Lewis et de H.G. Wells.

Quelquefois, lorsque les garçons rentrent de l'école, il leur parle d'Énée et de son retour à Carthage. Sur les murs, il voit des images de Troie. Et ce n'est que là, confronté à la représentation de ce qu'il a perdu, qu'Énée finit par pleurer. *Sunt lacrimae rerum*, dit-il alors. Les larmes des choses, répète Viktor, assis à la table de la cuisine où les garçons essaient de terminer leur algèbre ou leur dissertation. « Imaginez la journée d'un crayon », « La dissolution des monastères : triomphe ou tragédie ? »

Viktor regrette les étuis d'allumettes plats qu'il trouvait à Vienne et qui tenaient dans la poche de son gilet. Il regrette aussi les petits cigares qu'il fumait autrefois. Il continue à boire le thé dans un verre, à la russe. Avec du sucre. Un jour, il verse en une seule fois toute la ration de la semaine et se met à touiller sous l'œil ébahi du reste de la famille.

En février 1944, tout le monde se réjouit de voir arriver Iggie à Tunbridge Wells, en uniforme de l'armée américaine. Sa maîtrise de l'anglais, du français et de l'allemand, acquise dès l'enfance, lui a valu d'être recruté comme officier du renseignement par l'état-major du 7e Corps. Les deux frères ont pris la nationalité américaine pour pouvoir s'engager dans l'armée, Rudolf en Virginie en 1941 et Iggie en Californie en janvier 1942, un mois après Pearl Harbor.

Ils ont encore des nouvelles d'Iggie le 27 juin 1944, en première page du *Times*, trois semaines après le débarquement des Alliés en France. La photo montre la reddition d'un amiral et d'un général allemands à Cherbourg. Dans leurs manteaux détrempés, ils se tiennent en face du capitaine I. L. Ephrussi, un brin dégarni à présent, et du sémillant général de division américain J. Lawton Collins. Il y a des cartes de la Normandie épinglées au mur, et un bureau bien rangé. Tout le monde se penche légèrement pour écouter la traduction des propos du général Collins par Iggie.

Iggie pendant la campagne de Normandie, 1944

Viktor s'éteint le 12 mars 1945, un mois avant la libération de Vienne par les Russes, deux mois avant la capitulation sans conditions du Haut Commandement allemand. Il a quatre-vingt-quatre ans. « Né à Odessa, mort à Tunbridge Wells », indique son certificat de décès. Et j'ajoute qu'il a vécu à Vienne, centre de l'Europe. Sa tombe au cimetière municipal de Charing est loin de celle de sa mère, à Vichy. Loin aussi du caveau où reposent son père et son grand-père, le mausolée à colonnes doriques de Vienne, érigé avec tant d'assurance pour recevoir éternellement les membres de la dynastie Ephrussi dans leur patrie d'adoption, l'Autriche-Hongrie. Et loin, très loin de Kövesces.

Peu après la fin de la guerre, Elisabeth reçoit une lettre en allemand de son oncle Tibor. C'est Pips qui l'a transmise depuis la Suisse, en octobre. Tapée sur un papier presque transparent, elle contient d'affreuses nouvelles.

Je ne veux pas répéter tout ce que j'ai dit, mais il faut encore une fois que je parle de Jenö et d'Eva. Je suis horrifié à la pensée des circonstances atroces de leur mort. Jenö possédait déjà son certificat quand ils ont été déportés vers le Reich depuis Komarom, puisqu'il était autorisé à rentrer chez lui. Il a refusé de quitter Eva, croyant qu'ils pourraient rester ensemble, mais on les a immédiatement séparés à la frontière allemande, et on leur a confisqué leurs meilleurs vêtements. Tous les deux sont décédés en janvier.

En tant que juive, Eva a été emmenée au camp de concentration de Theresienstadt, où elle a succombé au typhus. Jenö, non juif, a été interné en camp de travail. Il est mort d'épuisement.

Tibor poursuit en donnant des nouvelles de voisins de Kövesces, énumérant des noms d'amis et de cousins dont je n'ai jamais entendu parler. Samu, Herr Siebert, toute la famille Erwin Strasser, la veuve de János Thuróczy, « un deuxième fils qui a disparu », déporté pendant la guerre ou englouti dans les camps. Il décrit les scènes de dévastation qui l'entourent, les villages incendiés, la famine, l'inflation. Il ne reste plus aucun cerf dans la campagne. Le domaine voisin de Kövesces, Tavarnok, a été « déserté et détruit par un incendie. Tout le monde est parti, il n'y a plus que la grand-mère à Tapolcány. Mes biens se résument aux vêtements que je porte ».

Tibor s'est rendu à Vienne, au palais Ephrussi. « À Vienne, certaines choses ont pu être épargnées [...]. Le portrait d'Anna Herz (Makart) est toujours là, ainsi qu'un portrait d'Emmy (Angeli) et celui de la mère de Tascha (d'Angeli aussi, il me semble), quelques meubles, des vases, etc. La majorité des livres de ton père et des miens a disparu, nous en avons retrouvé une poignée, certains avec une dédicace de Wassermann. » Quelques portraits de famille, quelques volumes dédicacés. Il ne précise pas qui occupe les lieux.

En décembre 1945, Elisabeth décide qu'il lui faut retourner à Vienne pour savoir ce qui, des êtres et des choses, a survécu. Elle veut aussi sauver le portrait de sa mère et le rapporter chez elle.

Elle a tiré de ce voyage un roman qui n'a jamais été publié. Et tandis que je parcours le manuscrit de 261 pages tapées à la machine, émaillées de laborieuses corrections au Tippex, je doute qu'il soit publiable. La nudité des émotions rend la lecture inconfortable. Elisabeth y a pour alter ego fictif Kuno Adler, professeur juif installé en Amérique et retournant à Vienne pour la première fois depuis l'Anschluss.

L'intrigue est tissée de rencontres. Elisabeth décrit la réaction viscérale de son personnage pendant un voyage en train, quand un douanier lui demande ses papiers à la frontière :

> Ce fut sa voix, son intonation qui firent vibrer un nerf dans la gorge de Kuno Adler ; ou plutôt un peu plus bas, là où le souffle et la nourriture plongent dans les profondeurs du corps, un nerf inconscient et incontrôlable, certainement au niveau du plexus solaire. Ce fut la nature de cette voix, ses accents, à la fois doux et brutaux, obséquieux et légèrement vulgaires, auxquels l'oreille est sensible comme le doigt l'est à certaines pierres – la stéatite, à la texture grossière, spongieuse et un peu huileuse en surface –, une voix autrichienne. « Contrôle des passeports autrichien. »

Le professeur en exil débarque dans une gare dévastée par les bombes et commence par errer dans la ville, tâchant de s'habituer à ce cadre sordide, à la rapacité des citadins misérables et aux monuments en ruine. L'Opéra, la Bourse, l'Académie des beaux-arts – tous ont été saccagés. De la cathédrale Saint-Étienne ne subsiste plus qu'une carcasse noircie.

Le professeur s'arrête aux portes du palais Ephrussi :

> Voilà, il avait fini par arriver sur le Ring : la masse imposante du Muséum d'Histoire naturelle à sa gauche, l'entrée du Parlement à sa droite, un peu

plus loin la flèche de l'Hôtel de Ville, et devant lui
les grilles du Volksgarten et la Burgplatz. Tout était
là, face à lui, même si les allées piétonnes, de l'autre
côté de la route, avaient été dépouillées de leurs
arbres, dont ne restaient que quelques troncs dénudés. Sinon tout était bien là. Et soudain, la fracture
temporelle qui l'avait maintenu dans un vertige
d'illusions et de chimères se réduisit, et il se sentit
réel, tout était réel, incontestablement réel. Il était
là. Il ne manquait que les arbres, et cet indice de
destruction, si minime par comparaison mais qui le
prenait par surprise, suscita en lui un chagrin infini.
Il se hâta de traverser la rue et d'entrer dans le parc,
et là, assis sur un banc d'une avenue solitaire, il se
mit à pleurer.

Enfant, Elisabeth plongeait son regard dans les
frondaisons des tilleuls, devant la maison. Au mois
de mai, leur floraison embaumait sa chambre.

Le 8 décembre 1945, après six ans et demi
d'absence, Elisabeth pénètre dans son ancienne maison. Les lourds vantaux du portail sont prêts à sortir
de leurs gonds. Les autorités d'occupation américaines
ont installé dans les murs un de leurs services, le
Département juridique du contrôle de la propriété.
Des jeeps et des motos sont garées dans la cour, dont
la verrière est partiellement brisée : une bombe est
tombée sur le bâtiment voisin, détériorant sa façade
et détruisant les caryatides du palais, derrière lesquelles les enfants se cachaient autrefois. Le sol est
parsemé de flaques d'eau. Apollon est toujours là, figé
sur son socle avec sa lyre.

Elisabeth gravit les trente-trois marches de l'escalier
familial et frappe à la porte de l'appartement, où elle

est reçue par un charmant lieutenant originaire de Virginie.

L'appartement a été converti en un ensemble de bureaux, équipés chacun de tables, de classeurs et de machines à écrire. Des listes et des notes de service sont punaisées aux murs. Dans la bibliothèque, une carte en très grand format de la Vienne occupée surplombe la cheminée, signalant par différentes couleurs les zones tenues par les Russes, les Américains et les Alliés. Bruit de voix et crépitement de claviers se mêlent sous un dais de fumée. Le guide d'Elisabeth lui fait traverser les pièces, à la fois intrigué, compatissant et un peu incrédule à l'idée que tout cela a appartenu à sa famille. Les bureaux américains ont simplement remplacé les bureaux nazis.

Il reste quelques tableaux accrochés aux murs, des *Junge Frauen* dans leurs cadres dorés, des études de paysages autrichiens dans la brume et les portraits d'Emmy, d'une grand-mère et d'une grand-tante. Les meubles les plus encombrants sont encore à leur place, la table de la salle à manger et ses chaises, un secrétaire, les penderies, les lits et les grands fauteuils. Quelques vases, aussi. Ce qui a été délaissé semble le fruit du hasard. Le bureau de son père n'a pas bougé de la bibliothèque. Certains tapis couvrent toujours le sol. Mais ce n'en est pas moins une maison vide. Une maison *vidée*, plus exactement.

Plus rien dans le débarras ni sur les manteaux de cheminées. L'argenterie et le contenu du coffre-fort ont disparu. De même le piano, le cabinet italien et les tables d'appoint incrustées de motifs en mosaïque. Dans la bibliothèque, les rayonnages sont dépouillés de leurs livres. Les globes sont partis, les pendules,

les chaises françaises. La garde-robe de sa mère est livrée à la poussière. Elle contient un meuble de classement.

Il n'y a plus de table ni de miroir, mais il reste une vitrine en laque noire, vide elle aussi.

L'affable lieutenant, qui ne demande qu'à rendre service, devient plus loquace en découvrant qu'Elisabeth a étudié à New York. Prenez votre temps, lui dit-il, faites le tour et voyez si vous trouvez quelque chose. Je ne sais pas si nous pouvons vous aider d'une quelconque manière. Il fait très froid, et il lui offre une cigarette en expliquant qu'une vieille dame habite toujours ici – il esquisse un geste de la main – et pourra peut-être la renseigner. Il envoie un caporal la chercher.

Elle s'appelle Anna.

28.

La poche d'Anna

Deux femmes, l'une déjà âgée, et l'autre qui commence à prendre de l'âge. La plus jeune a maintenant les cheveux gris.

Elles se retrouvent après la guerre, au bout de huit ans de séparation.

Elles se rencontrent dans une des pièces d'autrefois, emplie aujourd'hui par le cliquetis des classeurs métalliques. Ou alors dans la cour humide, je ne sais pas trop. Tout ce que je vois, ce sont deux femmes, chacune porteuse d'une histoire.

27 avril. Six semaines après l'Anschluss, le jour où Otto Kirchner a laissé ouvert le portail donnant sur le Ring et où la Gestapo est entrée dans le palais. Le début de l'aryanisation. Anna est prévenue qu'elle ne peut plus travailler pour les juifs, et qu'elle doit se mettre au service de son pays. Il faut qu'elle se rende utile, qu'elle aide à trier les biens des anciens occupants et à les ranger dans des caisses. Il y a beaucoup à faire, et on lui ordonne de commencer par l'argenterie.

Les caisses s'entassent dans tous les coins, et la Gestapo établit des listes, cochant au fur et à mesure ce qui a été emballé. Après l'argenterie, on passe à la porcelaine. Autour d'Anna, des gens s'affairent à démanteler l'appartement. Le même jour, Viktor et Rudolf sont emmenés en détention, et Emmy est consignée dans deux pièces de l'autre côté de la cour.

Ils emportent l'argenterie. « Et aussi les bijoux de votre mère, les porcelaines, les robes. » Et les pendules qu'Anna a si souvent remontées (bibliothèque, hall, salon et celle de la garde-robe de Monsieur le Baron une fois par semaine), les livres de la bibliothèque, les jolis clowns en porcelaine du salon. Tout. Elle réfléchit à ce qu'elle pourrait sauver pour Emmy et les enfants.

« Je ne pouvais rien déplacer de précieux. Mais chaque fois que je passais par la garde-robe de Madame la Baronne, je glissais dans la poche de mon tablier trois ou quatre de ces petits jouets, vous savez, avec lesquels vous vous amusiez quand vous étiez enfants, et je les emportais dans ma chambre. Je les cachais dans mon matelas. Il m'a fallu deux semaines pour les sortir tous de la grande vitrine. Il y en avait tellement, vous vous souvenez ?

« Ils étaient tellement occupés qu'ils n'ont rien remarqué ! Ils se concentraient sur les belles choses, les tableaux de Monsieur le Baron, le service en or dans le coffre, les cabinets du salon, les statues et tous les bijoux de votre mère. Et tous ces vieux livres que Monsieur le Baron aimait tant. Les petites figurines, ils n'y ont même pas fait attention.

« Alors je les ai prises, tout simplement. Je les ai mises dans mon matelas, et j'ai dormi dessus. Maintenant que vous êtes de retour, j'ai quelque chose à vous rendre. »

En décembre 1945, Anna remet à Elisabeth 264 netsukes japonais.

Voici donc le troisième asile que trouvent les netsukes au cours de leur histoire.

D'abord Charles et Louise à Paris, la vitrine dans la lumineuse pièce jaune aux tableaux impressionnistes, puis Emmy et ses enfants à Vienne, l'entrecroisement des contes et des tenues de soirée, de l'enfance et de l'illusion, et ensuite cette étrange cohabitation avec Anna.

Ce n'est pas le premier voyage des netsukes. Sitôt arrivés du Japon, ils ont été soumis à examen : pris en main, étudiés, soupesés, reposés. Ce sont là les gestes du marchand d'art, du collectionneur et de l'enfant. Mais quand je songe à ces figurines au fond de la poche d'Anna, voisinant avec un plumeau ou une bobine de fil, je me dis qu'ils n'ont jamais été l'objet de tant d'égards qu'à ce moment-là. En avril 1938, dans le vertige des déclarations de l'Anschluss, les historiens d'art se consacrent à leurs inventaires, collant des reproductions dans les albums de la Gestapo destinés à Berlin, et les bibliothécaires complètent diligemment leur catalogue. Ils sauvegardent les œuvres d'art pour le bénéfice de leur pays. Et Rosenberg a besoin de « judaïca » pour son institut, afin d'étayer ses théories sur « l'animalité » des juifs. Tout le monde est sur la brèche, mais personne n'y met autant d'ardeur et de dévouement qu'Anna. Lorsqu'elle se couche au-dessus d'eux, c'est la plus grande marque de respect que les netsukes aient jamais reçue. Elle a survécu à la faim et aux pillages, aux attaques militaires et à l'invasion russe.

Les netsukes sont petits et denses. Ils ne s'ébrèchent pas, ne se cassent pas facilement. Chacun est fait pour être transporté de par le monde. « Un netsuke doit être conçu de façon à ne pas embarrasser son utilisateur », spécifie un guide sur le sujet. Ils sont tournés vers l'intérieur : le cerf qui replie ses pattes sous son corps ; le tonnelier penché sur son tonneau inachevé ; la mêlée des rats autour d'une amande. Ou encore mon favori, le moine assoupi au-dessus de sa sébile. Ils peuvent faire mal, parfois : la queue de la cosse de soja en ivoire est aussi tranchante qu'une lame. Je les imagine à l'intérieur d'un matelas, où le buis et l'ivoire japonais rencontrent le crin autrichien.

Le toucher ne concerne pas seulement les doigts, il implique le corps tout entier.

Pour Anna, chacun de ces netsukes est un acte de résistance à l'oblitération de la mémoire. Chaque statuette subtilisée est une manière de tenir tête aux nouvelles, de se souvenir d'une histoire, de s'accrocher à l'avenir. Ici, le culte viennois de la *Gemütlichkeit*, le goût de l'intimité, du confort – les larmes faciles à la lecture d'un roman sentimental, cette façon de tout enrober de crème et de pâte, la mélancolie inséparable du bonheur, les images à l'eau de rose de jeunes servantes au bras de leur fiancé – se heurte à une dureté inflexible. Je me souviens de Herr Brockhaus pestant contre la négligence des domestiques, et je réalise à quel point il se trompait.

Il n'y a là ni nostalgie ni sentimentalisme, mais quelque chose de beaucoup plus dur, littéralement. Une espèce de confiance.

Il y a des années que l'on m'a raconté l'histoire d'Anna. Je l'ai entendue à Tokyo, la première fois que j'ai vu les netsukes éclairés dans la longue vitrine, entre les rayonnages de livres. Iggie m'avait préparé un gin tonic avant de se servir un scotch-soda, et il m'a dit – à mi-voix, juste en passant – qu'ils appartenaient à une histoire secrète. Une manière de m'avouer, je le comprends aujourd'hui, non pas qu'il hésitait à me la confier, mais que l'histoire elle-même avait le secret pour centre.

J'avais beau connaître l'histoire, je ne l'ai vraiment *ressentie* que lors de ma troisième visite à Vienne, alors que je me tenais dans la cour du palais avec un employé de Casinos Austria qui proposait de me montrer l'étage caché.

Nous avons gravi l'escalier d'apparat, il a poussé un panneau de marbre sur la gauche, et nous sommes entrés dans un espace sans fenêtres, dont les pièces occupaient tout un niveau. Pour un spectateur placé dans la rue, le regard s'élève sans obstacle du rez-de-chaussée à l'étage noble d'Ignace. L'étage où nous nous trouvions était comme la réplique comprimée des spacieuses pièces du dessus, percé uniquement de petites fenêtres carrées aux vitres dépolies et donnant sur la cour, assez discrètes pour se confondre avec le parement des murs. Les seuls accès en étaient le panneau caché dans le marbre de la cage de l'escalier principal, et l'escalier de service dans l'angle de la cour. Je venais de découvrir les logements des domestiques.

Aujourd'hui, la chambre d'Anna fait partie de la cafétéria du personnel. Dans la cohue du déjeuner, je sens un déclic en moi, qui m'indique que quelque chose ne va pas, comme lorsqu'on s'aperçoit qu'on lit sans rien comprendre après avoir tourné la page d'un livre. Il faut alors retourner en arrière et tout recommencer, et les mots vous semblent plus étranges, plus éloignés de vous que jamais.

Dites-moi, fait le responsable du bâtiment, enthousiasmé par son projet, avez-vous remarqué comment la lumière pénètre à l'intérieur ? D'après vous, d'où vient l'éclairage de l'escalier principal ? Nous voilà partis à l'assaut de l'escalier de service en colimaçon, vers une porte qui débouche sur la toiture hérissée d'échelles et de passerelles métalliques. Nous nous approchons du garde-corps qui surplombe les caryatides, et nous nous penchons pour que je voie de quoi il s'agit : des puits de lumière invisibles. Mon guide va chercher les plans et me montre comment la maison est reliée à ses voisines, comment les passages souterrains desservant les caves permettaient de rentrer du fourrage et de la paille sans passer par la grande porte.

Cette demeure si compacte, revêtue de stucs et de peintures, de marbre et d'or, se révèle aussi légère qu'un théâtre de marionnettes, un réseau d'espaces cachés derrière une façade. *Potemkinisch*. Ce mur en marbre n'est en fait qu'un assemblage de scagliola, de lattes et de plâtre.

C'est la maison des jouets d'enfants cachés, des jeux clandestins sur les toits du palais, des parties de cache-cache dans les tunnels et les caves, des tiroirs secrets celant les lettres d'amour d'Emmy. Mais cette maison abrite aussi des êtres invisibles, des vies inconnues. La nourriture émerge des cuisines dissimulées, le linge disparaît dans des lingeries camouflées. Des gens dorment dans des pièces confinées, coincées entre deux étages.

C'est un lieu où l'on peut cacher d'où l'on vient, où l'on peut escamoter des choses.

J'ai commencé mon voyage avec ma série de lettres de famille, une ébauche de carte, si l'on veut. Plus d'un an a passé, et je continue à découvrir des éléments cachés. Pas seulement des choses oubliées : les listes de la Gestapo, des journaux, des romans, des poèmes et des coupures de presse. Les testaments et les déclarations de transports maritimes. Les entretiens avec les banquiers. Les commentaires surpris dans une arrière-salle parisienne, les échantillons de tissu pour des robes destinées à des cousines viennoises, au tournant du siècle. Les tableaux et les meubles. Je peux retrouver la liste des invités d'une fête vieille d'un siècle.

Les traces de ma riche famille sont trop nombreuses, mais sur Anna je ne trouve rien de plus.

On n'a pas écrit sur elle, son reflet ne vit pas dans un récit. Elle ne figure pas parmi les héritiers d'Emmy, puisqu'il n'y a pas eu de testament. Elle n'a pas non plus laissé son nom dans les livres de comptes des marchands et des couturières.

Je me sens obligé de poursuivre mes recherches. Dans les bibliothèques, je trouve des indices qui me mènent sur des voies obliques. Je suis en train de vérifier un fait – la date d'achat du tapis jaune dans le salon de Charles, une information sur le peintre des plafonds du palais Ephrussi –, quand je tombe sur une note en bas de page, puis sur une autre note en annexe. De fil en aiguille, j'apprends que la demeure parisienne de Louise, rue de Bassano, face à l'hôtel de Fanny et Jules, non loin de la dernière résidence de Charles, toute en pierres dorées et fioritures, a servi de centre de détention aux nazis. C'était l'une des trois annexes du camp de concentration de Drancy, où les prisonniers juifs devaient trier, nettoyer et réparer les meubles et les objets volés par les services de Rosenberg au profit des dignitaires du Reich.

Je découvre enfin une terrible note entre crochets, expliquant que la fillette en bleu sur le portrait par Renoir des filles de Louise Cahen d'Anvers – la commande activement soutenue par Charles afin d'aider financièrement Renoir – a été déportée et a trouvé la mort à Auschwitz. J'apprends également que le fils de Fanny et Theodore Reinach, Léon, son épouse Béatrice Camondo et leurs deux enfants sont morts en déportation au camp d'Auschwitz, en 1944.

Toutes les vieilles calomnies, les diatribes venimeuses contre les familles juives de la colline dorée ont connu une apothéose tardive et consternante à Paris.

Ici, dans cette maison, je me sens en porte-à-faux. La survie des netsukes dans la poche d'Anna, à l'intérieur de son matelas, est un affront. Je ne supporterai pas qu'elle se réduise à un symbole. Est-il normal qu'ils aient trouvé une cachette pour traverser la guerre sans dommages, pendant que tant de gens se sont cachés en vain ? Je n'arrive plus à faire tenir ensemble les êtres, les lieux et les choses. Ces histoires me perturbent.

Et il y a des choses sur lesquelles je m'interroge sans fin depuis que j'ai entendu l'histoire, voilà presque trente ans, la première fois que j'ai vu Iggie au Japon. Un vide entoure Anna, comme un personnage dans une fresque. Elle n'était pas juive. Elle servait Emmy depuis son mariage. « Elle était là depuis toujours », disait Iggie.

Elle a remis les netsukes à Elisabeth en 1945, et Elisabeth a rangé le kaki et le cerf en ivoire, les rats et le chasseur de rats, les masques qu'elle aimait tant quand elle avait six ans, et tout ce qui restait de ce monde, dans sa serviette en cuir pour les emporter en Angleterre. On peut les étaler dans l'immense vitrine d'un salon parisien ou d'une garde-robe viennoise, mais il est facile aussi de les rassembler dans un tout petit espace.

Je ne connais même pas le nom complet d'Anna, et j'ignore ce qu'elle est devenue par la suite. Je n'ai jamais eu l'idée de me renseigner quand j'en avais l'occasion. Elle était Anna, c'est tout.

29.

« Ouvertement, publiquement
et conformément à la loi »

Elisabeth rentre chez elle avec les netsukes entassés dans sa serviette. L'Angleterre est son pays d'adoption, il n'est pas question d'installer la famille à Vienne. Iggie, démobilisé par l'armée américaine et cherchant un emploi, partage ses sentiments. Très peu de juifs choisiront de retourner à Vienne. Sur les 185 000 juifs d'Autriche au moment de l'Anschluss, seulement 4 500 y reviendront, tandis que 65 459 ont trouvé la mort.

Après la guerre, personne n'a eu à répondre de cela. En 1948, la République démocratique d'Autriche instaurée à l'issue du conflit a accordé l'amnistie à 90 % des anciens adhérents du parti nazi, et en a fait autant dès 1957 pour les SS et les membres de la Gestapo.

Ceux qui sont restés se sentent agressés par le retour des immigrés. Le roman qu'a écrit ma grand-mère sur son voyage à Vienne m'a beaucoup éclairé sur ses impressions, en particulier une scène de confrontation tout à fait instructive. Le professeur juif est interrogé sur les motifs de son retour, sur ses attentes par rapport à l'Autriche. « Vous avez choisi de partir un peu précocement. En fait, vous avez donné votre congé avant qu'on puisse vous renvoyer

— et vous avez quitté le pays. » C'est là la question centrale, décisive : qu'espérez-vous en revenant ici ? Avez-vous l'intention d'obtenir quelque chose de nous ? Êtes-vous rentré pour nous humilier ? Et la question implicite, comme un tremblement sous la surface des autres : se peut-il que la guerre ait été pire pour vous que pour nous ?

Le problème de la restitution se révèle délicat pour les survivants. Elisabeth en donne un aperçu fictionnel dans un des passages les plus curieux du récit, lorsqu'un collectionneur nommé Kanakis remarque « deux tableaux sombres, au cadre large, accrochés au mur qui faisait face à son fauteuil, un léger sourire plissant ses paupières ».

« Vous reconnaissez vraiment ces peintures ? » s'exclame alors le nouveau propriétaire. « Elles ont appartenu à un monsieur que votre famille a dû côtoyer, le baron E. Il est possible que vous les ayez vues chez lui. Malheureusement, le baron E. est décédé à l'étranger, en Angleterre, il me semble. Ses héritiers, une fois rentrés en possession des biens qu'ils ont pu retrouver, ont tout vendu aux enchères. Je suppose qu'ils ne voulaient pas de ces vieilleries dans leurs maisons modernes. Moi-même je les ai achetées aux enchères, comme la plupart des choses que vous voyez dans cette pièce. Et tout cela s'est fait ouvertement, publiquement et conformément à la loi. La demande est assez faible pour cette époque.

— Inutile de vous excuser, docteur, réplique Kanakis, je ne peux que vous féliciter d'avoir fait de si bonnes affaires. »

Ces mots, « ouvertement, publiquement et conformément à la loi », Elisabeth sera amenée à les entendre en bien des occasions. Elle découvre que dans un pays dévasté, rendre leurs biens à ceux qui en ont été spoliés est loin de constituer une priorité. Nombre d'individus qui se sont approprié les biens de juifs sont devenus des citoyens autrichiens respectés, et le gouvernement lui-même est hostile à toute forme d'indemnisation, estimant que l'Autriche a été un pays occupé entre 1938 et 1945 : elle se considère comme la « première victime » et non comme un agent de la guerre.

En tant que « première victime », l'Autriche se fait un devoir de résister à ceux qui voudraient lui porter préjudice. Le Dr Karl Renner, avocat et président de l'Autriche d'après-guerre, s'est exprimé très clairement sur la question. Il a écrit en avril 1945 :

> La restitution des biens volés aux juifs [...] ne devrait pas se faire au profit de victimes particulières, mais d'un fonds collectif. La création de celui-ci et les dispositions préalables qui vont suivre sont indispensables, afin de prévenir un afflux soudain et massif d'exilés [...]. Un élément qu'il convient de considérer de près pour de multiples raisons [...]. Il faut éviter de réclamer à l'ensemble de la nation un dédommagement des juifs.

Le 15 mai 1946, lorsque la République d'Autriche vote une loi déclarant nulle et non avenue toute transaction ayant impliqué des discriminations fondées sur l'idéologie nazie, beaucoup d'espoirs semblent permis. Cependant, la loi reste curieusement sans effet. Si vos biens ont été vendus dans le cadre de l'aryanisation forcée, on peut vous proposer de les racheter. Si on vous restitue une œuvre d'art précieuse pour le patrimoine autrichien, il est interdit de la faire sortir du pays. En revanche, quiconque fait des dons à un musée a des chances d'obtenir des autorisations pour des pièces de moindre valeur.

Au moment de se prononcer sur ce qui sera conservé ou cédé, les diverses administrations se réfèrent aux documents qu'elles jugent les plus fiables : ceux qu'a rassemblés la Gestapo, bien connue pour sa minutie.

Le dossier concernant la confiscation de la collection de livres de Viktor signale que le contenu d'une bibliothèque a été attribué à la Gestapo, mais « il n'y figure aucune liste décrivant en détail sa composition. Toutefois, les ouvrages ne pouvaient pas être très nombreux, car le procès-verbal de saisie ne fait mention que de deux grands cartons et de deux petits, et d'un présentoir tournant ».

Le 31 mars 1948, la Bibliothèque nationale d'Autriche restitue aux héritiers de Viktor Ephrussi cent quatre-vingt-onze ouvrages. Ils tiennent sur deux rayonnages à peine, quelques mètres de livres sur les dizaines que contenait la pièce.

Ce n'est là qu'un exemple parmi d'autres. Où sont les registres que gardait Herr Ephrussi ? Même après sa mort, on le considère toujours comme un coupable. Toute une vie de bibliophilie sera perdue à cause d'initiales illisibles sur un document.

Il y a aussi un dossier sur la confiscation de sa collection d'œuvres d'art, qui renferme un courrier entre deux directeurs de musée. Ils ont à leur disposition l'inventaire dressé par la Gestapo et cherchent à savoir ce qu'il est advenu des tableaux « du banquier Ephrussi, Wien 1, Lueggerring 14. D'après l'inventaire, il s'agit moins d'une collection de grande valeur que de la décoration intérieure d'un individu fortuné. Leur style indique qu'elle a été constituée dans le goût des années 1870. »

Aucune trace de reçus, mais il est mentionné que « les seuls tableaux qui n'ont pas été vendus étaient absolument invendables ». De toute évidence, il n'y a pas vraiment de recours.

La lecture de ces lettres me met bêtement en colère. Peu importe que ces historiens d'art n'apprécient pas les goûts du « banquier Ephrussi » pour sa « décoration intérieure », bien que l'expression me dérange, trop proche de « juif Ephrussi ». Ce qui m'ennuie davantage, c'est la façon dont on utilise les archives pour tirer un trait sur le passé : pas de reçus, signature illisible. Tout cela ne date que de neuf ans, si on y réfléchit, et ces transactions ont été effectuées par les anciens collègues des intéressés. Vienne est une petite ville. Combien de coups de téléphone faudrait-il passer pour tirer les choses au clair ?

L'enfance de mon père a été scandée par les courriers d'Elisabeth, qui, malgré le pessimisme croissant de la famille, s'obstinait à réclamer la restitution de leur fortune. Une des choses qui la motivaient était sa colère face aux mesures pseudo-légales visant à décourager les plaignants. Elle était juriste de formation, tout de même. Les autres raisons étaient la gêne financière réelle qu'elle subissait avec ses frères et sœurs, et le fait qu'elle ait été la seule représentante de la famille en Europe.

Chaque fois qu'elle récupère un tableau, il est mis en vente et les gains sont partagés. Ainsi les tapisseries des Gobelins, restituées en 1949, servent à payer les frais de scolarité des enfants. Cinq ans après la guerre, Elisabeth rentre en possession du palais Ephrussi. Ce n'est pas la meilleure période pour vendre un palais endommagé dans une ville contrôlée par quatre armées différentes, et elle n'en tire pas plus de 30 000 dollars. Après cela, elle décide d'abandonner.

En 1952, on demande à Herr Steinhausser, l'ancien partenaire en affaires de Viktor, devenu président de l'Association des banques d'Autriche, ce qu'il sait de l'histoire de la Banque Ephrussi, dont il a pris en main l'aryanisation. L'année 1953 devait marquer le centenaire de la fondation de la branche viennoise. « Je ne suis au courant de rien, répond-il, aucune célébration n'est prévue. »

Les héritiers de Viktor Ephrussi reçoivent la somme de 50 000 schillings après avoir signé une renonciation à toute revendication ultérieure. L'équivalent de 5 000 dollars de l'époque.

Toutes ces informations sur la restitution des biens ont fini par m'épuiser. Je comprends comment on peut consacrer sa vie à des recherches qui sapent votre énergie à force de règlements, de courriers et de procédures légales. Vous savez que la pendule du salon sonne les heures sur la cheminée de quelqu'un d'autre, avec les corps fluides de ses sirènes lovés autour du socle. En feuilletant un catalogue de peintures, vous tombez sur deux navires dans la tempête, et cela vous renvoie à votre enfance, devant la porte qui donne sur l'escalier, près de votre nourrice qui noue votre écharpe avant une sortie sur le Ring. Durant un bref instant, vous parvenez à recoller les morceaux de votre vie, à reconstituer le décor fragmenté d'une famille dispersée.

La famille n'est pas en mesure de se reformer. Elisabeth, à Tunbridge Wells, forme une espèce de centre, écrivant et transmettant les nouvelles, envoyant des photos des neveux et des nièces. Après la guerre, Henk trouve un emploi avantageux dans une organisation humanitaire dépendant des Nations unies, et ils peuvent vivre plus confortablement. Gisela, toujours au Mexique, traverse une période difficile et doit faire des ménages pour subvenir à ses besoins. Rudolf, démobilisé, s'est installé en Virginie. Et la mode a « abandonné » Iggie, selon son propre mot. Il ne supporte plus de fabriquer des robes : le fil qui reliait Vienne, Paris et New York a été rompu par son expérience des combats en France, en 1944.

Il travaille maintenant pour Bunge, un exportateur de céréales à l'international, retour bien involontaire aux origines du patriarche d'Odessa. Son premier poste l'a mené au Congo belge, à Léopoldville, dont il haïssait autant la chaleur que la brutalité.

En octobre 1947, il profite d'un congé entre deux missions pour séjourner en Angleterre. On lui a proposé de retourner au Congo ou de partir au Japon, deux solutions qui ne l'enchantent guère. Il vient à Tunbridge Wells pour rendre visite à Elisabeth et aux siens, et pour voir la tombe de son père. Il réfléchit alors aux décisions à prendre pour son avenir.

On vient de dîner. Les garçons sont allés se coucher, leurs devoirs terminés. Elisabeth ouvre sa serviette en cuir et lui montre les netsukes.

La mêlée des rats. Le renard dont les yeux sont des incrustations. Le singe enroulé autour de la courge. Son loup tacheté. Ils en sortent quelques-uns et les posent sur la table de cuisine de cette maison de banlieue.

Nous n'avons pas dit un mot, m'a raconté Iggie. La dernière fois que nous les avions regardés, c'était trente ans auparavant, dans la garde-robe de notre mère, assis sur le tapis jaune.

Ils sont japonais, déclare-t-il. Je les rapporterai là-bas.

Quatrième partie

TOKYO

1947-1991

Plan de Tokyo

30.

Takenoko

Le 1er décembre 1947, Iggie reçoit un visa de l'armée (n° 4351) pour entrer au Japon, code G1 GHQ FEC, Tokyo. Six jours plus tard, il arrive dans la ville occupée.

Le taxi qu'il a pris à l'aéroport Haneda contourne les pires nids-de-poule de la route et fait des embardées pour éviter les enfants vêtus de larges pantalons imprimés qui se dirigent péniblement vers la ville. Tokyo est un lieu étrange. La première chose qui frappe est la calligraphie sinueuse des fils de téléphone et des câbles électriques s'étirant dans n'importe quelle direction au-dessus des toits en tôle des bicoques rougis par la rouille. Puis, dans la lumière hivernale, la silhouette du mont Fuji qui s'élève au sud-ouest.

Les Américains ont bombardé la ville pendant trois ans, mais les attaques du 10 mars 1945 ont été apocalyptiques. Les bombes incendiaires ont soulevé des murailles de feu, « zébrant le ciel de flammes » : cent mille personnes ont trouvé la mort, et plus de la moitié de la ville a été détruite.

Presque tous les bâtiments ont été rasés ou brûlés. Parmi les rescapés, on compte le palais impérial protégé par ses remparts en galets gris et ses larges douves, les rares constructions en pierre et en béton, quelques *kura*, ces entrepôts où les familles de commerçants gardaient leurs trésors, et l'hôtel Impérial. Conçu par Frank Lloyd Wright en 1923, ce dernier est une merveille fantastique et audacieuse, un ensemble de temples en béton entourant une succession de bassins – interprétation du *japonisme** mâtinée d'influences aztèques. Ayant déjà résisté au séisme de 1923, il n'a subi que d'infimes dommages. Le Parlement japonais, la Diète, a lui aussi été épargné, ainsi que plusieurs bâtiments ministériels, l'ambassade des États-Unis et des immeubles de bureaux du quartier des affaires de Marunouchi, en face du palais.

Les forces d'occupation les ont tous réquisitionnés. Le reporter James Morris, rebaptisé plus tard Jan Morris, a décrit cet étonnant paysage urbain dans son récit de voyage de 1947, *The Phoenix Cup*. « Marunouchi est un petit îlot américain cerné par un Japon réduit à une mer de cendres, de gravats et de bidons rouillés. Quand on marche parmi les bâtiments, la musique discordante de la station de radio des Forces armées écorche les oreilles, et des G.I.'s pensifs viennent s'appuyer au premier mur venu pour la pause... On se croirait presque à Denver... »

C'est là, dans le plus grandiose de ces édifices, la Dai-Ichi (Numéro Un), que le général MacArthur a établi son quartier général. Le commandant suprême des forces alliées. Le Daimyo yankee.

Quand Iggie arrive à Tokyo, deux ans se sont écoulés depuis que l'empereur a annoncé la défaite dans un discours radiodiffusé, avec sa voix de fausset haut perchée et une diction et une élocution inconnues en dehors de la cour, prévenant ses auditeurs « que la nation serait soumise à de dures épreuves et à de grandes souffrances ». Depuis, Tokyo s'est habituée à la présence de l'armée d'occupation. Les Américains se sont engagés à gouverner « avec sensibilité ».

Sur la photographie qui réunit le général et l'empereur, prise à l'ambassade américaine à Tokyo, le rapport de force est évident. MacArthur porte l'uniforme kaki, une chemise à col ouvert et des bottes. Les mains sur les hanches, il incarne « le militaire américain, solide et sans façons », pour citer le magazine *Life*. L'empereur est à ses côtés, mince et impeccable, figé par l'étiquette et vêtu d'un costume noir à col cassé, avec une cravate rayée. La sensibilité et les bonnes manières sont ouvertes aux négociations, semble dire le photographe. La presse japonaise refuse de publier le cliché, mais MacArthur s'arrange pour qu'il paraisse. Le lendemain de la publication, l'impératrice fait parvenir à Mrs MacArthur un bouquet de fleurs cueillies dans les jardins du palais. Quelques jours plus tard, elle lui envoie un coffret en laque orné de l'emblème impérial. Ces présents inaugurent une période de communications prudentes et anxieuses.

Le taxi d'Iggie le dépose devant l'hôtel Teito, en face du palais. À la difficulté d'obtenir un visa et un titre de séjour pour le Japon, s'ajoute celle de trouver un logement sur place. Teito est en effet un des deux seuls établissements encore debout. En dehors des militaires, la communauté des expatriés est très réduite. Outre le corps diplomatique et la presse, elle ne rassemble qu'une poignée d'hommes d'affaires comme Iggie et quelques universitaires. L'arrivée d'Iggie coïncide avec l'ouverture du procès des criminels de guerre, parmi lesquels Hideki Tojo et Ryukichi Tanaka, chefs de la police secrète, devant le Tribunal militaire international pour l'Extrême-Orient. Tojo, à en croire la presse occidentale, affichait « l'arrogance surnaturelle d'un samouraï ».

Les autorités américaines ne cessent d'énoncer toutes sortes de décrets encadrant aussi bien les moindres aspects de la vie civile que le gouvernement du Japon, décisions qui reflètent bien souvent la sensibilité américaine. MacArthur impose la séparation du gouvernement et de la religion shintoïste, très impliquée dans la montée du nationalisme au cours des quinze années passées. Il souhaite également démanteler les principaux conglomérats industriels et commerciaux.

> L'empereur est le chef de l'État [...] ses fonctions et ses pouvoirs s'exerceront conformément à la nouvelle Constitution, et en accord avec la volonté générale de la population telle qu'elle a été définie [...]. Le droit souverain de la nation à faire la guerre est supprimé [...]. Le système féodal du Japon sera aboli [...]. Dorénavant, aucun titre nobiliaire ne peut conférer un quelconque droit de gouverner, national ou civique.

Sur décision de MacArthur, le droit de vote est accordé aux femmes pour la première fois dans l'histoire du Japon, et la journée de travail dans les usines passe de douze à huit heures. La démocratie est arrivée au Japon, annonce le commandant suprême. La presse, locale comme étrangère, est soumise à la censure.

L'armée américaine à Tokyo dispose de ses quotidiens et de ses magazines, ainsi que de sa propre radio, que l'on entend hurler depuis les guérites des sentinelles. Elle a aussi ses bordels (les RAA, Recreation and Amusement Association), et ses bars attitrés tels l'Oasis de Ginza, pleins de filles « vêtues de robes de cocktail bon marché », selon un commentateur américain. Dans les trains, certains wagons sont dévolus aux soldats de l'armée d'occupation. Un théâtre réquisitionné et rebaptisé le « Ernie Pyle » leur propose des films, des spectacles, une bibliothèque et « plusieurs grands salons ». On trouve aussi des magasins qui leur sont réservés, les OSS (Overseas Supply Stores) et les PX, où l'on peut se procurer des articles américains et européens – nourriture, cigarettes, ustensiles divers et alcool. Seuls sont acceptés les dollars et les jetons de salaire de l'armée.

Les acronymes sont omniprésents dans ce pays occupé, aussi inintelligibles pour les vaincus que pour les nouveaux venus.

Dans cette étrange ville d'après la défaite, les noms des rues ont été modifiés, si bien qu'on peut y trouver une Avenue A et une 10ᵉ Rue. À côté des jeeps militaires et de la Cadillac noire 1941 du général MacArthur filant vers son bureau, conduite par un sergent-chef et escortée de jeeps MP blanches, on voit des camions et des camionnettes japonais roulant au charbon ou au bois, crachant de la fumée, et des *bata-bata*, ces taxis à trois roues qui se coincent dans les profondes ornières. Devant la gare de Ueno, des affichettes sont toujours placardées, demandant des informations sur des parents perdus ou des soldats rentrés de l'étranger.

Ces années-là sont marquées par une extrême pauvreté. Après la destruction de 60 % de la ville, les gens s'entassent dans des bicoques branlantes faites de bric et de broc. Au cours des dix-huit premiers mois, l'armée américaine a accaparé la quasi-totalité des matériaux de construction. Les travailleurs habitant dans les localités reculées doivent patienter des heures pour prendre des trains effroyablement délabrés. Il est très difficile de s'offrir des vêtements neufs, à tel point que beaucoup d'anciens soldats continuent de porter leur uniforme après en avoir arraché l'insigne, et que les femmes ont dû adopter le *mompei*, le pantalon large des paysans d'autrefois.

Il y a pénurie de combustible, et tout le monde souffre du froid. Les bains publics pratiquent des tarifs rédhibitoires pendant les premières heures de la journée, avant que la température de l'eau ne commence à descendre. Et même si les bureaux sont très mal chauffés, les employés « n'ont aucune hâte de partir, car ils n'ont pas grand-chose à faire dehors. La plupart des locaux ont un minimum de chauffage pendant l'hiver, et les gens profitent de la chaleur tant qu'ils sont là ». Pendant un hiver spécialement rude, l'administration des chemins de fer propose d'arrêter les sifflets des locomotives afin d'économiser le charbon.

Mais surtout, c'est la nourriture qui manque. Les habitants de Tokyo sont obligés de se lever à l'aube et de monter dans des trains bondés pour tenter de troquer un peu de riz dans les campagnes. D'après la rumeur, certains fermiers ont amassé des fortunes. On peut aussi se rendre sur les marchés noirs en plein air qui ont surgi aux abords des gares de Tokyo, là où tout peut s'échanger, s'acheter et se vendre au grand jour, sous l'œil indifférent des soldats. Sur le marché installé près de la gare d'Ueno, l'American Lane (l'allée américaine) fournit des marchandises dérobées aux forces d'occupation, ou échangées contre autre chose. Les couvertures de l'armée américaine sont particulièrement recherchées. « Comme les arbres se dépouillent de leurs feuilles, les Japonais se dépouillent de leurs kimonos, un par un, pour se procurer de quoi manger. Ils ont même inventé un terme ironique pour rendre compte de cette existence misérable : *takenoko*, en référence à la pousse de bambou qui pèle couche après couche. » Face à toutes ces difficultés, la formule en vogue est *Shikata ga nai*, « On ne peut rien y faire », sous-entendu : « Et ne venez pas vous plaindre. »

Bon nombre des denrées américaines – viande en conserves, biscuits Ritz ou cigarettes Lucky Strike – sont introduites dans les circuits du marché noir par les « *panpan* girls », une « horde de harpies immondes [...] qui couchent avec les soldats pour de la nourriture [...]. La journée, elles arpentent les rues dans des robes habillées mais bon marché venues du PX, riant et bavardant bruyamment, mâchant sans arrêt du chewing-gum, ou faisant enrager les citoyens affamés dans les trains et les bus en exhibant leurs gains mal acquis ».

Ces filles, et leur rôle dans la société japonaise, ont fait l'objet de nombreux débats. L'armée américaine générait une telle frayeur qu'elles ont été perçues comme des victimes sacrificielles, grâce à qui la vertu de la plupart des Japonaises a pu être préservée. À ce sentiment s'ajoutait la répulsion que provoquaient leur rouge à lèvres, leurs tenues et leur façon d'embrasser en public. Ces baisers sont devenus le symbole du relâchement des mœurs provoqué par l'occupation.

Il existe aussi des bars gays – les *gei pati* évoqués par Mishima dans son roman *La Médecine interdite* – qui se multiplient au début des années 1950. *Gei* est transcrit en alphabet romain, ce qui témoigne d'un usage courant. Le parc d'Hibiya est un lieu de rendez-vous très fréquenté. Mon seul guide en la matière est Mishima, et il n'est guère fiable : « Il s'avança dans la faible et humide clarté des toilettes, et découvrit ce que la communauté appelle un "bureau". (Il y en a quatre ou cinq de cette importance à Tokyo.) Un bureau dont la procédure se fonde sur des clins d'œil au lieu de documents, des gestes discrets au lieu de formulaires et une communication codée au lieu du téléphone. »

Dans le contexte de l'époque, il faut savoir se montrer entreprenant. La jeune génération est désignée par le terme familier d'*apure*, « après-guerre ». Un *apure* est « un étudiant habitué des dancings, qui paie un remplaçant pour passer les examens à sa place et risque de se livrer à des activités illicites pour se procurer de l'argent ». Ils se caractérisent par leur mode de survie peu orthodoxe et leur aspiration au style de vie des Américains. Dans un premier temps, ils ont réussi à bouleverser les règles du travail. « Depuis la guerre, note un commentateur japonais au sujet des *apure*, être en retard est devenu la norme. » Ils arrivent au travail après l'heure et trichent aux examens, mais ils sont surtout connus pour se livrer à la prostitution, capables de gagner de l'argent à partir de rien. Le prostitué se reconnaît à ses chemises hawaiiennes, ses ceintures en nylon et ses chaussures à semelle en caoutchouc, « les trois insignes royaux » – référence ironique aux trois symboles sacrés associés à l'empereur. Dans le sillage de la défaite apparaît une flopée de magazines destinés à la jeunesse, publiant des articles tels que « Comment mettre de côté un million de yens », ou « Comment devenir milliardaire en partant de zéro ».

Dans le Tokyo de l'été 1948, les haut-parleurs des rues et des boîtes de nuit en quête de publicité hurlent le tube du moment, *Tokyo Boogie Woogie*. « Tokyo boogie-woogie / Rhythm ookie-ookie / Kokoro zookie-zookie / Waku-waku. » La presse annonce l'apparition du *kasutori*, la « culture pulp », promise à submerger le Japon. Vulgaire et délurée, hédoniste et sans barrières.

Les étalages débordent jusque dans les rues. Des vétérans en tunique blanche demandent l'aumône, dévissant une jambe ou un bras artificiel, affichant devant eux la liste des campagnes auxquelles ils ont participé. De farouches orphelins de guerre pratiquent le vol et la mendicité, racontant que leurs parents sont morts du typhus en Mandchourie. Des écoliers vendent à la criée des *chocoretto* ou des cigarettes, en répétant les phrases apprises à la première leçon du *Manuel de conversation japonais-anglais*.

« Thank you ! »

« Thank you awfully ! »

« How do you do ? »

Ou plutôt leur approximation en langage phonétique : *San kyu ! San kyu ofuri ! Hau dei dou ?*

Le vacarme des salles de jeux, le charivari discordant des milliers de billes en métal ricochant à travers les machines. On peut en acheter vingt-cinq pour un schilling, et avec un peu d'habileté, on peut rester des heures sous les ampoules nues, à les introduire l'une après l'autre dans l'appareil. Quand on gagne un lot — cigarettes, lames de rasoir, savon ou boîtes de conserve —, on peut toujours le céder au patron contre une nouvelle série de billes, pour quelques heures d'oubli en plus.

L'animation des rues, les employés de bureau ivres se répandant devant les bars, vêtus de costumes noirs légers et de chemises en laine à fine cravate. Les gens qui urinent et qui crachent dans les rues. Les remarques lancées sur la taille de quelqu'un, sur sa couleur de cheveux. La litanie quotidienne des gamins qui vous hèlent au passage : *gai jin, gai jin*, étranger ! étranger ! Et il y a aussi un autre Tokyo : les masseuses aveugles, les fabricants de tatamis, les vendeurs de légumes au vinaigre, les vieilles femmes infirmes, les moines. Et tous ces marchands qui proposent des brochettes de porc et de poivron, du thé couleur ocre, des friandises graisseuses à la pâte de châtaigne, du poisson salé et des algues. L'odeur du poisson grillé sur des feux au charbon. Quand on se déplace dans les rues, on est sûr d'être assailli par un cireur de chaussures, un fleuriste ambulant, un artiste itinérant ou un rabatteur de bar, et aussi par une foule de bruits et d'odeurs.

Si on est étranger, il est interdit de fraterniser avec la population. On n'a pas le droit d'entrer dans une maison japonaise, ni de fréquenter les restaurants

japonais. Dans la rue, en revanche, on est partie inté-
grante de ce monde bruyant et affairé.

Iggie possède une petite serviette remplie de
moines, d'artisans et de mendiants en ivoire, mais il
ignore tout de leur univers.

31.

Kodachrome

Iggie m'a raconté qu'avant d'arriver au Japon, il n'avait lu qu'un seul ouvrage sur ce pays, acheté à Honolulu pendant le voyage. Il s'agit de *Le Chrysanthème et le Sabre*, par l'ethnologue Ruth Benedict, un essai commandé par le Bureau américain d'information de guerre. Il se compose d'un assemblage de documents, coupures de presse, littérature traduite et entretiens avec des prisonniers. Sa clarté s'explique peut-être par le fait que Benedict n'avait aucune expérience concrète du Japon. Le livre s'articule sur une opposition simple et confortable entre le sabre du samouraï, emblème de responsabilité personnelle, et le chrysanthème, qui ne garde sa forme harmonieuse que grâce à des fils métalliques invisibles. Selon la thèse fameuse de l'auteur, le Japon a une culture de la honte et non de la culpabilité, théorie qui eut un fort impact sur les officiers américains à Tokyo, chargés de définir les structures éducatives, juridiques et politiques du Japon. Traduit en japonais en 1948, l'ouvrage a connu un immense succès. Rien d'étonnant à cela. Savoir comment un Américain percevait le Japon attirait bien évidemment la curiosité, d'autant qu'il s'agissait d'une femme.

Tandis que j'écris, l'exemplaire d'Iggie est posé devant moi. Ses soigneuses annotations au crayon à papier – surtout des points d'exclamation – s'arrêtent soixante-dix pages avant la fin, laissant de côté les chapitres sur l'autodiscipline et l'enfance. Son avion avait peut-être atterri.

Le premier bureau d'Iggie se trouve à Marunouchi, un quartier d'affaires aux larges rues mornes. En été, la chaleur y est insupportable, mais il avait surtout gardé le souvenir du froid âpre de son premier hiver, en 1947. Chaque bureau est équipé d'un petit *hibachi*, un de ces poêles à charbon qui ne procurent qu'une vague sensation de chaleur. Disons qu'ils donnent une idée de la chose, mais sans réchauffer suffisamment. Il faudrait en glisser un sous sa veste pour sentir la différence.

Dehors, la nuit est tombée. Au-delà de l'escalier de secours, les bureaux sont allumés. Penchés sur leur machine à écrire, leurs manches de chemise retroussées, ces jeunes gens sont les acteurs du miracle japonais. Cigarettes et bouliers voisinent avec la paperasse. Ils sont assis sur des fauteuils pivotants. Iggie, en partie caché, se tient debout avec une liasse de documents, dans un bureau à vitres dépolies avec téléphone – rare à cette époque.

Le personnel sait que la journée est terminée en voyant Iggie disparaître au bout du couloir, peu avant cinq heures. Comme il faut de l'eau chaude pour se raser, il fait chauffer une bouilloire sur le *hibachi* du bureau. Et il a besoin d'être rasé de frais avant de partir.

Iggie, qui déteste vivre à l'hôtel dans une partie de Tokyo qui ressemble à Denver, ne tarde pas à emménager dans sa première maison. Elle est située à Senzoku, au bord du lac, au sud-est de la ville. Le lac, d'après lui, serait plutôt un étang, mais un vaste étang à la Thoreau, a-t-il précisé, pas une petite pièce d'eau à l'anglaise. Il s'est installé en hiver, et même si on lui a signalé la présence des cerisiers dans le jardin et sur le rivage, il reçoit comme une surprise le spectacle qu'ils offrent au printemps. La scène se prépare sous ses yeux pendant plusieurs semaines, et un jour il y a une telle abondance de fleurs qu'il lui semble qu'un nuage d'une blancheur éblouissante est passé devant sa rétine. On a l'impression de perdre la notion de l'espace et de se mettre à flotter.

Réception estivale à Senzoku, Tokyo, 1951

Après toutes ces années où il n'a emporté avec lui qu'une valise ou deux, Iggie a enfin une maison à lui. À quarante-deux ans, il a vécu à Vienne, Francfort,

Paris, New York et Hollywood – sans compter les villes où il a été cantonné en France et en Allemagne – et pour finir à Léopoldville, mais en ce printemps de liberté et d'euphorie, c'est la première fois qu'il peut refermer derrière lui la porte de sa propre maison.

La maison, bâtie dans les années 1920, a une salle à manger octogonale et un balcon avec vue sur le lac, parfait pour les cocktails. Le salon ouvre sur une dalle plate donnant accès au jardin peuplé de pins et d'azalées bien taillés. Il y a une terrasse en pierres au motif volontairement irrégulier et un jardin de mousses. Le genre de demeure que décrivait le jeune diplomate japonais Ichiro Kawasaki : « Dans les années d'avant-guerre, un professeur d'université ou un colonel pouvait se permettre de faire construire une maison de ce type pour l'occuper lui-même. Actuellement, les propriétaires les trouvent si onéreuses à habiter qu'ils sont contraints de les mettre en vente ou de les louer à des étrangers. »

Je suis à la recherche du paquet de clichés Kodachrome aux bords arrondis sur lesquels on voit cette première maison d'Iggie à Tokyo. « Les urbanistes japonais ne se sont jamais beaucoup préoccupés du zonage. Il n'est pas rare de rencontrer un groupe de cabanes en bois délabrées, habitées par des ouvriers, à proximité immédiate de la luxueuse résidence d'un millionnaire. » C'est bien le cas ici, même si les cahutes à gauche et à droite ont été reconstruites en béton, et non en bois et papier. Le quartier est en pleine renaissance : temples et sanctuaires, le marché local, le réparateur de bicyclettes et une grappe de magasins au bout de la route – un simple chemin en terre battue, à la vérité – où l'on peut acheter de gros radis d'hiver disposés en rangées, des choux, et pas grand-chose d'autre.

Nous voici sur le seuil de la maison avec Iggie ; il a une main dans sa poche, et l'épingle de sa cravate en soie verte étincelle au soleil. Sa carrure s'est élargie, et il aime bien arborer une pochette à sa veste. Ses jeunes collègues ont d'ailleurs commencé à l'imiter, coordonnant cravate et pochette. Avec ses chaussures de marche, il a un peu l'autorité d'un hobereau. Sans les pins émondés qui l'entourent et les tuiles vertes du toit, on pourrait se croire dans un coin des Cotswolds. Nous entrons par un long corridor avant de tourner à gauche, où M. Haneda, le cuisinier en tablier blanc, ferme les yeux devant la lumière du flash, penché sur le fourneau tout neuf, sa toque crânement rejetée en arrière. La bouteille de ketchup Heinz est le seul ingrédient visible, son écarlate Kodachrome se détachant sur un fond d'émail d'une propreté aveuglante.

Retour dans le couloir, puis nous pénétrons dans le salon par un passage surmonté d'un masque nô. Le plafond est en lattes de bois. Toutes les lampes sont allumées. Des objets sont exposés sur des meubles sombres d'origine coréenne ou japonaise, simples et épurés dans leurs lignes, accompagnés de canapés bas et accueillants, de lampes et de tables d'appoint, de cendriers et de coffrets à cigarettes. Un bouddha en bois de Kyoto trône sur une commode coréenne, la main levée en signe de bénédiction.

Le bar en bambou rassemble une exceptionnelle variété d'alcools, que je ne parviens pas à identifier. C'est une maison destinée aux festivités. Des fêtes où l'on voit des enfants à quatre pattes, des femmes en kimono et des présents, et des hommes en costume sombre réunis autour de petites tables, rendus plus loquaces par le whisky. Fêtes du Nouvel An avec leurs branchages de pins accrochés au plafond, célébration des cerisiers et, pour la poésie du geste, contemplation des lucioles.

Ici, la fraternisation est chose courante. Amis japonais, américains et européens, sushis et bières servis par Mme Kaneko, la bonne en uniforme. C'est Liberty Hall ressuscité.

Cet intérieur ne manque pas de style, très éloigné de la surenchère ornementale du palais Ephrussi. Iggie a créé autour des netsukes un décor d'une remarquable originalité, fait d'écrans dorés et de peintures montées sur rouleaux, de tableaux et de poteries chinoises.

Car les netsukes en sont bel et bien le centre, tout comme ils sont au cœur de la vie d'Iggie. Il a luimême dessiné une vitrine pour les ranger. Sur le mur qui lui sert d'arrière-plan, la tapisserie s'orne d'un motif bleu pâle de chrysanthèmes. Non seulement les 264 netsukes ont regagné le Japon, mais ils sont de nouveau exposés dans un salon. Iggie les a disposés sur trois longues étagères en verre, et au crépuscule, un éclairage caché leur prête cent nuances différentes de crème et d'ivoire.

Les netsukes ont retrouvé leur essence japonaise.

Leur étrangeté s'efface. La nourriture de tous les jours est rendue avec une stupéfiante précision : palourdes, pieuvre, pêche, kaki, pousses de bambou. Le fagot de bois posé près de la porte de la cuisine ressemble beaucoup au netsuke sculpté par Soko. Et ces tortues si frappantes, qui montent paresseusement les unes sur les autres au bord de l'étang du temple, sont la réplique d'un netsuke de Tomokazu. Il est fort probable qu'Iggie ne croise ni moines, ni pêcheurs, ni colporteurs sur le chemin du bureau, sans parler des tigres, mais le marchand de nouilles de la gare a le même pli de contrariété en travers du front que le chasseur de rats dépité.

L'imagerie des netsukes se reflète dans les rouleaux et les paravents dorés japonais qui ornent la pièce. Ici une conversation est possible, ce qui n'était pas le cas avec les Moreau et les Renoir de Charles, ni avec les flacons de parfum en verre et argent posés sur la coiffeuse d'Emmy. Destinés depuis toujours à être saisis et touchés, les netsukes viennent de s'intégrer à un nouvel univers d'objets familiers. Non contents d'être façonnés dans des matériaux bien connus (le buis et l'ivoire sont quotidiennement pris en main, puisque les baguettes en sont faites), leurs formes sont profondément familières. La catégorie de netsukes que l'on appelle *manju* porte le nom de petits gâteaux ronds au tofu, que l'on sert avec le thé ou que l'on donne à titre de *o-miyagi*, ces menus présents que les Japonais ont coutume d'offrir quand ils reviennent de voyage. Ces *manju* sont compacts et étonnamment lourds, mais ils cèdent légèrement sous les doigts lorsqu'on en prend un. Si l'on tient dans sa main un netsuke *manju*, on s'attend à retrouver sous son pouce une sensation comparable.

La plupart des amis d'Iggie n'en ont jamais vu auparavant, et encore moins touché. Jiro se souvient seulement que son grand-père, l'entrepreneur, endossait à l'occasion des mariages et des funérailles un kimono d'un gris soutenu, avec cinq symboles héraldiques à l'encolure, aux manches et aux poignets. Il le portait avec des chaussettes à pouce séparé, et des *geta*, des chaussures en bois, la taille ceinte d'un large *obi* à nœud rigide, un netsuke en forme d'animal (un rat, peut-être ?) fixé à sa cordelette. Mais l'usage quotidien du netsuke est tombé en désuétude depuis quatre-vingts ans, au début de l'ère Meiji, alors qu'on décourageait le port du kimono chez les hommes. Lors des fêtes données par Iggie, entre les verres de whisky et les plats d'*edamame* – des fèves de soja croquantes – éparpillés sur les tables, on prend l'habitude d'ouvrir la vitrine. On tient les netsukes dans sa main, on les commente en les faisant passer à son voisin, on profite de leur présence. Les amis offrent des explications. En cette année 1951, l'année du Lièvre, alors qu'on tient dans sa paume le netsuke taillé dans l'ivoire le plus clair de la collection, quelqu'un explique que s'il brille d'un tel éclat, c'est qu'il s'agit d'un lièvre lunaire bondissant parmi les vagues, illuminé par le clair de lune.

La dernière fois que les netsukes se sont trouvés au centre d'une réunion mondaine, c'était à Paris et ils étaient dans la main de Goncourt, de Degas ou de Renoir, dans le salon du bon goût contemporain tenu par Charles Ephrussi, conversation entre une étrangeté érotisée et les nouvelles formes d'art.

Une fois rentrés au Japon, les netsukes renvoient les gens aux souvenirs de leurs discussions avec les grands-parents à propos de la calligraphie, de la poésie ou du *shamisen*. Pour les invités japonais d'Iggie, ils appartiennent à un monde englouti, une perte que rend plus aiguë la dureté de l'après-guerre.

Ils s'inscrivent par ailleurs dans une nouvelle interprétation du *japonisme**. L'intérieur d'Iggie trouve des échos dans les revues de design international, qui prônent l'alliance de la tradition japonaise et du style contemporain. Le Japon peut être évoqué par un bouddha typique, un paravent, une jarre paysanne de facture assez rudimentaire, en accord avec la mode des arts populaires. Entre les pages de l'*Architectural Digest*, s'exhibent fréquemment des résidences américaines où ce genre d'objets s'associe à un hall doré à la feuille, un mur tapissé de miroirs, des tapisseries en soie sauvage, de larges baies vitrées et des tableaux abstraits.

Dans cette maison tokyoïte habitée par un Japonais d'adoption venu d'Amérique, on trouve un *tokonama*, cette niche si importante dans l'habitat traditionnel, séparée du reste de la maison par un pilier en bois non traité. Des herbes des champs sont disposées dans une corbeille près d'une peinture sur rouleau et d'un bol japonais. Des tableaux d'un jeune peintre en vogue, Fukui, figurant des silhouettes émaciées d'hommes et de chevaux, sont exposés aux murs. Sur les rayonnages de la bibliothèque, une collection exhaustive d'ouvrages sur l'art japonais voisine avec Proust, James Thurber et des piles de polars américains.

Cependant, on remarque parmi les œuvres d'art japonaises quelques toiles issues du palais Ephrussi, rassemblées par le grand-père d'Iggie aux temps enivrants de l'ascension de la famille, dans les années 1870. Le portrait d'un jeune Arabe par un artiste qu'Ignace a soutenu lors de ses voyages au Moyen-Orient. Deux paysages autrichiens. Un petit tableau hollandais représentant des vaches à l'air satisfait, accroché autrefois dans un couloir secondaire. Dans la salle à manger, au-dessus du buffet, est suspendu le portrait mélancolique d'un soldat armé d'un mousquet, dans la pénombre d'un bois, que Viktor avait jadis dans sa garde-robe, près de son *Léda et le Cygne* et du buste de Herr Wessel.

Ce sont là les quelques fragments qui ont été restitués grâce à la ténacité d'Elisabeth, exposés en compagnie des rouleaux japonais d'Iggie. Un autre exemple de fraternisation, en quelque sorte : le *Ringstrassenstil* au Japon.

Ces photos débordantes de vie irradient le bonheur. Où qu'il se trouve, Iggie manifeste une grande faculté d'adaptation. J'ai même vu des clichés de lui datant de la guerre, parmi un groupe de soldats jouant avec un chiot adopté dans les ruines d'un bunker. Dans le décor éclectique qu'il s'est créé au Japon, il se montre aussi communicatif envers ses amis occidentaux que japonais.

Son bonheur est à son comble quand il emménage dans une autre maison avec jardin, située dans la zone plus commode d'Azabu. A priori, il répugnait à s'installer dans ce quartier – une colonie *gaijin* peuplée de diplomates –, mais la maison est en hauteur et comprend une enfilade de pièces communicantes et un jardin en pente douce, fleuri de camélias blancs.

La demeure est assez spacieuse pour accueillir un logement indépendant destiné à son jeune ami, Jiro Sugiyama, qu'il a connu en juillet 1952. « Devant l'immeuble de Marunouchi, je suis tombé sur un ancien camarade de classe, qui m'a présenté son patron, Leo Ephrussi [...]. Deux semaines plus tard, j'ai reçu un coup de téléphone de Leo – je l'ai toujours appelé ainsi – qui m'invitait à dîner. Nous avons mangé un homard thermidor sur le toit en terrasse du Tokyo Kaikan [...] et grâce à lui j'ai été embauché par Sumitomo, une vieille filiale de Mitsui. » Ils devaient passer ensemble les quarante et une années suivantes.

Jiro est un jeune homme de vingt-six ans, mince et séduisant, qui parle couramment l'anglais et adore Fats Waller et Brahms. Au moment de leur rencontre, il vient de rentrer au Japon après trois ans d'études dans une université américaine qui lui avait accordé une bourse. Son passeport tamponné par l'Administration des forces armées américaines porte le numéro 19. Jiro se rappelait ses appréhensions quant à l'accueil qui l'attendait en Amérique, ainsi que le compte rendu des journaux : « Un jeune Japonais s'envole vers l'Amérique, en costume de flanelle grise et chemise Oxford blanche. »

Troisième enfant d'une fratrie de cinq, Jiro a grandi dans une famille de commerçants qui fabriquait des sandales en bois laqué à Shizuoka, entre Tokyo et Yokohama. « Notre famille produisait les plus belles *geta* peintes, recouvertes de laque *urushi*. Mon grand-père Tokujiro a fait fortune grâce aux *geta* [...]. Nous habitions une vaste maison traditionnelle avec dix ouvriers à l'atelier, qui avaient tous un logement sur place. » En 1944, la famille était prospère et dynamique, et Jiro, âgé de dix-huit ans, a été envoyé à l'école préparatoire à l'université de Waseda à Tokyo, puis à l'université elle-même. Trop jeune pour être enrôlé dans l'armée, il a vu la ville s'effondrer autour de lui.

Jiro, mon oncle japonais, a fait partie de mon existence aussi longtemps qu'Iggie. Nous nous asseyions ensemble dans le bureau de son appartement tokyoïte, et il évoquait pour moi les premiers temps de leur vie en commun. Ils avaient l'habitude de quitter la ville le vendredi soir « pour passer le week-end dans les environs de Tokyo, me raconta-t-il, à Hakone, Ise, Kyoto ou Nikko, nous arrêtant parfois dans une auberge, un *ryokan*, ou un bain thermal, un *onsen*, et dégustant de bons repas. Iggie conduisait une DeSoto jaune décapotable, à capote noire. Sitôt nos bagages déposés au *ryokan*, Leo voulait toujours faire le tour des antiquaires – céramiques chinoises et japonaises, meubles… » En semaine, ils se retrouvaient après le travail. « Il me disait : "Rendez-vous au Shiseido pour un curry de bœuf ou un plat de beignets au crabe." Quelquefois nous nous rejoignions au bar de l'Impérial. À la maison, on donnait souvent des fêtes. Après le départ des invités, nous buvions du whisky jusque tard dans la nuit, en écoutant des opéras sur le gramophone. »

Une vie en Kodachrome. J'imagine la voiture jaune et noire étincelant comme un frelon sur une route de montagne poussiéreuse, le rose des beignets sur le fond blanc de l'assiette.

Ils explorent le Japon tous les deux, passant un week-end dans une auberge spécialisée dans la truite de rivière, un autre dans une ville côtière où a lieu chaque automne le *matsuri*, exubérant défilé de chars rouge et or. Ils fréquentent les expositions d'art japonais des musées du parc Ueno, se rendent à la première exposition itinérante de peinture impressionniste européenne, où la file d'attente s'étire de l'entrée jusqu'aux grilles. Après avoir vu les Pissarro, Tokyo sous la pluie leur rappelle Paris.

Iggie et Jiro en bateau sur la mer Intérieure, Japon, 1954

Mais c'est la musique qui occupe une place privilégie dans leur vie commune. Pendant la guerre, la *Neuvième Symphonie* de Beethoven a acquis une grande popularité. La *Neuvième*, dite *Dai-ku* en langage familier, est devenue incontournable à l'époque du Nouvel An, avec de vastes chœurs entonnant l'*Hymne à la Joie*. Au temps de l'Occupation, l'Orchestre symphonique de Tokyo était en partie sponsorisé par les autorités américaines, qui lui faisaient interpréter les morceaux choisis par les troupes. En ce début des années 1950, des orchestres régionaux se sont formés un peu partout au Japon. On croise des écoliers serrant leur étui à violon, le cartable sur le dos. Des ensembles étrangers commencent à se produire au Japon, et Iggie et Jiro sont des auditeurs de concerts assidus : Rossini, Wagner, Brahms. Ils voient *Rigoletto* – le premier opéra qu'Iggie ait jamais vu, dans la loge familiale à Vienne pendant la Première Guerre mondiale, près de sa mère qui avait pleuré à la scène finale.

Voilà donc le quatrième foyer des netsukes. Une vitrine dans un salon du Tokyo d'après-guerre, avec vue sur un jardin aux camélias bien taillés, où les netsukes sont baignés par les puissants accents nocturnes du *Faust* de Gounod.

32.

« Où les avez-vous trouvés ? »

L'arrivée des Américains a fait du Japon un nouveau pays à piller. Un pays regorgeant d'objets attrayants, paires de vases Satsuma, kimonos, sabres laque et or, paravents repliables blasonnés de pivoines, coffres à poignées de bronze. Une telle abondance, et des prix si intéressants... Le 24 septembre 1945, *Newsweek* publie le premier reportage sur le Japon occupé : « Les Yankees se lancent dans la chasse au kimono, et apprennent ce que ne font pas les geishas. » Ce titre cru et sibyllin, conjuguant souvenirs et femmes, est un bon résumé de l'Occupation. Plus tard la même année, le *New York Times* rapporte : « Un Marine dévalise les boutiques. » Un GI qui s'est déjà payé des cigarettes, de la bière et des filles ne sait plus trop que faire de son argent.

Un représentant de la génération d'après-guerre a ouvert avec succès un bureau de change sur la jetée de Yokohama, convertissant les dollars en yens pour les premiers soldats américains. Il fait aussi le commerce des cigarettes américaines, qu'il achète et revend. Cependant, de manière tout à fait significative, le plus gros de son négoce se compose de « bric-à-brac japonais bon marché, statuettes de bouddha

411

et bougeoirs en bronze, brûle-parfums récupérés dans les zones bombardées. Étant des nouveautés à l'époque, tous ces bibelots se vendaient comme des petits pains ».

Mais comment savoir quoi acheter ? Selon le commentaire acide de John LaCerda, auteur, en 1946, de *The Conqueror Comes to Tea : Japan under Mac-Arthur*, les soldats « subissaient d'abord un topo sur tous les sujets d'importance : composition florale, rituel de l'encens, mariage, costume, cérémonie du thé, pêche au cormoran ». Les plus sérieux pouvaient consulter les nouveaux guides d'art et d'artisanat japonais, imprimés sur de minces feuillets gris qui ressemblaient à du papier de soie. L'Office du tourisme publiait aussi des manuels destinés « à offrir aux visiteurs de passage et aux autres étrangers intéressés par le Japon quelques rudiments sur les phases successives de la culture japonaise ». Parmi les thèmes abordés, on trouvait notamment l'art floral au Japon, Hiroshige, le kimono, le rituel du thé, les bonsaïs, et bien entendu les netsukes, l'art de la miniature au Japon.

Des marchands de bimbeloterie sur la jetée de Yokohama aux camelots installés devant les temples, proposant quelques laques étalés sur un linge blanc, le Japon est partout à vendre. Tout est ancien, ou présenté comme tel. On peut acheter des cendriers, des briquets ou des serviettes de table ornés d'une geisha, d'une vue du mont Fuji ou d'une fleur de glycine. Le Japon se résume à une série d'instantanés, de cartes postales aux couleurs de brocart, avec des fleurs de cerisier d'un rose de barbe à papa. Madame Butterfly et Pinkerton, une accumulation de clichés.

Cependant, on peut tout aussi bien s'offrir « un vestige exotique du temps des Daimyos ». Le *Time* consacrait un article aux frères Hauge qui avaient rassemblé une collection exceptionnelle d'art japonais.

Parmi les innombrables GI's qui ont fait leur service au Japon, rares sont ceux qui n'ont pas amassé une cargaison de souvenirs. Toutefois, ils sont très peu à avoir compris qu'un véritable paradis du collectionneur leur tendait les bras [...]. Les frères Hauge firent des débuts fracassants grâce à la tempête inflationniste qui porta le taux de conversion du yen en dollar de 15 à 360. Tandis que les Hauge engrangeaient leur moisson de yens, les familles japonaises, accablées par les taxes d'après-guerre, menaient une existence de « pelure d'oignon », se dépouillant de leurs chères œuvres d'art pour assurer leur subsistance.

Pelures d'oignon, pousses de bambou. Ces images évoquent la vulnérabilité, la fragilité et les larmes, mais elles sont aussi une métaphore du déshabillage. Elles nous rappellent les anecdotes inlassablement racontées par Philippe Sichel et les Goncourt à Paris, au temps du premier engouement pour le *japonisme** : tout et tout le monde était à vendre.

Iggie a beau être un expatrié, il reste avant tout un Ephrussi. Lui aussi s'est mis à collectionner. De ses excursions avec Jiro, il rapporte des céramiques chinoises – une paire de chevaux au dos arqué datant de la dynastie Tang, des plats vert céladon décorés de poissons, de la porcelaine bleue et blanche du XVe siècle. Il achète des paravents à motif de pivoines écarlates, des peintures de paysages brumeux, des sculptures bouddhistes primitives. Iggie m'a avoué d'un air coupable qu'à l'époque, on pouvait se procurer un bol Ming contre une cartouche de Lucky Strike. Il m'a montré le spécimen en question, qui rendait un son parfaitement clair quand on le tapotait doucement. Il était orné de pivoines bleues sous une glaçure d'un blanc laiteux. Je m'interroge sur la personne qui a été forcée de le vendre.

C'est pendant les années d'occupation que les netsukes ont acquis le statut d'objets de collection. Le guide de l'Office du tourisme, publié en 1951, mentionne « le précieux concours apporté par le contre-amiral Beton W. Dekker, ancien responsable des opérations navales américaines à Yokosuka, et fin connaisseur en matière de netsukes ». Ce guide, réimprimé ensuite pendant trois décennies, formulait un jugement sans ambages sur les netsukes.

Les Japonais sont par nature habiles de leurs mains. Tant de dextérité s'explique peut-être par leur goût des petites choses, favorisé par la vie sur une petite île et un tempérament fondamentalement insulaire. L'usage des baguettes, dont le bon maniement s'inculque dès l'enfance, contribue peut-être aussi à développer l'adresse. Cette caractéristique singulière justifie les qualités de l'art japonais autant que ses faiblesses. Le peuple japonais ne possède pas la faculté de produire des ouvrages d'envergure, profonds et denses. En revanche, sa nature se manifeste dans les finitions qu'il apporte à son travail, alliant une exécution minutieuse à une subtile habileté.

Quatre-vingts ans ont passé depuis l'époque de Charles, mais quand on parle d'art japonais, les mots n'ont guère changé. On apprécie toujours dans les netsukes les qualités prêtées aux enfants précoces : l'attention au fini, le travail scrupuleux.

Il est assez frustrant de se voir comparé à un enfant, et cela devient franchement offensant quant le général MacArthur en fait publiquement la remarque. Démis de ses fonctions par le président Truman pour cause d'insubordination pendant la guerre de Corée, le général a quitté Tokyo le 16 avril 1951, accompagné à l'aéroport « par une escorte motorisée de la police militaire [...]. Au bord des routes étaient massés des soldats américains, des policiers japonais et des civils. On a accordé un jour de congé aux écoliers afin qu'ils puissent se joindre à la foule. Dans les bureaux de poste, les hôpitaux et l'administration, les employés ont bénéficié d'une pause pour assister à l'événement. Selon les estimations de la police de Tokyo, 230 000 personnes étaient présentes lors du départ de MacArthur. » Toujours d'après le *New York Times*, il s'agissait « d'une foule paisible, manifestant peu d'émotions ». De retour en Amérique, MacArthur a déclaré devant le Sénat que les Japonais ressemblaient à des enfants de douze ans, alors que les Anglo-Saxons étaient comparables à des hommes de quarante-cinq. « Il est possible d'implanter là-bas quelques concepts élémentaires. Les gens sont assez proches de l'origine pour garder une certaine malléabilité et s'adapter aux idées nouvelles. »

Dans ce pays tout juste libéré après sept ans d'occupation, ces propos sont perçus comme une humiliation publique, qui plus est de portée internationale. Le Japon s'est beaucoup reconstruit depuis la fin de la guerre, et si les Américains ont apporté leurs subsides, c'est surtout le dynamisme des Japonais qui a payé. Sony, par exemple, n'était tout d'abord qu'un petit réparateur de radios installé en 1945 dans un grand magasin bombardé de Nihonbashi. L'enseigne n'a cessé de lancer des produits innovants – les coussins chauffants en 1946, le premier magnétophone japonais un an plus tard – grâce à la collaboration de jeunes scientifiques et à l'achat de matériaux au marché noir.

Si l'on se promène à Ginza durant l'été 1951, dans le quartier des boutiques, on voit une foule de magasins bien approvisionnés : le Japon a fait son entrée dans le monde moderne. On y trouve aussi Takumi, une étroite boutique en longueur où les piles de bols et de tasses noirs voisinent sur les rayonnages avec des mètres d'indigo tissé à l'ancienne par des artisans. Dès 1950, le gouvernement japonais a créé le statut de Trésor national vivant, qui récompense un artisan – généralement âgé – spécialement doué pour la laque, la teinture ou la poterie, par une pension et une certaine notoriété.

Le goût dominant a évolué vers l'expressif, l'intuitif, l'ineffable. Tout objet fabriqué dans quelque village isolé est estampillé « traditionnel » et présenté sur le marché comme « l'essence du Japon ». Alors que le tourisme commence à se développer au Japon, la Compagnie des chemins de fer publie un dépliant intitulé *Quelques suggestions aux chercheurs de souvenirs* : « Un voyage n'est jamais vraiment réussi si l'on ne rapporte pas de souvenirs chez soi. » Il convient de repartir avec l'*o-miyagi* adapté. Une friandise, par exemple, un biscuit ou une briochette typique de tel ou tel village, une boîte de thé, du poisson au vinaigre. Une pièce d'artisanat, éventuellement, un rouleau de papier, un bol à thé cuit dans un four de village ou une étoffe brodée. Quoi qu'il en soit, il faut qu'on sente vibrer sous l'emballage une puissante identité régionale, une signature : il existe en effet une cartographie du Japon, une géographie du cadeau adéquat. Omettre de rapporter des *o-miyagi* serait une espèce d'injure à la notion même de voyage.

Les netsukes appartiennent à l'ère Meiji, à l'époque où le Japon s'est ouvert à l'étranger. Selon les hiérarchies culturelles de l'après-guerre, les netsukes, auxquels on reproche leur sophistication, ne sont pas vraiment prisés : ils portent des relents frelatés de *japonisme**, incarnant l'adaptation du Japon au marché occidental. Leur exécution est trop léchée.

Peu importe la quantité de calligraphies exposées – l'unique explosion d'encre noire au bout du pinceau d'un moine, quatre décennies de concentration exprimées dans un geste d'une maîtrise absolue –, il suffit de montrer une petite sculpture en ivoire, « un groupe représentant Kiyohimi et le dragon cernant la cloche du temple où s'est réfugié le moine Anchin », pour que chacun s'émerveille. Ce n'est pas sur l'idée que les gens s'extasient, ni sur la composition, mais sur la capacité à se concentrer aussi longtemps sur un objet si petit. Comment Tanaka Minko a-t-il pu façonner le moine dans la cloche à travers ce trou minuscule ? Les netsukes pâtissent de leur succès auprès des Américains.

Iggie a consacré à sa propre collection un article paru dans le *Nihon Keiza Shimbun*, l'équivalent tokyoïte du *Wall Street Journal*. Il y évoque ses souvenirs d'enfance et le sauvetage des netsukes dans la poche d'une servante, sous le nez des nazis. Il parle aussi de leur retour au Japon. Après trois générations

La vitrine des netsukes dans la maison d'Iggie à Abazu, Tokyo, 1961

passées en Europe, un coup de chance les a ramenés dans leur pays d'origine. Il raconte qu'il a contacté M. Yuzuru Okada, du Musée national de Tokyo au parc Ueno, grand spécialiste des netsukes, afin qu'il vienne examiner sa collection. Le malheureux M. Okada devait, je suppose, faire chaque soir le tour des maisons de *gaijin* pour étudier en souriant le bric-à-brac rassemblé par les Occidentaux. « Il était très réticent à me rencontrer – je n'en comprenais pas la raison, et il a regardé près de 300 pièces étalées sur une table comme si elles lui donnaient la nausée [...]. M. Okada a pris dans sa main un de mes netsukes, puis il en a examiné attentivement un second avec sa loupe. Finalement, après une inspection prolongée d'un troisième, il s'est redressé brusquement en me demandant où je les avais trouvés... »

C'étaient en fait des spécimens remarquables de l'art japonais. La mode en était peut-être révolue – dans

418

le musée du parc Ueno où travaillait Okada, une seule vitrine était consacrée aux netsukes, au milieu des salles glaciales pleines de peintures à l'encre –, mais les sculptures n'en étaient pas moins excellentes.

Quatre-vingt-dix ans après qu'ils ont quitté Yokohama, il y a enfin quelqu'un qui tient un de ces netsukes dans sa main en sachant qui l'a fabriqué.

33.

Le Japon véritable

Au début des années 1960, Iggie est devenu résident permanent. Ses amis européens et américains, affectés pour des missions de trois ans, sont en général repartis. L'occupation est terminée, et Iggie n'a toujours pas quitté Tokyo.

Grâce aux leçons d'un professeur, il parle un très bon japonais, à la fois fluide et subtil. Dès qu'un étranger est capable d'aligner quelques mots d'excuses dans la langue du pays, il est complimenté pour ses compétences extraordinaires. *Josu dezu ne* : Comme vous parlez bien ! Je sais de quoi je parle, moi qui ai reçu tant d'éloges pour mon japonais pathétiquement maladroit, ponctué de syllabes étrangement traînantes et d'intonations ascendantes précipitées. En revanche, j'ai entendu Iggie plongé dans une conversation, et je peux certifier la qualité de son japonais.

Il adore Tokyo, son paysage en perpétuelle évolution. La tour de Tokyo couleur rouille, érigée à la fin des années 1950 pour concurrencer la tour Eiffel ; les nouveaux immeubles de logements pressés contre les échoppes enfumées des marchands de *yakitori*. Il s'identifie à la faculté de réinvention de la ville. À ses yeux, l'opportunité de se réinventer est comme un don du ciel, et il voit un étrange parallélisme entre la Vienne de 1919 et le Tokyo de 1947. Tant qu'on n'est pas tombé aussi bas, on ne sait pas ce qu'on peut construire, on n'est pas capable de mesurer ce qu'on a bâti. On s'imagine toujours que c'est l'œuvre de quelqu'un d'autre.

Très souvent, d'autres expatriés ont demandé à Iggie comment il supportait de rester là. Vous n'êtes pas lassé de refaire toujours les mêmes choses ?

Iggie m'a dit que ce qui caractérise la vie d'un expatrié à Tokyo, ce sont les huit heures difficiles séparant le moment où l'on distribue les ordres à la bonne et à la cuisinière, après le petit-déjeuner, et le premier cocktail de cinq heures et demie. Un homme d'affaires a un bureau où se rendre, des collègues avec qui se lier. Il arrive qu'on organise des fêtes avec geishas, si interminables, si coûteuses et si assommantes qu'Iggie en vient à regretter Léopoldville. Chaque soir, rasé de près, il va prendre quelques verres avec ses clients. Il s'arrête d'abord à l'Impérial – acajou et velours sombres, whisky *sour* et pianiste ; il passe ensuite à l'American Club, au Press Club et à l'International House, et continue éventuellement par un autre bar. D.J. Enright, poète anglais ayant séjourné au Japon, a fait la liste de ses établissements favoris : Bar Renoir, Bar Rimbaud, La Vie en rose, Sous les toits de Tokyo, et surtout La Peste.

Mais pour celui qui ne travaille pas, il faut savoir remplir ces huit heures. Que faire ? Aller faire un tour à Ginza, à la librairie Kikokuniya, pour voir s'ils ont reçu des romans et des magazines occidentaux, ou à la librairie Maruzen, qui a toujours en stock des biographies de moines vieilles de trois décennies ? Ou

422

s'asseoir dans un des cafés installés au dernier étage des grands magasins ?

Certes, des amis vous rendent visite, mais on a déjà vu vingt fois le grand bouddha de Kamakura et les sanctuaires des shoguns Tokugawa à Nikko, où l'or et la laque rouge partent à l'assaut d'une colline tapissée de cryptomères. Devant les temples de Kyoto et le sanctuaire de Nikko, sur les marches qui mènent au grand bouddha de Kamakura, on trouve des kiosques à souvenirs, des marchands de prières et d'*o-miyagi*. Sous leur parapluie rouge, les photographes pour touristes se tiennent près du pont en laque, à côté du Pavillon doré, à côté d'une jeune fille qui minaude dans son kimono bon marché, le visage blanchi et un peigne dans les cheveux.

À quelle fréquence peut-on supporter le kabuki ? Ou pis, les trois heures d'un spectacle de théâtre nô ? Au bout de combien de séjours dans un bain thermal en vient-on à haïr l'idée d'un bassin d'eau chaude ?

On peut toujours assister aux conférences des poètes en visite au British Council, ou à une exposition de céramiques dans un grand magasin, voire s'initier à l'art de la composition florale, l'*ikebana*. Une femme dans un cercle d'expatriés prend inévitablement conscience de la fragilité de son statut. On l'encourage à apprendre ce qu'Enright appelait « un de ces rituels vaguement artistiques et honteusement simplifiés », tels que la cérémonie du thé, récemment remise en vogue.

Car l'essentiel est bien là : rencontrer le Japon véritable. « Je dois m'efforcer de découvrir dans ce pays quelque chose qui soit pur et intact », note un voyageur au désespoir après un mois à Tokyo, en 1955.

Ce qui implique qu'il faut sortir de Tokyo. Le Japon commence là où s'éteint la rumeur de la ville. L'idéal, bien sûr, est d'explorer des lieux inconnus des Occidentaux, ce qui rend de plus en plus ardue l'expérience de l'authenticité. On est face à une compétition culturelle, une mise en comparaison des différentes sensibilités. Écrivez-vous des haïkus ? Peignez-vous ? Pratiquez-vous la poterie, la méditation ? Aimez-vous boire du thé vert ?

Rencontrer le Japon véritable est une question d'emploi du temps. Celui qui dispose de deux semaines visitera Kyoto, avec en prime une excursion chez les pêcheurs au cormoran ou dans un village de potiers, ou bien une interminable cérémonie du thé. Si l'on a un mois devant soi, on ira à Kyushu, dans le sud du pays. Une année, et l'on se lance dans l'écriture d'un livre, comme l'ont fait des dizaines de personnes. Le Japon, quel pays curieux ! Un pays en transition. La disparition des traditions. La persistance des traditions. Ses vérités essentielles. La myopie des Japonais. Leur amour du détail. Leur dextérité. Leur autosuffisance. Leur puérilité. Leur impénétrabilité. Le cycle des saisons.

Elizabeth Gray Vining, préceptrice américaine chargée pendant quatre ans d'instruire le prince héritier, et auteur de *Je l'appelais Jimmy ; mon élève, le prince héritier du Japon*, a souligné dans un ouvrage ultérieur « le nombre de livres écrits sur le Japon par des Américains qui ont fini par s'attacher à l'ennemi d'autrefois ». Les Britanniques aussi ont publié des récits de voyage : William Empson, Sacheverell Sitwell, Bernard Leach, William Plomer… *It's Better with Your Shoes Off* – une bande dessinée dépeignant la vraie vie au Japon –, *The Japanese Are Like That*, *An Introduction to Japan*, *This Scorching Earth*, *A Potter in Japan*, *Four Gentlemen of Japan*. Plus une ribambelle de livres aux titres interchangeables : *Behind the Fan*, *Behind the Screen*, *Behind the Mask*, *Bridge of the Brocade Sash*... L'ouvrage d'Honor Tracy, *Kakemono : A Sketch Book of Post-War Japan*, affiche son antipathie pour « les jeunes gens aux cheveux collants de pommade et les filles outrageusement fardées qui tournent autour de la piste avec une expression proche de l'imbécillité ». Quant à Enright, il a exprimé dans l'introduction de son propre livre, *The World of Dew*, l'ambition sarcastique d'appartenir à la petite minorité choisie de ceux qui ont vécu au Japon sans jamais rien écrire sur le sujet.

Quiconque écrit sur le Japon doit forcément manifester un dégoût viscéral devant le fard (occidental) qui barbouille de jolies pommettes (orientales), et condamner une modernisation qui dénature le pays. La voie de l'humour est une autre option, tel ce numéro spécial Japon du magazine *Life*, le 11 septembre 1964, en couverture duquel une geisha en costume traditionnel lance une boule de bowling. Le pays récemment américanisé a un peu l'insipidité du *pan*, nom d'un pain blanc et pâteux fabriqué au Japon depuis la fin du siècle précédent, et d'un fromage conditionné incroyablement savonneux, plus jaune qu'un bouton d'or. On le compare évidemment au piquant des pickles et des radis japonais, au mordant du wasabi dans un sushi. Ces opinions ne font que refléter celles que professaient les étrangers quatre-vingts ans plus tôt. Tout le monde se met au diapason du lyrisme mélancolique de Lafcadio Hearn.

C'est à cet égard qu'Iggie se distingue des autres. Mettre son déjeuner dans une boîte *bento* en laque noire, avec son riz, ses prunes confites et son poisson soigneusement disposés sur un fond vermillon, ne l'empêche pas de commander un châteaubriant quand il dîne avec Jiro et ses amis japonais, dans un restaurant de Ginza éclairé par les enseignes au néon de Toshiba, Sony et Honda. Il peut poursuivre la soirée par un film de Teshigahara suivi d'un whisky à la maison, entre la vitrine ouverte des netsukes et le gramophone qui passe un disque de Stan Getz. C'est une autre conception du Japon véritable, dans lequel vivent Iggie et Jiro.

Après vingt ans de faux départs et de relatives difficultés à Paris, New York, Hollywood et dans l'armée, Iggie a passé à Tokyo plus d'années qu'il n'en a passé à Vienne. Il commence à se sentir chez lui. Il ne manque pas d'entregent, et sa carrière est en train de prendre forme. Il gagne assez d'argent pour soutenir ses amis et aider financièrement ses frères, sœurs et neveux.

Au milieu des années 1960, Rudolf est marié et père de cinq jeunes enfants. Gisela, toujours au Mexique, traverse une période faste. À Tunbridge Wells, Elisabeth, qui se rend chaque dimanche à l'office du matin de l'église paroissiale, vêtue d'un sobre pardessus, a tout l'air d'une vraie Britannique. Henk a pris sa retraite et lit avec espoir les pages du *Financial Times*. Leurs deux fils réussissent bien. Mon père, ordonné ministre de l'Église anglicane et marié à une historienne, fille de pasteur, a obtenu un poste d'aumônier dans une université de Nottingham. Ils ont quatre fils – dont moi-même. Mon oncle Constant

Hendrik, dit Henry, marié et père de deux enfants, travaille au service juridique du Parlement. Le révérend Victor de Waal et son frère Henry sont deux jeunes Britanniques diplômés, qui parlent anglais en privé avec juste une pointe d'accent sur les *r*.

Iggie, établi dans les affaires, est devenu le genre d'homme que son propre père aurait pu estimer, comme il me le fit un jour remarquer de manière si touchante. Étant moi-même hermétique aux questions d'argent, j'avais tendance à le considérer comme un second Viktor, ce brillant homme d'affaires qui tentait de se dérober derrière son bureau, un recueil de poèmes furtivement glissé entre ses livres de comptes, attendant impatiemment sa libération après la journée de travail. Et pourtant, à l'inverse de son père qui a subi une série de revers spectaculaires, Iggie s'est fort bien débrouillé avec l'argent. Dans le double d'une lettre confidentielle envoyée en 1964 au directeur général de la Banque suisse de Zurich, et utilisée comme marque-page pour *Notre agent à La Havane*, il s'exprime ainsi : « Je me contenterai de dire qu'après être parti de zéro au Japon, j'ai développé au fil des ans une entreprise qui dégage aujourd'hui un chiffre d'affaires annuel de plus de 100 millions de yens. Nous avons deux bureaux au Japon, à Tokyo et Osaka, employant un total de quarante-cinq salariés, et j'occupe le poste de P-DG. » Cent millions de yens était une somme considérable.

Iggie a fini par devenir banquier, un siècle après que son aïeul Ignace eut ouvert l'établissement de Vienne, sur la Schottengasse. Comme il me l'a expliqué, il a été nommé responsable au Japon par le *nec plus ultra* du monde de la finance, la Banque suisse.

Il achète des bureaux plus spacieux avec une réception pour la secrétaire, agrémentée d'un ikebana d'iris et de branches de pin. Par les fenêtres de son sixième étage, il peut contempler à l'ouest un nouveau panorama saturé de grues et d'antennes, à l'est les sapins du palais impérial et, plus bas, les files de taxis d'Otemachi. Sa propre personnalité est en train de s'affirmer. En 1964, il a cinquante-huit ans et porte un costume gris sombre à la cravate bien ajustée, une main à la poche comme sur sa photo de fin d'études à Vienne. Il commence à se dégarnir, mais il a le bon sens ne pas camoufler sa calvitie sous une mèche rabattue.

Jiro, toujours séduisant à trente-huit ans, fait désormais carrière chez CBS, où il négocie l'achat de programmes américains pour le Japon. « C'est moi, m'a-t-il raconté, qui ai pris l'initiative de faire venir l'orchestre de Vienne au moment du Nouvel An pour le NHK. Au départ, personne n'en voulait ! Il y a eu des réactions très virulentes ! Tu connais l'adoration des Japonais pour la musique viennoise, pour Strauss ? Dans un taxi, quand on demandait à Iggie d'où il venait, et qu'il répondait "de Vienne", le chauffeur fredonnait l'air du *Beau Danube bleu*. »

En 1970, le couple fait l'acquisition d'une parcelle sur la péninsule d'Ito, à cent kilomètres au sud de Tokyo, assez vaste pour bâtir une petite maison. J'ai vu sur une photo la véranda où ils servaient les cocktails. Le terrain en pente est bordé de bambous, et l'on aperçoit la mer tout en bas.

Ils acquièrent aussi une concession dans l'enceinte du temple où l'un de leurs proches amis a un caveau de famille. Iggie est bien décidé à rester.

En 1972, Iggie et Jiro emménagent dans deux appartements de Takanawa, dans un immeuble neuf et bien placé. « Higashi-Ginza, Shimbashi, Daimon, Mita », scande la voix enregistrée du métro. On sort à Senkakuji, et il suffit de gravir la colline pour être à la maison, dans une rue calme, proche des murs du palais où vit le prince Takamatsu. Tokyo a aussi ses coins paisibles. Un jour où j'attendais leur retour, assis sur la petite rambarde verte face à leur immeuble, je n'ai vu passer en l'espace d'une heure que deux dames âgées et un taxi jaune en maraude.

Même si les appartements ne sont pas immenses, ils offrent l'avantage d'être pratiques. Iggie et Jiro pensent à l'avenir. Les deux logements adjacents ont des entrées séparées, mais ils communiquent par les dressings. Dans l'entrée, Iggie tapisse un mur de miroirs et fait passer l'autre à la feuille d'or. Il y a un petit tabouret pour enlever ses chaussures, et un bouddha tutélaire rapporté d'une lointaine expédition à Kyoto. Certains tableaux viennois ont migré chez Jiro, tandis que quelques porcelaines de ce dernier ont fini sur les étagères d'Iggie. Sur le petit autel, les portraits de leurs mères sont placés côte à côte. Le dressing d'Iggie, véritable bibliothèque du vêtement, donne sur les jardins du prince, et le salon qui contient la vitrine offre une vue sur la baie de Tokyo.

Iggie et Jiro partent en voyage ensemble. Venise, Florence, Paris, Londres, Honolulu. En 1973 ils se rendent à Vienne. Iggie n'y était pas revenu depuis 1936.

Il emmène Jiro devant le palais où il est né, puis ils vont au Burgtheater, au Sacher et dans le café que fréquentait Viktor. Au moment de repartir, Iggie prend deux décisions liées l'une à l'autre. Tout d'abord, il adopte Jiro, qui prend le nom de Jiro Ephrussi Sugiyama. Il décide aussi d'abandonner la nationalité américaine. Je l'ai questionné sur ce retour à Vienne et sur son désir de redevenir citoyen autrichien, pensant à Elisabeth arrivant sur le Ring pour trouver les tilleuls abattus devant la demeure de leur enfance. « Je ne supportais pas Nixon », m'a-t-il simplement répondu en lançant un regard à Jiro, avant de s'empresser de détourner la conversation.

Cela m'amène à m'interroger sur le sentiment d'appartenance. Charles est décédé à Paris avec la nationalité russe. Viktor, malchanceux, a été un Russe à Vienne pendant cinquante ans, avant de devenir autrichien, citoyen du Reich et finalement apatride. Elisabeth, pour sa part, a conservé la nationalité hollandaise durant les cinq décennies passées en Angleterre. Et Iggie a été successivement autrichien, américain, et ressortissant autrichien résidant au Japon.

On s'assimile, mais on a tout de même besoin d'un ailleurs. Le passeport est toujours prêt. On garde une part de secret.

34.

La qualité du poli

C'est sûrement au cours des années 1970 qu'Iggie a collé des petites étiquettes numérotées sur les netsukes, et qu'il a dressé l'inventaire des différentes pièces avec les estimations correspondantes. La collection se révélait étonnamment précieuse, et le tigre en était le fleuron.

Au même moment, les sculpteurs de netsukes retrouvent leur nom et deviennent des personnes particulières, inscrites dans une famille et une géographie spécifiques. Des histoires commencent à se déposer autour des figurines.

Au début du XIXe siècle, vivait à Gifu un sculpteur du nom de Tomokazu, qui excellait à façonner des netsukes en forme d'animaux. Un jour il partit de chez lui légèrement vêtu, comme pour se rendre aux bains publics, et l'on n'eut plus de ses nouvelles pendant trois ou quatre jours. Sa famille et ses voisins étaient très inquiets pour lui, quand brusquement il reparut. Il s'expliqua sur son absence, disant qu'il voulait sculpter un netsuke à l'effigie du cerf, et que pour cela il s'était rendu au cœur des montagnes pour étudier de près la vie de cet animal, sans rien manger pendant tout ce temps. On raconte qu'il a

431

accompli l'ouvrage prévu, fondé sur ses observations dans la montagne [...]. Il était assez courant que l'exécution d'un seul netsuke occupe tout un mois, voire deux.

Dans ma propre vitrine se trouvent quatre petites tortues perchées les unes sur les autres. En consultant leur référence sur la liste d'Iggie, je constate qu'elles sont de Tomokazu. C'est un netsuke taillé dans le buis, couleur café crème. Minuscule, il a été sculpté de manière à ce qu'en le faisant rouler dans sa main, on sente le glissant des tortues montant les unes sur les autres. Quand je le tiens dans ma paume, j'ai la certitude que cet homme a bien observé les tortues.

Iggie a pris des notes sur les questions posées par les spécialistes et les rares marchands qui ont vu sa collection. On s'imagine à tort qu'une signature simplifie les choses. Au contraire, elle ne fait que générer un flot d'interrogations d'une complexité byzantine. Les coups de ciseau sont-ils énergiques ou hésitants ? Combien de coups de ciseau pour tracer un caractère ? La signature est-elle à l'intérieur d'un cadre ? Et si oui, quelle est la forme du cartouche ? Et ma question favorite, d'une profondeur quasi scholastique : quelle est la relation entre un sculpteur émérite et une signature médiocre ?

Faute de réponse, j'étudie la patine et je lis ceci :

Il semblerait qu'aux yeux des Occidentaux, les différences de poli ne dépendent que de la composition et de l'application. En réalité, le poli est un aspect capital de la création d'un beau netsuke. Il implique une succession de bouillages, séchages et frottages avec divers ingrédients et matériaux dont le secret est jalousement gardé. Un lustre satisfaisant requiert trois ou quatre jours de travail patient et de soins consciencieux. Le poli épais, riche, brun de Toyokazu le jeune, quoique de bonne tenue, n'est pas d'une qualité exceptionnelle.

Je sors donc de ma vitrine le tigre aux yeux de corne jaune sculpté par Toyokazu le jeune, de l'école de Tamba. Ce sculpteur, qui travaillait sur un beau buis compact, est célèbre pour son rendu du mouvement dans les figures animales. La queue rayée de mon tigre se dresse derrière lui comme un fouet. Je l'emporte avec moi pendant un jour ou deux, et je suis assez bête pour l'oublier au cinquième étage de la London Library, dans la section K-S des biographies, quand je sors chercher un café. Heureusement je le retrouve à sa place en revenant, mon tigre « qui n'est pas d'une qualité exceptionnelle », avec ses yeux luisants sur sa face féroce, d'un brun aux riches nuances.

Concentré de menace, il a fait fuir les autres lecteurs.

Épilogue

TOKYO, ODESSA, LONDRES

2001-2009

Plan d'Odessa

35.

Jiro

Me voici de nouveau à Tokyo, émergeant du métro et passant devant les distributeurs de boissons isotoniques. On est au mois de septembre, et mon dernier séjour remonte à deux ans. Ces machines-là sont neuves. À Tokyo, certaines choses sont lentes à changer. Près des copropriétés aux façades argentées, subsistent encore quelques maisons de bois délabrées, avec leur linge étendu dehors. Mme X, du restaurant à sushis, est en train de balayer ses marches.

Comme d'habitude, je loge chez Jiro. À plus de quatre-vingts ans, il a toujours une vie bien remplie. L'Opéra, le théâtre, et pendant quelques années un cours de céramique où il a appris à fabriquer des bols à thé et des coupelles pour la sauce de soja. Depuis la mort d'Iggie, quinze ans plus tôt, rien n'a été touché dans son appartement. Les stylos sont toujours dans leur pot, le buvard au centre du bureau. C'est là que j'habite tant que je suis à Tokyo.

J'ai apporté un magnétophone, que nous testons un moment avant d'abandonner pour regarder les nouvelles en prenant un verre accompagné de toasts. Je compte rester trois jours pour le questionner plus en détail sur sa vie aux côtés d'Iggie, et m'assurer que je n'ai rien compris de travers dans l'histoire des netsukes. Je tiens à vérifier que j'ai bien mémorisé les circonstances de leur première rencontre, l'adresse de leur première maison commune. Ce genre de conversation se révèle parfois indispensable, mais je m'inquiète de son sérieux.

À cause du décalage horaire, je suis toujours éveillé à trois heures et demie du matin. Je me prépare un café, puis, cherchant de la lecture, je promène mes doigts le long des bibliothèques d'Iggie, où s'alignent les vieux livres d'enfant de Vienne, et des séries complètes de Len Deighton côtoyant Proust. Jetant mon dévolu sur de vieux exemplaires de l'*Architectural Digest*, dont j'adore les publicités glamour pour les voitures Chrysler ou le whisky Chivas Regal, je découvre entre les numéros de juin et juillet 1966 une enveloppe remplie de papiers en russe, visiblement des documents officiels. Je tergiverse un moment, ayant eu mon content de découvertes surprenantes.

Je contemple les tableaux issus du palais, accrochés jadis dans le bureau de Viktor, au bout du couloir, et le paravent doré aux iris, qu'Iggie a acheté à Kyoto dans les années 1950. Je prends dans ma main un bol chinois ancien, orné de pétales précisément découpés. Une glaçure verte recouvre les ciselures. J'ai beau connaître cet objet depuis trente ans, je ne m'en lasse pas.

Il y a si longtemps que cette pièce fait partie de ma vie que j'ai du mal à vraiment la voir, à m'en distancier. Je ne suis pas capable d'en dresser un inventaire, comme je l'ai fait pour les appartements de Charles rue de Monceau et avenue d'Iéna, ou pour la garde-robe d'Emmy à Vienne.

Je ne m'endors pas avant l'aube.

Les petits déjeuners de Jiro sont excellents. Il sert un café délicieux et de la papaye, accompagnés de minuscules *pains au chocolat** venus d'une boulangerie de Ginza. Nous prenons chacun une grande inspiration, et pour la première fois Jiro se lance dans un récit sur la fin de la guerre. En ce 15 août 1945, il se remettait d'une pleurésie bénigne et trouvait le temps long. Venu à Tokyo pour rendre visite à un ami, il reprit avec lui le train pour Izu. « Il n'était pas facile de se procurer des billets. Alors que nous bavardions dans le train, nous avons vu des femmes aux vêtements bariolés. Nous n'en croyions pas nos yeux. Cela faisait des années que nous n'avions pas vu de couleurs. Nous avons appris alors que la capitulation avait été prononcée quelques heures plus tôt. »

Nous évoquons ensemble mes propres voyages sur les traces des netsukes, mes multiples vagabondages. Nous regardons les photos que j'ai prises à Paris et à Vienne, puis je lui montre une coupure de presse datant de la semaine précédente. Un œuf de Fabergé rose et or, dont l'intérieur abrite un coquelet incrusté de diamants – commandé autrefois par la tante d'Iggie, Béatrice Ephrussi-Rothschild –, vient d'atteindre un record dans les annales des ventes aux enchères d'objets russes. Comme nous nous tenons dans l'ancien appartement d'Iggie, Jiro ouvre encore une fois la vitrine et y plonge la main pour attraper un netsuke.

Il me suggère alors de sortir le soir même. Il a entendu beaucoup de bien d'un restaurant qui vient d'ouvrir, et nous pourrions ensuite aller voir un film.

36.

Un astrolabe, un menzula, un globe

Au mois de novembre, je ressens le besoin de me rendre à Odessa. Cela fera bientôt deux ans que mon périple a débuté, et le seul endroit où je ne suis pas allé est justement le berceau de la lignée Ephrussi. J'ai envie de voir la mer Noire et d'imaginer les entrepôts à blé en bordure du port. Peut-être que si j'entre dans la maison où sont nés Charles et mon arrière-grand-père Viktor, je finirai par comprendre. Mais quoi, dans le fond ? Ce qui les a poussés à partir ? Ce que signifie un départ ? Je crois que je suis en quête d'une origine.

Je retrouve mon frère Thomas – le plus jeune par l'âge mais le plus grand par la taille – qui m'a rejoint en taxi depuis la Moldavie. C'est un spécialiste des conflits dans la région du Caucase. Le trajet lui a pris cinq heures. Thomas, qui écrit sur Odessa et parle russe, se montre assez blasé sur les problèmes aux frontières. Il a été retenu, et me dit en riant qu'on ne sait jamais quand on doit ou non soudoyer la police. Je m'inquiète à propos des visas, mais pas lui. Il y a vingt-cinq ans que nous n'avons pas voyagé ensemble, depuis notre expédition dans les îles grecques, quand nous étions étudiants. Thomas connaît aussi

441

le grec, et je me souviens brusquement qu'il se débrouillait déjà très bien à l'époque. Andrei, le chauffeur moldave, se met en route.

La voiture passe en cahotant devant les blocs d'immeubles et les usines délabrés de la périphérie, doublée par d'énormes 4 × 4 noirs à vitres teintées et d'antiques Fiat, avant de déboucher sur les larges avenues du centre historique. Je fais remarquer avec humeur à Thomas qu'on ne m'avait jamais dit que cette partie de la ville était aussi belle. Je ne savais rien des rues bordées de catalpas, des cours que l'on peut apercevoir par les portails ouverts, des marches en chêne et des balcons. Une partie d'Odessa est en pleine rénovation, on répare les plâtres et on repeint les stucs, tandis que d'autres bâtiments sombrent dans un sordide piranésien, avec leurs toitures affaissées, leurs câbles tordus, leurs portails dégondés et leurs pilastres aux chapiteaux cassés.

Nous nous arrêtons devant l'hôtel Londonskya, un palace Belle Époque tout en marbres et en dorures, sur le boulevard Primorsky. Une chanson de Queen passe à faible volume dans le hall de réception. Le boulevard est une superbe promenade, succession d'édifices classiques aux teintes jaune et bleu pâle. Il s'étend de part et d'autre de l'Escalier du Potemkine, rendu célèbre par *Le Cuirassé Potemkine* d'Eisenstein. Il compte 192 marches ponctuées de dix paliers, et il est bâti de telle sorte qu'on ne voit que les paliers si on regarde d'en haut, et uniquement les marches si l'on est placé en bas.

On monte sans se presser, et quand on atteint le sommet, il s'agit de fuir l'assaut des vendeurs de casquettes de la marine soviétique, de l'ancien marin qui fait la manche avec un poème attaché autour du cou, ou du bonhomme en costume de Pierre le Grand qui vous propose d'être photographié à ses côtés. Au premier plan, une statue en toge du duc de Richelieu, le gouverneur de la région au début du XIXᵉ siècle, venu de France pour concevoir le plan de la ville. Un peu plus loin, quand on a dépassé les arcs de bâtiments dorés qui forment deux parfaites parenthèses, on tombe sur une effigie de la Grande Catherine entourée de ses favoris. Pendant cinquante ans, une statue soviétique s'est tenue à cet endroit, mais Catherine vient de retrouver sa place, à l'instigation d'un potentat local. On est en train de poser un soubassement de granit à ses pieds.

Si l'on tourne à droite au sommet de l'escalier, la promenade continue entre deux rangées de marronniers et des parterres de fleurs poussiéreux, jusqu'au palais du gouverneur, lieu de fêtes renommées. C'est un bâtiment austère, de style dorique.

Les points de vue ont été savamment calculés, des repères scandent la circulation : la statue de Pouchkine, commémorant son séjour à Odessa, un canon confisqué aux Anglais pendant la guerre de Crimée… C'est le cadre de la *passeggiata* vespérale, « des allées et venues au crépuscule […] avec leurs commérages et leurs propos galants ». Un peu plus haut s'élève le bâtiment de l'Opéra, imité de celui de Vienne, où les factions grecques et juives – les « Montechellisti » et les « Carraristi » – s'affrontaient chaque saison pour défendre leur chanteur italien favori. Cette ville ne s'est pas construite autour d'une cathédrale ou d'une forteresse. C'est une cité hellénique de marchands et de poètes, et nous sommes là devant son agora bourgeoise.

Dans un bazar sous les arcades, j'achète des médailles soviétiques pour mes enfants et deux cartes postales du XIXe siècle. L'une d'elles a été prise en plein été, en juillet peut-être, à la toute fin du siècle. C'est la mi-journée, les marronniers projettent de courtes ombres. D'après un poète d'Odessa, la promenade restait fraîche « même à l'heure de midi au milieu de l'été ». Une femme sous son ombrelle se dirige vers la statue de Pouchkine, tandis qu'une nourrice pousse un énorme landau noir. On aperçoit le dôme du funiculaire qui transporte les gens jusqu'au port. Au-delà, la ligne des mâts se découpe dans la baie.

Carte postale de la Promenade d'Odessa, 1880.
La banque et la maison Ephrussi sont les deuxième
et troisième bâtiments sur la gauche

Si l'on se dirige vers la gauche au sommet des marches, on a une vue sur la Bourse, une villa corinthienne où l'on dirigeait ses affaires. Elle a été transformée en Hôtel de Ville, devant lequel flotte une bannière en l'honneur d'une délégation belge. En ce début novembre, le temps est si doux que l'on peut sortir en chemise. Après avoir dépassé quelques belles demeures, la mairie et trois immeubles, nous arrivons à la Banque Ephrussi, près de la maison familiale. C'est ici que sont nés Jules, Ignace et Charles. Et aussi Viktor. Nous faisons le tour pour voir l'arrière.

Une vraie ruine. Des morceaux de stuc se détachent, les balcons sont délabrés, et les putti menacent de tomber. En m'approchant, je constate que les plâtres ont été refaits et que les fenêtres ne sont sûrement pas d'origine. Cependant, je repère un balcon qui a gardé son double E, l'emblème des Ephrussi.

Alors que j'hésite à entrer, Thomas, maître de la situation, franchit le portail cassé et s'engage hardiment dans le passage qui mène à la cour de la maison Ephrussi. Voici les écuries au sol dallé de pierre sombre. Du ballast, m'indique mon frère par-dessus son épaule, de la lave de Sicile acheminée par les bateaux à grains. Céréales à l'aller, lave au retour. Une douzaine d'hommes en train de boire du thé près d'une 2 CV Citroën se taisent brusquement. Un chien-loup aboie au bout de sa chaîne. La cour est pleine de poussière, et il y a trois bennes remplies de bois, de plâtre et de gravats. Thomas va trouver le contremaître, qui porte une veste en cuir brillant. Oui, vous pouvez entrer, et vous avez de la chance, on vient de rénover, tout est neuf, du beau travail, un grand succès, tout a été terminé dans les délais, de l'ouvrage de qualité. On a aménagé des laboratoires au sous-sol, on a installé des portes ignifugées et un système d'extinction automatique. On a dû se débarrasser de la vieille baraque, elle était fichue, il n'y avait rien à en tirer. Vous l'auriez vue, il y a un mois !

J'aurais bien voulu, en effet. J'arrive trop tard. Que puis-je toucher de cette carcasse dénudée ? Il n'y a plus de plafonds, seulement des poutrelles métalliques et des câbles électriques. Et des dalles en béton au sol. Les plâtres sont tout frais, les vitres viennent d'être changées. On prépare des armatures métalliques pour les cloisons. À part celle en chêne, toutes les portes ont été démontées, destinées à la benne du lendemain. Seuls demeurent les volumes, les dimensions des pièces, les plafonds à plus de quatre mètres.

Il n'y a rien pour moi ici.

Thomas et l'homme à la veste luisante sont déjà loin devant, bavardant en russe. « Après la Révolution, cette maison a été le siège de la compagnie des navires à vapeur. Et avant ? Dieu seul le sait ! Aujourd'hui ? Ce sont les bureaux des Services d'hygiène de la marine. C'est pour ça qu'on a installé des laboratoires. » Ils marchent à bonne allure, et j'essaie de ne pas me faire distancer.

Au moment de ressortir dans la cour, je décide de rebrousser chemin. Je me suis trompé. Reprenant l'escalier, je pose la main sur la balustrade en fonte dont chaque pilier porte l'épi de blé noirci des Ephrussi, le blé des greniers d'Ukraine dont la terre noire a fait la fortune de la famille. Alors que mon frère m'appelle, je vais me placer devant une fenêtre pour regarder en direction de la mer Noire, par-delà la promenade et la double rangée de marronniers, les allées poussiéreuses et les bancs publics.

Les garçons Efrussi sont toujours là.

Certaines traces sont fugitives. Les Efrussi survivent dans les histoires d'Isaac Babel, chroniqueur juif des bas quartiers d'Odessa, de la pègre des taudis. On y voit un Efrussi soudoyer un étudiant pauvre mais plus doué que lui pour prendre sa place au lycée. On les retrouve dans les contes en yiddish de Sholem Aleichem. Un misérable parti du shtetl se rend à Odessa pour quémander le secours du banquier Efrussi. Et le banquier refuse de l'aider. Il existe une expression yiddish qui dit *leben vi Got in Odes*, « vivre comme Dieu à Odessa » – et les Efrussi vivent bel et bien comme des dieux sur la Zionstrasse.

D'autres traces se cachent dans les archives. Au-dessous de l'Opéra se trouve l'Angliisky Klub, le Club anglais, où Léon, le père de Charles, fut élu par acclamation premier membre juif du cercle, une démarche si radicale et si inattendue qu'elle a été rapportée par la presse. Il y a un endroit sur le boulevard, devant la maison d'Ignace, où un commerçant offensé faillit tirer au revolver sur Ignace, et fut finalement maîtrisé par des passants. Une contribution de 500 roubles a été versée pour la statue du gouverneur, dont le grandiose palais se dresse non loin de l'Escalier Potemkine. Quelque part dans cette rue bordée de catalpas, logeait autrefois Stefan, déshérité, chassé de Vienne et de plus en plus pauvre, en compagnie de son épouse, l'ancienne maîtresse de son père.

Il y a aussi des empreintes plus concrètes. Après un pogrom, les frères décidèrent de fonder l'orphelinat Efrussi. Il existe également une école Efrussi pour les enfants juifs, financée par Ignace en hommage à son père le patriarche, et alimentée pendant trente ans par les dons de Charles, de Jules et de Viktor. Elle est toujours là, deux bâtiments bas rattachés l'un à l'autre le long d'une ligne de tram, en bordure d'un parc poussiéreux plein de chiens féroces et de bancs défoncés. Pour l'année 1892, les registres de l'école mentionnent la somme de 1 200 roubles accordée par les frères Efrussi. La direction a fait venir de Saint-Pétersbourg un astrolabe, un *menzula*, un globe, un coupe-verre en acier, un squelette et la maquette démontable d'un œil. Elle a dépensé 533 roubles et 64 kopeks dans une librairie d'Odessa pour acquérir 280 volumes, parmi lesquels des œuvres de Beecher Stowe, Swift, Tolstoï, Cowper, Thackeray et Scott. Le reste de l'argent a servi à l'achat de manteaux, blouses et pantalons pour vingt-cinq écoliers juifs dans le besoin, afin qu'ils puissent lire *Ivanhoë* et *La Foire aux vanités* sans grelotter de froid, protégés de la poussière d'Odessa.

Cette poussière-là, rien ne peut s'y comparer. Ni celle de la rue de Monceau à Paris, ni celle de Vienne, pendant l'aménagement du Ring. « La poussière se dépose partout comme un voile, épaisse de cinq ou six centimètres », écrivait Shirley Brooks en 1854, dans *The Russians of the South*. « Il suffit d'un souffle de vent pour qu'elle forme des nuages au-dessus de la ville, d'un pas léger pour qu'elle s'élève en colonnes compactes. Quand je vous aurai dit que des centaines d'attelages sillonnent perpétuellement la ville à vive allure, et que le vent marin balaie constamment les rues, vous comprendrez qu'Odessa vit littéralement dans un nuage. » À cette époque-là, la ville était en plein développement : « Un air de mouvement et d'affairement dans les rues et les boutiques ; des passants qui marchent d'un bon pas ; un caractère de *nouveauté* que l'on reconnaît sur les maisons et partout ailleurs, et une poussière suffocante qui se déplace sans cesse », témoignait Mark Twain. Tout à coup, je trouve tout à fait significatif que les enfants Efrussi aient grandi au milieu de la poussière.

Thomas et moi avons pris rendez-vous avec un enseignant nommé Sasha, un petit homme tiré à quatre épingles qui a dépassé les soixante-dix ans. Il tombe par hasard sur un de ses vieux amis, professeur de littérature comparée, et tandis que nous nous dirigeons lentement vers l'école, Tom converse en russe avec Sasha, et son ami et moi discutons en anglais de l'International Shakespearian Institute. Quand nous arrivons devant l'établissement, le professeur part de son côté, et nous nous installons avec Sasha au café du parc public, pour boire du café sucré. Au bar, trois prostituées nous jettent des regards furieux et font marcher le juke-box. J'explique à Sasha le motif de ma visite et le sujet de mon livre, et là je me mets à bafouiller. Sur quoi est-ce que j'écris, finalement ? Sur ma famille, sur la mémoire, sur moi-même ? Ou sur de petites sculptures japonaises ?

Sasha me répond poliment que Gorki collectionnait les netsukes. Nous continuons à boire du café. J'ai apporté avec moi l'enveloppe de documents découverte à Tokyo chez Iggie, entre de vieux numéros de l'*Architectural Digest*. Sasha est consterné que j'aie transporté les originaux au lieu d'en faire des copies, mais je remarque en l'observant qu'il joue avec les différents papiers comme un pianiste sur son clavier.

Certains de ces documents se rapportent au redoutable Ignace, le bâtisseur du palais, liés à ses fonctions de consul d'Odessa auprès de la Couronne de Suède et de Norvège, et il y a aussi un certificat du tsar lui attribuant la médaille de Bessarabie, et des papiers du rabbinat. C'est du papier ancien, souligne Sasha, on l'a changé en 1870 ; et voici le timbre et le cachet ; et là, la signature du gouverneur, toujours si énergique – il a failli déchirer le papier. Regardez l'adresse là-dessus, « à l'angle de X et Y ». Typique d'Odessa. C'est la copie d'un clerc, l'écriture est médiocre.

Pendant que les doigts de Sasha ramènent à la vie ces papiers fripés, je regarde l'enveloppe pour la première fois. C'est Viktor qui a écrit l'adresse, et le courrier a été envoyé de Kövesces à Elisabeth en septembre 1938. Cette liasse de documents avait une grande importance pour Viktor et pour Iggie. C'étaient les archives de la famille. Je les range soigneusement dans l'enveloppe.

Sur le chemin qui nous ramène à l'hôtel, nous faisons un saut dans une synagogue. Les juifs d'Odessa sont si grossiers, prétendait-on autrefois, qu'ils écrasent leur cigarette sur les murs. Un cercle de l'Enfer leur est réservé. Aujourd'hui, les lieux sont très animés. Un groupe de jeunes gens venus de Tel-Aviv dispense des cours. Le bâtiment est en réfection, et un des étudiants s'approche pour nous saluer en anglais. Nous jetons un coup d'œil à l'intérieur, craignant de déranger, et là, à gauche sur l'avant, je vois le fauteuil jaune. La chaise du repas du Séder, celle que l'on a mise de côté pour l'élu.

Le fauteuil jaune de Charles était à la fois invisible et exposé au regard, si évident qu'il se fondait parmi les Degas, les Moreau et les netsukes de son salon parisien. C'est une blague juive, une plaisanterie.

Devant le musée où se trouve la statue de *Laocoon et les serpents*, celle que Charles dessinait pour Viktor, je prends conscience de ma méprise. J'ai longtemps pensé que les garçons avaient quitté Odessa pour recevoir une éducation à Paris et à Vienne, et que Charles avait accompli son Grand Tour afin d'élargir ses perspectives, de rompre avec la province pour se familiariser avec les classiques. Je m'aperçois maintenant que la ville entière est un monde classique suspendu au-dessus du port. Ici, à cent mètres de leur maison du boulevard, le musée abrite des salles et des salles garnies d'antiquités, les objets grecs retrouvés au temps où la bourgade se transformait en ville, doublant sa population tous les dix ans. Odessa a eu ses érudits et ses collectionneurs, évidemment. Qu'Odessa ait été couverte de poussière, habitée par des débardeurs et des marins, des mécaniciens et des pêcheurs, des plongeurs, des contrebandiers, des aventuriers et des escrocs, et par le patriarche Joachim, opportuniste sans scrupule au fond de son palais, ne signifie pas qu'elle n'ait pas accueilli par ailleurs des écrivains et des artistes.

Est-ce que tout a commencé ici, au bord de la mer ? L'esprit d'entreprise est peut-être une caractéristique d'Odessa, qu'il s'agisse de vagabonder dans le sillage des livres anciens et de Dürer, de vivre des aventures galantes ou de négocier avantageusement la prochaine transaction sur le blé. Odessa est sans nul doute un bon endroit d'où partir en bateau. On a le choix entre l'Orient et l'Occident. C'est une ville à l'ambiance ironique, avide et polyglotte.

C'est aussi l'endroit idéal pour prendre un nouveau nom. « Les noms juifs sont désagréables à l'oreille. » La grand-mère Balbina devient donc Belle, tandis que le grand-père Chaim se transforme en Joachim, puis en Charles Joachim. Eizak devient Ignace, Leib se change en Léon. Et Efrussi en Ephrussi. C'est ici que le souvenir de Berditchev, le shtetl de l'est de l'Ukraine, près de la frontière polonaise, d'où Chaim était originaire, a été emmuré derrière les plâtres jaune pâle du premier palais, sur la promenade.

C'est ici qu'ils sont devenus les Ephrussi d'Odessa. Un endroit idéal pour mettre quelque chose dans sa poche et entreprendre un voyage. Je voudrais voir la couleur du ciel à Berditchev, mais je suis obligé de rentrer. Sur les arbres plantés devant la maison, je cherche un marron à enfouir dans ma poche. J'ai beau parcourir deux fois la promenade, je n'en trouve nulle part. Pour cela aussi, j'arrive un mois trop tard. J'espère que les enfants les ont ramassés.

37.

Jaune/Or/Rouge

Dans l'avion qui me ramène d'Odessa à Londres, je me sens exténué par l'année écoulée. Ou plutôt par les deux dernières années : en effet, il y aura bientôt deux ans que j'étudie les griffonnages dans les marges des livres, les lettres transformées en marque-page, les photos de cousins du XIXᵉ siècle, les certificats de ceci et de cela établis à Odessa, les enveloppes conservées au fond des tiroirs, avec leurs quelques aérogrammes touchants. Deux ans que je trace ma route dans les villes, égaré, une carte à la main.

Les vieux papiers et la poussière me collent aux doigts. Mon père continue à faire des trouvailles. Comment se débrouille-t-il pour découvrir de nouvelles choses dans son minuscule logement, dans une résidence pour pasteurs retraités ? Il vient de dénicher un journal des années 1870 rédigé dans un allemand illisible, que je me propose de faire traduire. Après une semaine passée à consulter des archives, je n'ai noté qu'une liste de journaux à lire, un mémento pour penser à vérifier certaines lettres, et une question concernant Berlin. Mon studio est rempli de romans et d'essais sur le *japonisme**, mes enfants me manquent, et il y a des mois que je n'ai pas fabriqué de porcelaines. Je me demande avec angoisse ce qui se passera quand je m'installerai devant mon tour avec un bloc d'argile.

Mon séjour à Odessa n'a fait que multiplier les interrogations. Où Gorki achetait-il ses netsukes ? À quoi ressemblait la bibliothèque d'Odessa vers 1870 ? Berditchev a été détruit pendant la guerre, mais je gagnerais peut-être à me rendre sur place pour me faire une idée. Conrad en était originaire. Il faudrait peut-être que je lise ses œuvres. A-t-il évoqué la poussière dans ses écrits ?

Mon tigre a été fabriqué à Tamba, un village de montagne à l'ouest de Tokyo. Je me rappelle l'interminable voyage en bus que j'ai fait voilà trente ans, pour rendre visite à un vieux potier dans une rue poussiéreuse qui montait à flanc de coteau. Je pourrais éventuellement remonter jusqu'à l'origine de mon tigre. Il doit exister une histoire culturelle de la poussière.

Mon carnet de notes n'est qu'une succession de listes. *Jaune/Or/Rouge*. Fauteuil jaune/Couverture jaune de la *Gazette*/Palais jaune/Coffret en laque dorée/La chevelure de Louise, d'un doré du Titien/Renoir : *La Bohémienne*/La *Vue de Delft* par Vermeer.

Mon frère si plein de ressources est déjà rentré chez lui. Pendant les trois heures de transit à l'aéroport de Prague, je passe le temps avec quelques bières et mes carnets de notes, tourmenté par Berditchev. Je me souviens que Charles, le fin danseur, avait été surnommé « le Polonais » par son frère Ignace et par le dandy Robert de Montesquiou, grand ami de Proust. Painter, un des premiers biographes de Marcel Proust, a utilisé l'anecdote, présentant Charles comme un être grossier et barbare. Je pense qu'il n'a rien compris. Tout en buvant ma bière, je suppose qu'il a voulu faire allusion à son lieu d'origine : la Pologne, et non la Russie. Je réalise alors que dans mon enthousiasme face aux stimuli sensoriels d'Odessa, j'ai perdu de vue sa réputation de ville de pogroms, de ville qu'on a envie de laisser derrière soi.

J'éprouve alors ce léger malaise qu'on ressent en écrivant une biographie, quand on se tient à la lisière de la vie des autres sans leur en avoir demandé la permission. Peu importe. Cesse de tout regarder, de tout toucher, me presse une voix à l'intérieur de moi-même. Rentre chez toi et laisse toutes ces histoires tranquilles.

Mais il est difficile d'abandonner. Je me souviens des hésitations qui ponctuaient les paroles d'Iggie, des silences qui leur succédaient, trahissant une perte passée. Je me remémore aussi la maladie qui a emporté Charles, la mort de Swann et son cœur s'ouvrant comme une vitrine dont les souvenirs sortaient les uns après les autres. « Même quand on ne tient plus aux choses, il n'est pas absolument indifférent d'y avoir tenu, parce que c'était toujours pour des raisons qui échappaient aux autres. » Il y a des zones de la mémoire que l'on ne souhaite partager avec quiconque. Dans les années 1960, ma grand-mère Elisabeth, épistolière assidue et militante (« Écris-moi encore, envoie des lettres plus longues »), a brûlé les centaines de lettres et de notes reçues de sa grand-mère Evelina, éprise de poésie.

Et cela ne signifiait pas : « Ça n'intéressera plus personne », mais plutôt : « Ne vous en approchez pas, c'est trop personnel. »

Dans son grand âge, Elisabeth refusait absolument d'évoquer sa mère. Elle parlait de politique et de poésie française, mais ne mentionnait jamais Emmy, excepté la fois où une photographie glissa par surprise de son livre de prières. Lorsque mon père la ramassa, elle lui expliqua d'un ton détaché qu'il s'agissait d'un des amants de sa mère, et lui dit alors combien ces liaisons étaient inconfortables, comment elle se sentait compromise par leur existence. Toutes ces lettres réduites en cendres me donnent à réfléchir : faut-il vraiment que tout soit clair et net, exposé en pleine lumière ? À quoi bon conserver les choses, archiver sa vie intime ? Ne peut-on pas laisser trois décennies d'échanges personnels s'envoler en fumée dans une maison de Tunbridge Wells ? Posséder quelque chose ne nous oblige aucunement à le transmettre. En perdant certaines choses, on peut au contraire se ménager un espace où vivre. Vienne ne me manque pas, affirmait Elisabeth, c'était un endroit étouffant, extrêmement sombre.

Elle avait dépassé les quatre-vingt-dix ans quand elle me confia avoir reçu un enseignement rabbinique dans son enfance. « J'ai demandé l'autorisation à mon père. Il a été surpris. » Il y avait une certaine désinvolture dans sa façon de parler, comme si j'étais déjà au courant.

Deux ans plus tard, au décès d'Elisabeth, mon père, pasteur de l'Église anglicane, né à Amsterdam et élevé dans plusieurs pays d'Europe, a récité le kaddish pour sa mère dans l'église paroissiale proche de sa maison de retraite, revêtu d'une soutane noire, mi-bénédictin mi-rabbin.

Le problème, c'est que je ne vis pas dans un siècle où l'on brûle les choses. Ma génération ne peut pas se le permettre. Je pense à une bibliothèque que l'on a emballée dans des cartons, à tous ces bûchers consciencieusement allumés, à l'oblitération systématique des histoires, à tous ces gens que l'on a séparés de leurs biens, de leur famille, de leur quartier. Et de leur pays, également.

J'imagine celui qui a compulsé des fichiers pour s'assurer que telle ou telle personne vivait toujours et résidait à Vienne, avant d'apposer le tampon rouge « Sara » ou « Israël » par-dessus leur extrait de naissance. Et, bien entendu, j'ai une pensée pour les listes des familles destinées à la déportation.

Si certains ont pu se montrer aussi méticuleux dans des affaires d'une telle importance, je me dois de prendre soin des objets et des histoires, de vérifier encore et encore, de retourner sur les lieux pour ne pas commettre d'erreur.

« N'estimez-vous pas que ces netsukes devraient rester au Japon ? » m'a demandé un jour une sévère voisine londonienne. Et je me suis aperçu que je tremblais en lui répondant, parce que ce n'était pas une question anodine.

Je lui ai expliqué qu'il existait une profusion de netsukes dans le monde, exposés sur des plateaux tendus de velours chez les antiquaires de Bond Street et de Madison Avenue, de Keizergracht et de Ginza. Je me suis lancé ensuite dans une digression sur la Route de la soie, puis sur les pièces de monnaie d'Alexandre le Grand qui étaient encore en circulation dans l'Hindu Kush au XIXe siècle. J'ai enfin raconté mon voyage en Éthiopie avec Sue, ma compagne, la découverte d'une vieille poterie chinoise poussiéreuse dans une quelconque bourgade, et nos supputations quant aux circonstances qui l'avaient amenée jusque-là.

Et finalement, ma réponse a été non. Depuis toujours les objets sont transportés, vendus, troqués, volés, retrouvés et perdus. Les gens ont toujours échangé des cadeaux. Ce qui compte, c'est la manière dont leur histoire est transmise.

C'est un pendant de la question que l'on me pose régulièrement : « Ce n'est pas trop pénible, de voir les objets quitter votre studio ? » Eh bien, non, cela ne me dérange pas. Je gagne ma vie en me séparant des choses. Quand on fabrique des objets, tout ce que l'on peut espérer est qu'ils feront leur chemin dans le monde et auront une certaine longévité.

On ne peut pas se contenter de dire que les objets sont porteurs d'histoires, car les histoires sont en elles-mêmes des objets. Ils partagent quelque chose, une patine. Il y a deux ans, avant de commencer mes recherches, il me semblait que tout cela était bien clair dans mon esprit, mais aujourd'hui je ne suis plus aussi sûr de comprendre. Pour obtenir cette patine, il se peut que l'on polisse la surface jusqu'à en révéler l'essentiel, de la même façon qu'un galet strié ballotté par les eaux a quelque chose d'irréductible, et que le netsuke d'un renard n'est pas beaucoup plus que le souvenir d'un museau et d'une queue. Mais ce processus apporte quelque chose en supplément, tout comme un meuble en chêne acquiert davantage de lustre au fil des ans, à l'instar de ma nèfle en bois.

On tire un objet de sa poche, on le pose devant soi et l'on commence à raconter une histoire.

Quand je tiens les netsukes dans ma main, je guette la trace d'usure, la fine craquelure qui marque le grain de certains ivoires. Ce n'est pas que je veuille à tout prix que la fissure du netsuke des deux lutteurs – ce nœud de membres d'ivoire s'agitant frénétiquement – soit due à une chute sur le tapis jaune de Charles, causée par quelque célébrité – un poète, un peintre, Marcel Proust – dans un instant de fébrilité *fin-de-siècle**. Je ne veux pas non plus prouver que la poussière incrustée sous les ailes d'une cigale posée sur une écale de noisette vient du matelas dans lequel elle a été cachée, dans une chambre de Vienne.

Le dernier asile de la collection se trouve à Londres. Sachant que le Victoria & Albert Museum vendait de vieilles vitrines pour libérer de l'espace, j'ai décidé d'en acheter une.

Dans la mesure où mon travail de céramiste est qualifié de minimaliste – des rangées de pots en porcelaine oscillant entre un vert céladon très pâle et un gris bleuté –, les gens en déduisent que j'habite avec mon épouse et mes trois enfants dans un temple dédié au minimalisme, avec un sol en béton ciré, un mur tapissé de miroirs et des meubles danois. Ce n'est pas du tout le cas, en réalité. Nous occupons une maison édouardienne située dans une jolie rue bordée de platanes, et ce matin même, notre entrée contenait un violoncelle et un cor d'harmonie, des bottes en caoutchouc, un fort en bois que les garçons n'utilisent plus et qui attend depuis trois mois d'être déposé à la boutique caritative, un tas de manteaux et de chaussures, et notre cher vieux chien de chasse, confiné dans le hall. Je souhaite que mes trois enfants aient l'occasion de se familiariser avec les netsukes, comme d'autres enfants l'ont fait un siècle avant eux.

Au prix d'un gros effort, nous réussissons à faire entrer la vitrine mise au rebut par le musée. Nous sommes quatre à associer nos forces et nos jurons. Le meuble est en bronze et en acajou, et il mesure plus de deux mètres de haut, équipé de trois étagères en verre. Ce n'est qu'en le fixant au mur que je repense aux collections de mon enfance. Ossements, dépouille de souris, coquillages, griffe de tigre, peau de serpent, pipes en argile et coquilles d'huîtres, et les pennies victoriens issus d'une fouille archéologique estivale menée quarante ans plus tôt à Lincoln, en compagnie de mon frère aîné John. Nous avions quadrillé le terrain avec des ficelles, mais le jeu nous avait rapidement lassés. Mon père était à l'époque chancelier de la cathédrale, et nous vivions à la chancellerie, face à la grande ogive gothique du côté est, dans une maison médiévale avec un escalier en colimaçon et une chapelle au bout d'un long couloir. Un archidiacre du cloître nous avait légué la collection de fossiles rassemblée pendant son enfance dans le Norfolk, au début du siècle. Certaines pièces portaient encore au crayon la date et le lieu de leur découverte. L'année de mes sept ans, quand la bibliothèque de la cathédrale se défit d'une partie de ses rayonnages en acajou, ma première vitrine vint occuper une bonne moitié de ma chambre d'alors. J'y redisposais inlassablement mes objets favoris, manœuvrant la clé pour en ouvrir la porte si on me le demandait. C'était ma *Wunderkammer*, ma chambre aux trésors, mon univers secret de choses à toucher.

Je pense que cette nouvelle vitrine est un bon endroit pour accueillir les netsukes. Installée près du piano, elle n'est jamais verrouillée, afin que les enfants puissent l'ouvrir à leur guise.

J'expose une partie des netsukes – le loup, la nèfle, le lièvre aux yeux d'ambre, et une dizaine d'autres – et quand je reviens les voir, je m'aperçois qu'on les a déplacés. Un rat endormi, enroulé sur lui-même, a été poussé au premier plan. J'ouvre la porte vitrée pour le prendre dans ma main. Je le glisse au fond de ma poche, j'attache le chien à sa laisse et je prends le chemin du studio. J'ai des céramiques à fabriquer.

Les netsukes entament une nouvelle vie.

Arbre généalogique de la famille Ephrussi

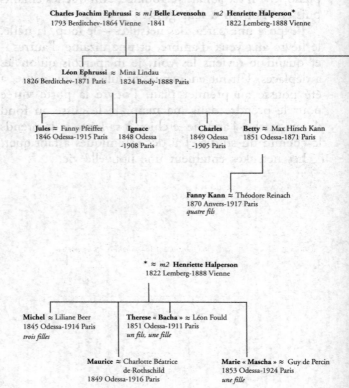

Charles Joachim Ephrussi ≈ *m1* Belle Levensohn   *m2* **Henriette Halperson***
1793 Berditchev-1864 Vienne   -1841   1822 Lemberg-1888 Vienne

Léon Ephrussi ≈ Mina Lindau
1826 Berditchev-1871 Paris   1824 Brody-1888 Paris

Jules ≈ Fanny Pfeiffer   **Ignace**   **Charles**   **Betty** ≈ Max Hirsch Kann
1846 Odessa-1915 Paris   1848 Odessa   1849 Odessa   1851 Odessa-1871 Paris
                         -1908 Paris   -1905 Paris

Fanny Kann ≈ Théodore Reinach
1870 Anvers-1917 Paris
quatre fils

***** ≈ *m2* **Henriette Halperson**
1822 Lemberg-1888 Vienne

Michel ≈ Liliane Beer   **Therese « Bacha »** ≈ Léon Fould
1845 Odessa-1914 Paris   1851 Odessa-1911 Paris
trois filles   *un fils, une fille*

Maurice ≈ Charlotte Béatrice   **Marie « Mascha »** ≈ Guy de Percin
                de Rothschild   1853 Odessa-1924 Paris
1849 Odessa-1916 Paris   *une fille*

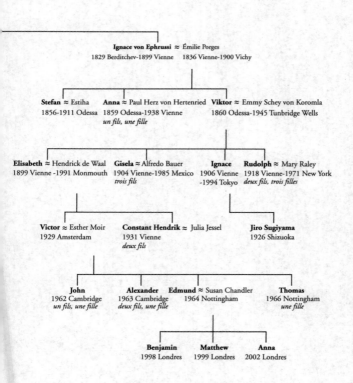

Ignace von Ephrussi ≈ Émilie Porges
1829 Berditchev-1899 Vienne   1836 Vienne-1900 Vichy

Stefan ≈ Estiha
1856-1911 Odessa

Anna ≈ Paul Herz von Hertenried
1859 Odessa-1938 Vienne
un fils, une fille

Viktor ≈ Emmy Schey von Koromla
1860 Odessa-1945 Tunbridge Wells

Elisabeth ≈ Hendrick de Waal
1899 Vienne -1991 Monmouth

Gisela ≈ Alfredo Bauer
1904 Vienne-1985 Mexico
trois fils

Ignace
1906 Vienne
-1994 Tokyo

Rudolph ≈ Mary Raley
1918 Vienne-1971 New York
deux fils, trois filles

Victor ≈ Esther Moir
1929 Amsterdam

Constant Hendrik ≈ Julia Jessel
1931 Vienne
deux fils

Jiro Sugiyama
1926 Shizuoka

John
1962 Cambridge
un fils, une fille

Alexander
1963 Cambridge
deux fils, une fille

Edmund ≈ Susan Chandler
1964 Nottingham

Thomas
1966 Nottingham
une fille

Benjamin
1998 Londres

Matthew
1999 Londres

Anna
2002 Londres

Remerciements

La gestation de cet ouvrage a été très longue. J'ai raconté cette histoire pour la première fois en 2005, et je tiens à remercier les trois personnes qui m'ont incité à cesser de parler pour me mettre à écrire : Michael Goldfarb, Joe Earle et Christopher Benfey.

Pour commencer, j'adresse tous mes remerciements à mon frère Thomas pour ses nombreux encouragements, ses services et sa compagnie. Mon oncle et ma tante, Constant et Julia de Waal, m'ont soutenu tout du long. Merci à ceux qui m'ont assisté dans mes recherches et mes traductions, tout spécialement Georgina Wilson, Hannah James, Tom Otter, Susannah Otter, Chantal Riekel et Aurogeeta Das. Le Dr Jo Catling de l'Université d'East Anglia m'a apporté une aide inestimable en travaillant sur les lettres Rilke/Ephrussi, et Mark Hinton chez Christie's m'a été très utile en identifiant les signatures de certains netsukes. Carys Davis, directeur de mon studio, m'a protégé du monde et a été pour moi un formidable interlocuteur au quotidien.

Je souhaite également remercier Gisele de Bogarde Scantlebury, feue Marie-Louise von Motesiczky, Francis Spufford, Jenny Turner, Madeleine Bessborough,

Anthony Sinclair, Brian Dillon, James Harding, Lydia Syson, Mark Jones, A.S. Byatt, Charles Saumerez-Smith, Ruth Saunders, Amanda Renshaw, Tim Barringer, Joruun Veiteberg, Rosie Thomas, Vikram Seth et Joram ten Brink. Je suis particulièrement reconnaissant à Martina Margetts, Philip Watson et Fiona MacCarthy, qui ont tous cru en ce livre.

Merci au personnel de la London Library, de la National Art Library au Victoria & Albert Museum, de la British Library, de la Bibliothèque de l'Université de Cambridge, du Courtauld Institute, du Goethe Institute, du musée d'Orsay, du Louvre, de la Bibliothèque nationale de France, de la Bibliothèque nationale à Tokyo, de l'Israelitische Kultusgemeinde, de la Société Adler à Vienne. À Vienne, je voudrais saluer Sophie Lillie, pour son travail de pionnière concernant la restitution des biens, Anna Staudacher et Wolf-Erich Eckstein à l'Israelitische Kultusgemeinde, Georg Gaugusch et Christopher Wentworth-Stanley pour leur concours sur les questions de généalogie ; je remercie aussi Martin Drschka de Casinos Austria pour m'avoir si bien accueilli au palais Ephrussi. À Odessa, Mark Naidorf, Anna Misyuk et Alexander (Sasha) Rozenboim m'ont guidé à travers une parte de l'histoire des Efrussi.

Felicity Bryan a été pour moi un agent et un soutien merveilleux. Je tiens à souligner toute ma gratitude envers elle et ses collègues de l'Agence Felicity Bryan, Zoe Pagnamenta et l'équipe de Andrew Nurnberg Associates. Je remercie enfin Juliet Brooke et Kate Bland chez Chatto. Jonathan Galassi, chez Farrar, Straus & Giroux, a défendu mon projet dès le départ. Pour la version française de cet ouvrage, j'ai bénéficié du concours de Claire Nozières et de Vaiju Aravane, ma merveilleuse éditrice.

Lors de mes recherches sur la vie de Charles Ephrussi, les articles suivants m'ont été très utiles : « Charles Ephrussi (1849-1905), ses secrétaires : Laforgue, Ary Renan, Proust, sa *Gazette des Beaux-Arts* », de Philippe Kolb et Jean Adhémar ; « Jules Laforgue et Charles Ephrussi – "Le jeune homme si simple" et "le bénédictin-dandy" de la *Gazette des Beaux-Arts* », de M. Dottin-Orsini ; le recueil d'articles *Proust et ses peintres*, sous la direction de Sophie Bertho.

J'ai été extrêmement touché par l'attention, le dévouement et la créativité de mes deux conseillers éditoriaux. Clara Farmer, de Chatto, m'a écrit pour demander si le livre existait. Avec Courtney Hodell de FSG, elles ont permis à cet ouvrage de se concrétiser, et je leur dois énormément.

Plus que tout, je tiens à exprimer mon amour et ma reconnaissance envers ma grand-mère Elisabeth et mon grand-oncle Iggie, aujourd'hui disparus, ma mère et mon père, Esther et Victor de Waal, et Jiro Sugiyama.

Je n'aurais jamais pu écrire ce livre sans le soutien et la générosité de mon épouse, Sue Chandler. Il est dédié à nos enfants, Ben, Matthew et Anna.

Crédits photographiques

Toutes les illustrations présentées dans ce livre appartiennent à l'auteur, à l'exception des illustrations suivantes, qui ont été reproduites avec l'aimable autorisation de leur propriétaire : *Le Pont de l'Europe*, de Gustave Caillebotte © Musée du Petit-Palais, Genève ; *La Botte d'asperges*, d'Édouard Manet © Rheinisches Bildarchiv, Cologne ; Schottentor, Vienne, 1885 © Österreichische Nationalbibliothek ; Vue frontale du palais Ephrussi, plan de l'*Allgemeine Bauzeitung* © Österreichische Nationalbibliothek ; l'Anschluss, Vienne, 1938 © Österreichische Nationalbibliothek.

Table

TROISIÈME PARTIE
Vienne, Kövesces,
Tunbridge Wells, Vienne
1938-1947

QUATRIÈME PARTIE
Tokyo
1947-1991

ÉPILOGUE
Tokyo, Odessa, Londres
2001-2009

N° d'édition : L.01EHQN000813.A004
Dépôt légal : février 2015
Imprimé en Espagne par Novoprint (Barcelone)